VERRÈS,
LES PERVERSIONS
DU POUVOIR

Du même auteur :

Spartacus, éditions du Félin, 2004.

www.editions-jclattes.fr

Gérard Pacaud

VERRÈS, LES PERVERSIONS DU POUVOIR

Roman

JC Lattès

17, rue Jacob 75006 Paris

Pour l'éditeur, le principe est d'utiliser des papiers composés de fibres naturelles, renouvelables, recyclables et fabriquées à partir de bois issus de forêts qui adoptent un système d'aménagement durable.
En outre, l'éditeur attend de ses fournisseurs de papier qu'ils s'inscrivent dans une démarche de certification environnementale reconnue.

ISBN : 978-2-7096-2744-3

*À Philippe Lebaud, qui a guidé mes premiers pas
sur les sentes escarpées de l'écriture*

PREMIÈRE PARTIE

L'enquête

Déc.71-Mai 70

1.

Après la fuite

Suspendue dans les airs, la statue de marbre blanc tournoie lentement en oscillant au-dessus de la chaloupe dans laquelle elle doit prendre place. Esquisse de pas de danse incongrue dans un ciel sans nuage, en cette fin d'après-midi.

Un vent de nord-est, assez violent, a lavé le ciel. Il fait froid. Le soleil est déjà bas sur l'horizon marin qui s'illumine. De longs filaments roses contrastent avec l'outremer de l'eau.

Immaculée, presque irréelle, elle se détache sur un fond rougeoyant. Une centaine de badauds emmitouflés dans leurs manteaux, amassés sur le quai du port d'Ostie, contemple le spectacle. Malgré le contre-jour, on peut nettement distinguer une forme féminine. Une représentation de déesse, sans doute. L'apparition d'Aphrodite, peut-être.

11 décembre 71 après J.C. Verrès, gouverneur de Sicile arrivé en fin d'exercice, a entrepris de fuir et de dissimuler le produit de ses vols à Rome.

Habituée à voir décharger durant toute l'année des milliers de sacs de blé livrés par les provinces pour approvisionner Rome, la population, depuis quelques jours, vient se distraire en assistant à des arrivages inhabituels.

Lentement, le bloc pesant descend vers la frêle embarcation grâce à un ingénieux système de palan mis en place sur le gros navire qui est mouillé dans l'embouchure du Tibre. Car Ostie n'est pas réellement un port. Une petite jetée a été aménagée pour briser les vagues de haute mer mais le quai de pierres a simplement été édifié sur un mille, le long de la rive gauche du fleuve. Les bateaux qui viennent s'y amarrer sont, pour la plupart, des embarcations de petits tonnages qui font la navette avec le port campanien de Pouzolles.

L'un des marins maintient la barque presque immobile en godillant au travers des vagues, tandis que l'autre, tout en se contorsionnant pour assurer un précaire équilibre, tend les bras vers le ciel pour agripper le lourd chargement dès qu'il sera à sa portée et le guider en douceur vers le fond de la barque.

Soudain, la progression est interrompue. Intriguée, la foule n'entend pas les appels du matelot qui fait signe de la main à ceux qui dirigent la manœuvre. Le bruit de la houle qui vient se briser sur la jetée assourdit tout l'espace portuaire.

Là-haut, sur le pont, Quintus qui dirige l'opération, accoudé au bastingage, s'est retourné. Un léger crissement a attiré son attention. En un instant, il réalise l'imminence de la catastrophe. Mal assemblées, les poutres de bois qui constituent le palan sont en train de se désolidariser. Dans un instant, la statue suspendue entre ciel et mer sera livrée à sa seule pesanteur.

— Écartez-vous ! hurle-t-il, à l'intention de ceux qui sont en dessous.

Trop tard. L'énorme marbre sculpté a retrouvé sa liberté. Dans la barque, le marin ne l'a pas encore compris. Il a toujours les bras en l'air. Avant qu'il ne puisse esquisser un mouvement de côté, la déesse choit brutalement et lui défonce la poitrine. Un bref instant, pantin dérisoire, il a l'illusion de contenir le poids énorme, puis tout devient noir et l'embarcation chavire, éventrée, tandis que Nontius abandonnant sa godille se jette à l'eau dans un réflexe de survie et s'éloigne en nageant vers le quai.

Au cri des marins, Costiglius, le capitaine, surgit de l'abri de toile situé à la proue où il recopiait sur un parchemin la liste des objets d'art au fil de leur déchargement. C'est un petit homme râblé au visage énergique, yeux noirs perçants et cheveux crépus. D'un coup d'œil il a évalué l'étendue du désastre. Il vocifère :

– Bande d'incapables, vous allez me payer ça. C'était la plus belle. Une de celles « offertes » par la municipalité de Gela, dit-il ironiquement. Si Verrès était là, il vous ferait mettre en croix.

Sans se préoccuper du marin dont le cadavre a coulé à pic, il saisit son fouet, se précipite sur les quatre esclaves chargés de l'installation du palan et s'acharne sur eux. La correction est sévère et leur dos n'est bientôt qu'une plaie sanglante. Puis il se retourne vers le contremaître :

– Et toi, Valérius, bougre d'imbécile, tu ne peux pas vérifier ce que font ces incapables. Tu sais bien qu'ils ne méritent même pas leur nourriture. Je retiendrai le prix de cette merveille sur ton salaire.

Valérius n'est pas homme à se laisser impressionner par un capitaine, même mal embouché. Beaucoup plus grand que son interlocuteur, ses yeux bleus et ses longs cheveux blonds tressés évoquent une probable origine gauloise. Employé par Verrès, il lui rend directement des comptes. Il répond calmement :

– Tes hurlements ne changeront rien à notre affaire et tu n'es pas responsable de mon salaire. Mais tu l'es de tes hommes et c'est sans doute toi qui ne seras pas payé. Essayons donc d'être efficaces. Nous allons la repêcher. Les fonds sont à moins de quinze pieds et je me fais fort de te trouver des plongeurs capables de passer des cordes pour la tirer jusqu'au rivage.

Costiglius s'est calmé. L'idée de Valérius le séduit. Si elle aboutit, elle permettrait d'éviter ou tout au moins d'atténuer la fureur de Verrès, toujours redoutable. Il objecte :

– Et que fais-tu de la vase qui s'accumule dans cette embouchure ! Regarde, les eaux du Tibre sont tellement jaunes qu'elles colorent tout le golfe. Notre statue est en train de s'enfoncer dans cet épais limon.

– C'est pourquoi il faut faire vite. Prépare des cordages, je vais à terre chercher de l'aide.

Arcanoë

Dissimulée dans la foule, une femme observe la scène attentivement. C'est Arcanoë, la fidèle compagne de Spartacus, l'esclave rebelle qui s'est rendu célèbre pour avoir défié Rome sans merci durant trois années. Après la mort de celui-ci, quelques mois auparavant, et l'anéantissement des hommes de sa horde, elle s'était cachée à Rome. Apprenant le départ précipité de Verrès pour l'Italie, elle avait entrepris de le surveiller et d'essayer de tout mettre en œuvre pour lui nuire. Car le gouverneur de Sicile était, à ses yeux, le responsable de la mort de son amant. Enceinte de Spartacus, elle a donc quitté Rome pour se réfugier à Ostie où la surveillance de l'armée et des sbires de l'aristocratie est moins pesante.

En juillet, à la suite de leur victoire sur Spartacus, Pompée et Crassus ont été élus consuls. Ils prendront leurs fonctions en janvier, dans quelques jours.

Le premier, général adulé par la foule romaine, a déjà relégué au fond de sa mémoire les escarmouches qui l'ont opposé à la horde du gladiateur rebelle. Ce ne sont là que broutilles pour ce guerrier qui, à trente-sept ans, a déjà parcouru, à la tête de ses légions, la moitié des pays du bassin méditerranéen. Il a, aujourd'hui, d'autres préoccupations guerrières : mettre fin notamment au harcèlement des pirates qui perturbent le commerce maritime de Rome.

Le second, au contraire, n'a pas fini de ressasser son demi-échec. La disparition du corps de Spartacus l'a mortifié. Arcanoë sait qu'il la fait activement rechercher. À défaut d'avoir fait rouler la tête de Spartacus sur le sol de la Curie comme preuve indubitable de sa victoire, il trouverait certainement un cruel plaisir à la laisser dépérir, couverte de vermines, en prison, à tuer son enfant dès sa mise au monde et à la faire étrangler sans procès. Mais elle est protégée par les adeptes du culte de Dionysos qui ont su créer, dans toute l'Italie, un réseau dont la solidarité est à toute épreuve.

Dès qu'elle a appris l'arrivée des huit navires en provenance de Messine *via* Pouzolles, transportant une partie du butin accumulé par Verrès, elle est venue assister au déchargement. Depuis huit jours, elle voit s'entasser, sur des dizaines de chariots et autant de péniches, le produit des pillages quotidiens. Rien n'est stocké dans les vastes entrepôts du port d'Ostie. Une fois chargés, les convois fluviaux et terrestres escortés par des gladiateurs recrutés spécialement pour décourager d'éventuels malandrins prennent la direction de Rome. Verrès, méfiant et prévoyant, fait emporter immédiatement ses richesses pour les mettre en lieu sûr, sous bonne garde.

Arcanoë a développé une haine irrépressible contre le propréteur de Sicile. N'est-ce pas lui qui, en soudoyant les pirates chargés de transporter la horde de Spartacus, a fait échouer leur passage en Sicile, les condamnant à un affrontement inégal avec Crassus du fait de l'affaiblissement des troupes de son amant ?

Elle reprend le chemin de la ville, l'oreille tendue à l'écoute des propos qui vilipendent Verrès. Enceinte, son ventre proéminent la gêne et sa démarche lourde indique que le terme de sa grossesse approche. Tout en allant à petits pas, elle réfléchit au moyen le plus efficace de venger son héros, toujours bien vivant au fond de son cœur. Que Verrès soit un voleur, un escroc et un assassin de citoyens romains lui paraît secondaire. Il a surtout pillé les riches puisque les pauvres ne possèdent rien, et l'aristocratie romaine qui n'a pas beaucoup de tendresse pour ses esclaves mérite peu de compassion. Mais, plus encore que Crassus qui commandait les légions victorieuses de la horde rebelle, il est, pour elle, celui qui a fait s'évanouir le beau rêve de Spartacus de créer la cité de l'égalité, de la solidarité et de l'amour entre les hommes. Il doit payer pour ce forfait.

Elle revient à la pensée qui l'obsède : la venue de son enfant. Depuis trois jours, de petites douleurs et des contractions épisodiques venues de l'intérieur de son ventre la tiennent en alerte. Elle a consulté la sage-femme Domitia qui, après l'avoir examinée, a prédit l'accouchement pour la fin décembre et lui a recommandé le repos au lit. Mais, Arcanoë en quête du moindre indice qui ouvrirait des voies à sa vengeance n'a pas voulu manquer l'arrivée des navires de Verrès.

Maintenant, il faut rentrer. Les douleurs, des sortes de crampes violentes, deviennent plus rapprochées. Envahie par une sourde angoisse, elle allonge le pas en jetant des regards furtifs aux vastes entrepôts qui servent de grenier à blé aux habitants de Rome. Pour rejoindre la ville, elle doit longer ces *horréi*, grands bâtiments conçus spécialement pour stocker le grain. Elle n'est pas tranquille car elle sait le quartier mal famé. Tous les malandrins de la région viennent y échanger leurs marchandises volées ou préparer un mauvais coup.

La nuit est tombée lorsqu'elle arrive à l'entrée du cardo, la grande rue qui traverse la ville du nord au sud. C'est la rue des orfèvres avec plus de cinquante boutiques qui prospèrent grâce au commerce avec les capitaines des navires céréaliers. Ceux-ci arrondissent leur fin de mois en transportant, pour leur propre compte, des sacs de bijoux en or et en argent ainsi que des pierres venues d'orient. Petits volumes et gros profits.

Arrivée au milieu de la rue, Arcanoë frappe à l'huis et s'engouffre dans une boutique surmontée d'une enseigne en cuivre qui représente un dieu Bacchus enfant portant une grosse grappe de raisin. Elle est chez ses amis Volipos qui l'hébergent et la protègent. La maîtresse de maison s'inquiète de sa pâleur.

— Que t'est-il arrivé, Arcanoë ?

— Il y a eu un accident au déchargement d'une statue de Verrès. Un marin est mort, noyé sans que personne s'en préoccupe. Cela m'a bouleversée. Depuis ce moment, je ressens des contractions dans le bas du ventre. Je crois qu'il faut prévenir Domitia. Le bébé est là, Phrasipaë.

— Couche-toi, je vais la chercher.

Une société secrète

Pendant que Costiglius et Valérius se démènent pour trouver de l'aide afin de récupérer la statue et qu'Arcanoë subit les premières douleurs de l'enfantement, Verrès arrive à l'entrée du tombeau d'Appius Claudius situé à la sortie de Rome sur la voie qui porte son nom, la voie Appia. Il est vêtu d'un ample manteau de laine brune et tient de la main gauche un grand sac de cuir, de forme arrondie.

Le soir tombe. Un vol de corbeaux fait des cercles en croassant au-dessus de la sépulture dans la pénombre. L'esclave qui l'accompagne, porteur d'une torche, tremble de tous ses membres.

— Agothus, je t'ai dit cent fois que les morts ne te feront jamais de mal. D'abord parce qu'ils sont morts, donc inertes, incapables du moindre mouvement, et ensuite parce que leur âme n'a plus le droit de se manifester sur terre. Ils vivent dans leur monde, bien séparés des vivants. Il y a même des dieux spécialisés pour s'occuper d'eux.

Le grand Noir robuste au front saillant et au nez épaté auquel vient de s'adresser le propréteur ne semble cependant pas rassuré. Une sueur poisseuse coule le long de ses joues couvertes de poils clairsemés.

— Je le sais, maître. C'est plus fort que moi : chaque fois que tu m'emmènes près des tombes... Et puis je te vois disparaître dans la pierre, parfois pendant plusieurs heures. Je n'ose même pas m'endormir en t'attendant de peur de me retrouver au royaume des ombres.

— Recule-toi à vingt pas. Cette fois je serai moins long.

Agothus présente maintenant son dos à la sépulture monumentale. Il préfère ne pas regarder. D'ailleurs, chaque fois qu'il a essayé, il a cru avoir des visions. Les choses se déroulaient toujours selon le même protocole. Son maître s'approchait du tombeau. Il descendait trois petites marches qui conduisaient sur son flanc droit. Et puis il disparaissait comme par enchantement. Une fois, pris d'une hardiesse incroyable malgré sa terreur, il s'était précipité jusqu'au mur qu'il avait palpé sur toute sa hauteur sans rien découvrir d'anormal. Verrès était rentré dans le mur et l'esclave en concluait que les maîtres avaient des pouvoirs que lui ne possédait pas. C'est pour cela qu'ils étaient maîtres.

De fait, en pressant sur une pierre d'angle, le propréteur a fait basculer une dalle qui ouvre une issue dans laquelle il s'engouffre en un instant. La lourde pierre qui a pivoté sur des gonds cachés dans l'épaisseur de la muraille se referme aussitôt dans un claquement lugubre. Il descend sept marches pour aboutir dans une salle d'une vingtaine de pas au plafond voûté, dont les murs sont percés de niches régulières qui contiennent les urnes funéraires. Celles-ci servent à recueillir les cendres des morts après les incinérations sur les bûchers rituels.

Il chemine maintenant dans un couloir étroit éclairé par des lampes à huile fixées à hauteur d'hommes, qui descend en pente douce vers un grand orifice très lumineux qu'il atteint au bout d'une centaine de pas. Il se trouve alors à l'entrée d'une vaste salle circulaire, surmontée d'un dôme, au centre de laquelle se dresse un autel rectangulaire de marbre blanc supporté par quatre pieds léonins. À l'une de ses extrémités, une superbe statue de marbre rouge veiné de noir représente le dieu Prométhée assailli par l'aigle qui lui dévore le foie. Des bancs de bois qui épousent exactement la courbure du mur sont adossés à la paroi. Celle-ci est entièrement décorée jusqu'à la coupole, de mosaïques qui représentent des scènes de la vie agraire ; labours, semailles, moissons, vendanges. D'autres bancs mais en pierre noire, du basalte d'origine volcanique, sont fixés en double rangée autour de l'autel.

– Salut à toi, Verrès. Tu ne peux pénétrer la *Cella* que si les mots sont justes.

– Par l'honneur, par le glaive, par le droit et par l'araire, je suis des vôtres. Éprouve-moi encore.

– Par le Dieu aux sandales ailées.

– Par Mercure.

– Par le dieu qui nous donna le feu.

– Par Prométhée.

– Par le Dieu du printemps et de la jeunesse.

– Par Mars.

– J'ai encore besoin d'un mot. Celui de l'année.

– Gentilice.

– Les mots sont justes et parfaits. Tu peux entrer si ton esprit est pur et loyal.

L'homme qui vient de le questionner ainsi a un glaive pointé sur sa poitrine. Après avoir abaissé son arme, il s'écarte pour laisser le nouvel arrivant pénétrer dans les lieux. Sur les bancs, une douzaine d'hommes en toge blanche bordée d'or l'attendent en devisant à voix basse. Ils portent aux pieds de luxueuses sandales de cuir précieux, également doré. Après une vigoureuse accolade, Verrès s'assoit à côté d'eux.

Il n'y a là que des notables. Les descendants des plus grandes familles de Rome, les *gens*[1] qui remontent à la création de la cité. Quatre anciens consuls, M. Aemilius Livianus, C. Scribonius Curio, L. Licinius Lucullus et Cn. Aufidius Orestes ; un préteur, C. Calpurnius Piso et un questeur, Q. Caecilius Metellus. Le plus âgé du groupe, C. Scribonius Curio, se lève presque aussitôt et prend la direction des opérations.

– Nous t'attendions pour commencer nos travaux. Nous ne serons pas très nombreux ce soir mais nous avons des questions importantes à étudier. Membres de très noble gens, je vous demande de revêtir les insignes de notre *Cella*.

Chacun des participants sort alors de son sac deux grosses phalères, décorations en or massif attachées à une

---

1. La *gens* est la lignée familiale.

grosse chaîne également en or qu'ils laissent pendre sur leur poitrine. Chaque médaille est originale L'une représente un des aïeuls valeureux de la famille, l'autre un triangle équilatéral au sommet duquel est attaché un fil à plomb.

Verrès revêt à la hâte sa toge de cérémonie.

– Prenez place, Membres de très noble *gens*, Socii[1] de Prométhée.

Les hommes se sont répartis debout derrière les bancs noirs, les doigts de la main droite accrochés aux doigts de la main gauche à la hauteur du nombril.

– En tant que Suprême Pontife Intronisé, je prends la direction de nos travaux. La main au glaive.

Les armes sortent du fourreau et sont pointées vers l'autel.

– Jurons d'être exemplaires. Répétez après moi. Pour le bien de notre *gens*, nous le jurons.

– Pour le parti des Optimates[2], nous le jurons.

– Pour la République des aristocrates, nous le jurons.

– Socii de Prométhée, à moi par le signe !

Les deux mains fermement accrochées l'une à l'autre, les huit participants élèvent les bras verticalement.

– Gloire à la noblesse, valeureuse, rigoureuse, victorieuse.

– Vous pouvez vous asseoir. Prenons séance.

Le vieillard se lève alors.

– Membres de très noble « gens », en tant que Suprême Pontife Intronisé, j'invoque Jupiter pour qu'il préside à nos travaux et nous inspire. Ô toi, Jupiter Capitolin, très Grand et très Puissant, je t'invite à être parmi nous réunis en cette *Cella*, première à Rome ! Que ta foudre nous terrasse si nous devenons parjures. Malgré le différend qui t'oppose à Prométhée, nous l'avons choisi

---

1. Les Socii sont les alliés.
2. Les Optimates sont les aristocrates, les nobles de l'époque.

comme dieu de cette Cella parce qu'il fut bon pour les hommes en leur donnant la maîtrise du feu du ciel. Je déclare notre session de décembre 71 ouverte. Je salue ce soir notre Socius Verrès qui vient de rentrer de Sicile après trois années difficiles dont nous aurons à parler. Cnaeus Aufidius, je te charge d'être notre secrétaire et de tracer sur papyrus le compte rendu de nos travaux.

Après l'étude de problèmes d'intérêt général et lecture de la communication provenant d'autres Cellas, le Suprême Pontife passe à l'ordre du jour :

- Quel est notre premier *Opus*[1] ?

– Suprême Pontife Intronisé, notre premier *Opus* concerne la prise de charge prochaine de nos deux consuls nommés, Pompée et Crassus. Vous les connaissez puisqu'ils sont tous deux membres de notre *Cella* et c'est une grande chance pour notre Ordre. Ils préparent leur prise de fonction et se sont fait excuser. Leur mérite ne fait aucun doute. Mais notre rôle est de voir plus loin. Vous pouvez constater chaque jour que la république se porte mal. Les nouvelles en provenance de l'Italie comme celles issues des provinces sont mauvaises. Celles qui nous arrivent de nos rivaux étrangers sont préoccupantes, voire alarmantes. Comment pouvons-nous les conseiller pour que leur mandat profite à notre classe ?

– En tant que Suprême Pontife Intronisé, je donne la parole par ordre de préséance à toutes mains levées... Marcus Aemilius ?

– Suprême Pontife Intronisé et vous, Membres de très noble *gens*, je crois que, depuis Sylla qui fut l'un des nôtres et qui eut le courage de lutter contre les mesures

---

1. *Opus* est un terme d'architecture qui désigne la maçonnerie d'une construction. Il en existe différents types. Ici, il s'agit d'une analyse d'évènements politiques.

démagogiques de Marius, jamais l'esprit de révolte n'a été aussi palpable dans l'air de Rome. Il faut suggérer aux consuls de prendre des mesures qui pourront soulager le peuple et notamment l'abolition de la loi Cornelia de 82 qui concentre la justice dans les mains de l'aristocratie. Nous devons rendre une partie du pouvoir de juger à la plèbe sinon, bientôt, nous serons nous-mêmes les accusés dans une farce où la foule applaudira la perte de nos privilèges.

— Quintus Caecilio ?

— Suprême Pontife Intronisé, et vous, Membres de très noble *gens*, depuis la mort de Spartacus et celle de Sertorius en Espagne, notre situation militaire s'est améliorée. Il est vrai cependant que les affaires vont mal. Le commerce a perdu un tiers de ses échanges avec la Gaule. La Narbonnaise nous boude et cherche de nouveaux partenaires directement en Syrie et en Cilicie. Malgré le retour à l'ordre instauré par Pompée, celui avec l'Espagne n'a pas repris. Je suggère que Crassus, qui est le plus riche d'entre nous, ouvre dans ses nombreux comptoirs un bureau de prêts sans intérêt pour relancer la construction et permettre aux commerçants de remplir leur dépôt avec des stocks pour deux mois...

— Le prêt sans intérêt est interdit par la loi, le coupe Lucius Licinius.

— Membres de très noble *gens*, je dois vous rappeler qu'en cette *Cella*, la parole n'est pas libre à chaque instant. C'est mon devoir de vous l'accorder ou de la reprendre, selon mon bon plaisir. Vous devez donc me la demander à main levée. Lucius, tu n'as pas la parole. Verrès, c'est à toi.

— Suprême Pontife Intronisé et vous Membres de très noble *gens*, je souscris à l'idée de favoriser des prêts peu ou pas rémunérés. Mais je mets en garde contre un autre péril dont j'ai eu à souffrir pendant ma propréture en Sicile, il s'agit des pirates. Rome doit développer et perfectionner sa marine pour se protéger contre ce nouveau fléau qui paralyse nos échanges maritimes. Pompée qui s'est déjà illustré sur mer pourrait peut-être armer une flotte pour éloigner ce danger.

— Nous soumettrons donc vos suggestions aux deux consuls en comité privé. Notre deuxième *Opus* concerne, je crois, l'un d'entre nous, ici présent. Il s'agit du procès intenté à Verrès par ses administrés, les Siciliens.

— Suprême Pontife Intronisé et vous Membres de très noble *gens*, c'est cela même. Cette affaire n'aurait pas une grande importance si l'accusateur, le procureur de la République, n'était pas une personnalité difficile à manœuvrer, je veux parler de Marcus Tullius Cicéron. En face de lui, son maître et ami Hortensius est certainement un avocat de taille à se défendre, mais Cicéron a pris de l'ampleur politique. Il brigue le consulat et a les faveurs de la plèbe. Que devons-nous faire ?

— Lucius Licinius ?

— Suprême Pontife Intronisé et vous Membres de très noble *gens*, je suggère un moyen détourné qui aurait le mérite de ne pas froisser la susceptibilité de notre célèbre avocat. Vous savez tous, en effet, qu'il a une conscience très vive de sa valeur et qu'il est très chatouilleux concernant le principe d'indépendance de la justice même s'il lui arrive souvent d'enfreindre ses propres règles. Je propose donc, comme solution, de l'initier dans notre *Cella*. Je crois en effet savoir que ce cher Marcus brûle d'envie de connaître notre activité secrète et qu'il ne comprend pas pourquoi, vu sa notoriété, il n'a pas encore été approché. Une fois considéré comme nouvel impétrant, il nous devra l'obéissance pendant cinq ans et il ne pourra plus nuire à l'un de ses Socii.

— Ton idée est subtile, Lucius, mais je doute que

Cicéron se laisse prendre à une ruse aussi grossière. Cnaeus Calpurnius ?

— Suprême Pontife Intronisé et vous Membres de très noble *gens*, j'ai pu constater combien nos secrets étaient fidèlement préservés. Il est peu probable qu'il soit au courant de la règle d'obéissance. La suggestion de notre Socius, Lucius Licinius, est donc séduisante.

— Nous pouvons essayer. Qui veut se charger des travaux d'approche ? Marcus Aemilius, voudrais-tu nous servir d'intermédiaire ?

— Suprême Pontife Intronisé et vous Membres de très noble *gens*, je serais honoré de pouvoir être utile à notre *Cella*. Mais je crois qu'il serait préférable d'utiliser les talents de notre jeune Caton. Il est intronisé depuis déjà trois ans et nous étonne par sa précocité à intégrer notre rituel et sa maturité politique. De plus il est l'ami de Cicéron. Dès lors, ni l'un ni l'autre ne s'apercevront de la manipulation dont ils sont l'objet.

— Je vais donc en référer aux deux consuls. Quelqu'un parmi vous demande-t-il encore la parole ? Ah ! Cnaeus Scribonius, tu ne t'es pas encore exprimé.

Assis à l'extrémité de l'autel, celui-ci baisse la tête comme absorbé dans ses pensées. Quand il prend la parole, il fixe intensément Verrès.

— Je crois que nous devons en savoir plus sur les plaintes des Siciliens contre notre Socius Verrès. Et je suggère, après que j'en aurai terminé, de lui demander quelques explications.

Le propréteur blêmit, mais selon la règle en vigueur, il ne peut se livrer à aucune interruption. Contrairement aux détestables habitudes prises en Sicile où il faisait toute la loi, y compris pendant les réunions de sa société secrète, ici, à Rome et singulièrement dans cette assemblée des membres de la *Cella* de Prométhée, il doit se contenir. L'esprit en ébullition, il doit laisser Scribonius continuer.

– J'ai très régulièrement des nouvelles de première main de notre belle province. Mon propre frère Mamercus est installé depuis dix ans dans la campagne de Syracuse où il exploite une entreprise florissante de conditionnement alimentaire. Il administre aussi la cité, siège comme juge, et, à ce titre, est au courant de tout. Comme il aime écrire, il me fait parvenir très régulièrement des rapports et des lettres. Tous ces documents sont très inquiétants. Je dois même dire, Suprême Pontife Intronisé, que certains sont accablants contre notre Socius Verrès. C'est pourquoi, avant d'intervenir pour tenter de sortir celui-ci de ce mauvais pas, nous devons en savoir plus pour mettre au point la bonne stratégie.

– Verrès, veux-tu répondre ?

– Certainement, Suprême Pontife Intronisé et vous Membres de très noble *gens*, je vais dissiper les doutes les plus pernicieux. Je connais Mamercus. C'est un citoyen de première valeur qui contribue largement à la prospérité économique de la région. Je ne peux que me louer également de son activité d'administrateur et de juge. Je regrette qu'il ait accordé une oreille favorable à tous les ragots qui sont colportés sur mon compte. Sans doute, ma gestion est très rigoureuse et mes verdicts durs. Mais je m'efforce d'être juste. Mon prédécesseur, Sacerdos, fut un bon gouverneur mais sa faiblesse, sa gentillesse voire son laxisme avaient fait du tort à l'autorité de Rome. Lorsque le pouvoir m'échut, j'ai dû reprendre très fermement les rênes. La Sicile, lorsque j'y suis arrivé, en janvier 73, était un cheval fougueux qui galopait sans but vers sa perdition. J'ai dû faire quelques exemples en châtiant parfois sévèrement. J'ai dû aussi changer la loi de Hiéron concernant la dîme[1] pour que le trésor de Rome puisse

---

1. La dîme était un impôt sur les céréales. La suite éclairera ce point très important concernant les exactions de Verrès.

se reconstituer. Mais rien de bien exceptionnel en de pareilles circonstances. Et je me fais fort de démonter toutes les accusations portées contre moi.

— Pendant ton séjour, tu fus le Suprême Pontife Intronisé de la *Cella* 2 de Sicile dont Mamercus, le frère de Cnaeus, fait partie. Avez-vous eu quelques différends ?

— Non. Aucun.

— Veux-tu ajouter quelque chose, Cnaeus ?

— Oui. Une précision. Nous ne pourrons défendre Verrès que s'il est totalement loyal. Nous attendons de lui la vérité même si celle-ci démasque des fautes ou des erreurs.

— Suprême Pontife Intronisé, je jure, sur la survie de ma *gens*, avoir dit toute la vérité.

— Membres de très noble *gens*, Socii de Prométhée, nous terminons sur ce point qui est d'ailleurs un rappel de notre conduite habituelle. Il est temps maintenant de clore ces travaux. J'invoque de nouveau Jupiter et Prométhée pour qu'ils nous soient favorables et qu'ils nous accompagnent pour le bien de notre classe. La main au glaive.

Les armes sortent de nouveau du fourreau. Elles sont pointées vers l'autel et le rituel de l'ouverture est repris jusqu'à sa conclusion par le Suprême Pontife Intronisé.

— Membres de très noble *gens*, Socii de Prométhée, je déclare la clôture des travaux de la *Cella* 1, à Rome, ce 11 décembre 71.

Verrès ne reste pas à la *cena* rituelle, le repas, qui suit traditionnellement la réunion. Il a encore des listes à pointer dans les grands entrepôts où Timarchide l'attend sur le mont Aventin. L'intervention de Cnaeus l'a irrité et il a craint de ne pas pouvoir se contrôler suffisamment. Dans son île, pendant trois ans, il a pris des habitudes de roi. Il faut qu'il se réadapte progressivement à ne plus avoir les mains totalement libres, à subir l'autorité de certains de ses pairs s'il veut continuer son chemin triomphant dans la carrière des honneurs. Car maintenant il ne lui reste à briguer que le consulat et la censure.

Depuis dix ans, il appartient à cette société secrète qui existe depuis plus de trois cents ans. Pendant les trois premiers siècles de leur existence les Socii de Prométhée n'ont incorporé dans leurs rangs que des nobles de haute lignée. Depuis une cinquantaine d'années, ils ont eu tendance à recruter aussi en fonction du mérite, ce qui a redonné une grande vigueur à leur ordre. Cependant, nul artisan, nul commerçant, nul représentant du peuple parmi eux. Un tribun de la plèbe ne pourra être agréé qu'après plusieurs générations.

Très influents, ils tirent les ficelles en coulisse grâce à un réseau de Cellae disséminées sur tout le territoire romain. Soixante-deux en tout dont vingt-six en Italie. Leur force est due à leur rigueur de travail et d'information, et à la qualité du secret qu'ils savent garder jusque dans la mort. Car la règle est impitoyable. La moindre trahison de ce secret entraîne l'exécution du parjure et le massacre complet de sa gens. Trois cas exemplaires en trois cent cinquante ans d'existence ont suffi à dissuader les téméraires.

Lorsqu'il s'extirpe du tombeau, Verrès peine à s'orienter tant la nuit est noire. La lune n'est pas encore apparue dans un ciel ennuagé. Au jugé il se dirige vers le fossé en bordure de la route, à une trentaine de pas, où il finit par retrouver Agothus toujours très apeuré.

— Maître, j'ai entendu les esprits des morts qui volaient au-dessus de ma tête. Ils ont essayé de m'entraîner avec eux.

— C'étaient des corbeaux, Agothus. Tu ferais mieux

de m'attendre dans la taverne qui est à un mille vers le sud. Le vin te réchaufferait et t'éviterait de dire des bêtises.

– Mais, non, je te jure, c'était des voix humaines auxquelles je ne comprenais rien. J'ai même cru reconnaître ta voix. J'ai dû changer de place pour ne plus les entendre. Viens voir.

L'esclave entraîne Verrès intrigué vers un gros rocher situé en aplomb de la voie Appia et lui indique la cavité dans laquelle il s'était lové pour dormir. Intrigué, le maître aperçoit un très fin rayon de lumière qui semble naître à la base de la pierre au ras du sol. En s'approchant, il distingue une fissure et il entend comme des murmures qui deviennent audibles lorsque l'oreille est appliquée au ras de l'ouverture. Et ce sont les voix de ses Socii !

Il faudra le signaler aux autres membres de la *Cella*. Mais aussi faire disparaître Agothus qui désormais en sait trop.

La naissance de Lucia

Pendant que les membres de la *Cella* première de Rome travaillent dans le secret de la crypte d'Appius, Arcanoë est en couches.

L'obstétrix, la sage-femme, se tient assise devant elle, légèrement en contrebas. Elle attend l'enfant qui, selon la technique de la médecine romaine, doit trouver son chemin avec l'aide de la pesanteur, de la contraction de l'utérus et des efforts musculaires de la mère. Car celle-ci est à moitié assise, à moitié debout sur une chaise haute.

Pour un premier bébé, le travail est souvent long. Arcanoë n'est pas sage-femme mais ses compétences comme prêtresse de Dionysos lui ont souvent valu d'assister aux accouchements. Elle y a acquis une expérience confirmée malgré sa jeunesse. Elle connaît ainsi les risques lorsque les dieux décident que l'enfant doit arriver mort ou que la mère, pour d'obscures raisons, mérite un châtiment. Elle n'a pas consulté les augures romains car elle se moque de leurs interprétations de vols de canards ou d'oies sauvages dans le ciel d'Ostie. Elle pense souvent, en assistant à leurs simagrées, qu'il s'agit de véritables farces jouées par d'habiles comédiens qui laissent évidemment les dieux de marbre tout en leur permettant de remplir leurs escarcelles.

Elle entend Domitia qui la conseille d'une voix douce et ferme :
— Pousse, Arcanoë, quand tu sens ton ventre se contracter et arrête-toi de respirer.
Elle pousse, comme toutes les parturientes au monde depuis la nuit des temps. Elle contracte ses muscles et retient son souffle. Elle pousse avec force pour se délivrer de ce petit être qui, pour son délice, la parasite depuis bientôt neuf mois. Elle va lui accorder son autonomie, l'entendre pousser son premier cri. Et elle pense surtout à la surprise qui l'attend : la providence lui accordera-t-elle un garçon ou une fille ? Chez les Romains la fille est peu appréciée. Seul l'autre sexe est attendu : le mâle. La fille n'est acceptée que par défaut !
Il en est tout autrement dans sa communauté.
Les prêtres de Dionysos lui ont appris depuis son enfance qu'hommes et femmes sont égaux, chacun porteur de vie, et parfaitement complémentaires. Elle est donc sans crainte et sans préférence. Cependant dans ses rêves elle a imaginé des destins différents pour l'une ou pour l'autre.
Pendant une accalmie des contractions, elle regarde les objets qui se trouvent dans la pièce. Dans l'angle, en face d'elle, bien en évidence dans une petite niche, elle

aperçoit une statue d'environ un pied de hauteur qui n'était pas là hier. Elle se hasarde à demander à Phrasipaë :

– Que représente donc cette belle sculpture ?

– Tu ne l'as pas reconnue ? C'est celle qui est en train de t'aider à accoucher. La seule déesse qui s'occupe des femmes durant toutes les phases de leur vie. Artémis ! Un ami me l'a ramenée d'Athènes. Elle est faite dans un très beau marbre blanc. Elle te soutient dans ton épreuve. Je l'ai placée là pour toi. Pense à elle et elle pensera à toi.

Soudain, Arcanoë sent que le processus s'accélère. De grosses gouttes de sueur coulent en abondance de son front. C'est la délivrance, ce glissement puissant et doux qu'elle perçoit intensément dans son bas-ventre. Elle se vide, son énergie coule à flots et en même temps elle perçoit une présence nouvelle si proche encore.

– C'est une fille ! lui crie Domitia.

Un rayon de soleil traverse la petite fenêtre et inonde la scène. Le bébé lance alors ses premiers vagissements

– C'est Lucia, murmure Arcanoë, épuisée mais comblée. Elle vit. Lucia, répète-t-elle encore, dans un murmure. Elle est née dans la lumière. Je vais t'élever dans le souvenir de ton père.

– Ne bouge pas, Arcanoë, la délivrance[1] vient d'être expulsée, je vais couper le cordon.

L'accouchée revient sur terre. Elle voit Domitia utiliser un morceau de verre pour inciser avec précision le petit tuyau visqueux qui la relie encore à son bébé. Elle ne sent rien et le sang ne coule pas.

La sage-femme pose alors l'enfant sur le sol et l'examine attentivement. Puis elle la saupoudre de sel pour éliminer l'enduit poisseux qui lui sert de protection et la baigne dans un grand chaudron d'eau tiède.

---

1. Le placenta dont on attendait la sortie pour couper le cordon ombilical.

– Je ne te demande pas l'autorisation pour faire sa toilette[1]. Elle est vigoureuse, et ne présente aucune inaptitude, déclare-t-elle.

Domitia est citoyenne romaine, elle accomplit ainsi les rites de naissance de sa patrie. Mais cela fait sourire Arcanoë. Chez les adeptes de Dionysos, tous les enfants qui naissent vivants doivent être élevés et les filles ne sont pas défavorisées par rapport aux garçons. Au contraire, un père romain a le pouvoir de décider s'il faut éliminer un enfant chétif ou l'abandonner dans la rue aux chiens errants ou à ceux qui l'élèveront *a minima* pour alimenter un cheptel humain revendu plus tard comme esclave.

– Tu sais bien que je l'aurais gardée même si elle avait été difforme !

Phrasipaë est en train d'emmailloter Lucia à l'aide de bandelettes étroites puis d'un lange plus large de coton tressé.

Bientôt, seul le petit minois reste visible. Elle pleure, trop serrée dans cette gangue rigide censée favoriser la tenue de son corps, puis s'apaise peu à peu lorsqu'on lui donne à téter quelques gouttes d'eau tiède mélangées à du miel.

– Deux jours de diète et tu pourras lui donner le sein[2].

– Mais je ne pourrai pas l'allaiter. Il faut trouver une nourrice. Pourrais-tu t'en charger, Phrasipaë ?

– Tu ne veux pas l'allaiter ?

– Je ne veux pas être dépendante de Lucia. J'ai déjà trop à faire pour son avenir. De plus j'ai entendu dire que Cicéron sera nommé accusateur de Verrès ; il ira donc en

---

1. C'est le père qui donne cette autorisation après avoir accepté l'enfant.

2. Cette diète, qui est évidemment une aberration, était préconisée par les plus grands médecins de l'Antiquité dont Soranos.

Sicile mener une enquête. Je voudrais essayer de partir avec sa suite, pour recueillir des informations. Je sais que je peux te laisser ma fille en toute confiance.

– Elle sera sous notre protection. Je vais lui trouver une nourrice. Mais comment toi, une femme, peux-tu envisager d'être enrôlée par Cicéron ?

– Les Romains n'enrôlent pas facilement des femmes pour de telles expéditions. C'est pourquoi j'ai eu une idée : je vais me déguiser en homme et tu vas m'y aider.

– En homme ! ?

Phrasipaë croyait avoir mal entendu. Comment la superbe jeune femme qui se tenait devant elle, avec ses longs cheveux roux et sa grâce naturelle, pourrait-elle se métamorphoser en un mâle poilu et malodorant ?

– Je comprends ta perplexité, mais je suis sûre qu'on peut me donner l'aspect d'un jeune homme tout à fait convaincant. J'en ai la stature, et du muscle. Il en fallait pour accompagner Spartacus. D'ailleurs, j'ai déjà accompli des missions sous un tel déguisement. Arvillon, prêtre des Dionysos à Rome, ne me connaît que sous les traits d'un homme. Et il va me faire une attestation.

Commençons par les cheveux. Ta sœur Claudia est très habile pour les coupes.

Sur le mont Aventin

Par l'entremise de son père, avant de quitter définitivement la Sicile, Verrès a loué une superbe demeure sur l'Aventin, le quartier le plus prisé de Rome où vivent les praticiens fortunés. Une villa de prestige, de plus de trente pièces, équipée de thermes privés, dont le parc occupe une partie du sommet de la colline et offre, en son extrémité ouest, une vue de rêves sur le Tibre qui coule vers Ostie en formant un méandre en contrebas. Au-delà du fleuve, la campagne commence à être habitée çà et là, par îlots d'inégale importance, entre les vastes champs maraîchers.

Un petit observatoire abrité par un toit de tuiles et une verrière amovible a été aménagé pour permettre, en toute quiétude, de savourer les couchants. En ce dernier jour de décembre, Verrès est déjà là, après avoir fui Syracuse où grondait l'émeute. Il contemple et réfléchit. Son successeur, Metellus, aussi pressé que lui le fut, trois ans auparavant, de s'enrichir sur la belle province, a accepté de prendre ses fonctions avant les derniers jours de l'année 71. Verrès en personne peut donc superviser l'arrivée de ses cargaisons de richesses volées. De ce point élevé, il voit les lourdes embarcations tirées par des esclaves numides, les plus résistants, sur le chemin de halage. Un petit débarcadère privé aménagé juste dans la courbe du fleuve, au droit de sa résidence, permet un déchargement rapide loin des regards indiscrets du port de commerce situé à moins d'un mille. Les statues, les objets rares, les coffres pleins de bijoux et de pierres précieuses, les tableaux soigneusement emballés sont alors acheminés très vite vers sa résidence.

Sur sa demande, Hortensius est venu le rejoindre. Hortensius, ami de longue date, ami intime de son père, est de surcroît, avocat célèbre et reconnu comme le meilleur de Rome. Une réputation que Verrès apprécie à sa juste valeur en ces temps troubles où il risque d'avoir à affronter un procès difficile. En effet, une délégation de Siciliens, tous notables des nombreuses cités de l'île, l'a précédé à Rome pour l'accuser des pires forfaits. Les deux hommes ont donc à parler pour organiser la défense.

– Cette résidence est somptueuse et en même temps discrète. Les grands arbres la dissimulent aux regards de tous côtés. Tu nous avais habitués à plus d'apparat. Serais-tu devenu timide ou humble ?

Verrès sourit. Et Hortensius pense, encore une fois, que ce sourire-là n'appartient qu'à lui. Un sourire qui fait frissonner même ses plus intimes. Un sourire cynique et hautain qui découvre légèrement sa canine gauche et imprime à la joue un rictus carnassier.

— J'essaie de ne pas attirer l'attention sur moi en attendant le procès. Mais ce domaine présente un autre avantage : dans la partie nord du parc, se trouvent deux grands entrepôts également cachés aux regards par des pins et de hautes futaies. L'ancien occupant, le sénateur Titus Roburius Celer, a eu l'heureuse idée de les faire construire pour développer une industrie fort lucrative de sandales de luxe qu'une armée d'esclaves fabriquait dans les cuirs les plus recherchés. Pour l'heure, ils me permettent de mettre à l'abri tous les cadeaux que mes amis siciliens m'ont offerts lors de mon départ pour me remercier d'avoir été un gouverneur intègre et bienveillant.

Hortensius reste un instant sans voix. Il regarde fixement cet homme encore jeune qu'il va devoir protéger et défendre dans un procès où les charges risquent d'être accablantes. Comment peut-il avoir une telle audace, une telle impudence ?

— Mon cher Verrès, s'agit-il de la ligne de défense que tu me demandes de mettre en place ? Vas-tu tenter de plaider non seulement l'innocence mais, bien au-delà, la loyauté indéfectible envers les lois de la République et le respect des droits de tous ?

— Toi seul peux répondre à cette question. Tu es mon avocat et tu as le choix de ta stratégie pourvu que nous gagnions. À ce sujet, nous n'avons pas encore parlé de tes honoraires, et c'est pour cela que je t'ai fait venir ce soir. Je te propose le tiers de mon butin. Tu vois, je parle de butin cette fois. Ce butin que j'ai pu amasser au prix d'un travail laborieux et ininterrompu durant trois longues années. C'est une tâche difficile d'organiser le pil-

lage d'un territoire aussi vaste. Le sais-tu ? Je suis méritant.
Au lieu de m'accabler, comme le font certains, les pères
conscrits devraient considérer le zèle avec lequel j'ai accompli la mission dévolue à tout gouverneur : s'enrichir sans
vergogne. C'est un pacte noué avec le sénat pour récompenser les bons et loyaux services d'un homme qui a déjà
beaucoup donné à Rome notamment comme préteur.

Verrès se tait pour apprécier l'effet produit. Il fixe
les yeux d'Hortensius qui le dévisage, intrigué. À cin-
quante-cinq ans, celui-ci a plaidé des centaines de procès
et a connu les situations les plus variées. Il a entendu bien
des mensonges qu'il a tenté de transformer en vérités. Il
connaît tous les coups tordus, les témoins de dernière
minute, achetés à la hâte, les roueries qui se veulent mani-
pulations de haut vol, les calomnies les plus basses avec
témoignages à charge des propres membres de la famille
de l'accusé, traîtres à leur *gens*. Il a défendu tous les types
d'hommes et de femmes, des hommes et des femmes
honnêtes bafoués, vilipendés et des crapules comédiennes
dont l'innocence affichée nimbait le visage d'une auréole
de virginité. Il a donc une bonne expérience de l'âme
humaine. Mais, une fois de plus, il est étonné. À côté de
lui, le dévisageant des ses yeux noirs provocateurs, un
cynique à l'état pur.

Un vrai joyau d'immoralité.

Tout son visage trahit ce statut. Un visage d'une
extrême mobilité où le jeu des dizaines de petits muscles
exprime les vagues intérieures d'un cerveau sur ses
gardes, en alerte permanente.

– Un tiers. C'est colossal. Un tiers de mon butin. Je
sais que tu n'es pas dans le besoin, mais te voilà presque
aussi riche que Crassus. J'ajoute que je mets un autre tiers
à ta disposition pour acheter mes juges qui sont des
nôtres. Depuis que Sylla a restitué le pouvoir judiciaire
aux Optimates, il est bien logique que nous nous entrai-
dions. Te voici donc maître de la situation. J'ajoute que

tu peux apprécier en cette circonstance mon altruisme et mon sens du partage.

– Ton séjour en Sicile t'a sans doute enrichi, Verrès, mais il a aussi développé ton avidité et ton cynisme. Tu sais que je n'approuve pas ce comportement qui a multiplié tes ennemis en leur donnant des raisons de justifier leurs attitudes envieuses et haineuses. Ce n'est pas l'heure d'en débattre, sans doute, mais tu ferais bien de te tenir sur tes gardes. Un de mes affranchis m'a rapporté des rumeurs inquiétantes. On dit que certains seraient prêts à faire justice eux-mêmes si tu étais déclaré non coupable.

– C'est la peur qui guide tes propos ?

– Je parle sérieusement et je n'ai jamais craint d'afficher mes convictions. À partir de maintenant, il serait prudent de te faire escorter par des gladiateurs bien choisis.

Verrès se tait pendant quelques instants. Il contemple le Tibre en contrebas. Puis il tourne la tête vers son ami, une lueur d'ironie provocatrice dans le regard.

– Je me suis laissé dire que ta fille Hortensia, bien qu'encore très jeune, avait hérité de ton talent pour plaider[1]. Faudra-t-il que je m'adresse à elle pour assurer ma défense ?

Hortensius paraît ne pas avoir entendu. Il poursuit son propos :

– Je n'ai besoin ni d'honneur ni d'argent. Je te défendrai par amitié pour ta famille et j'y emploierai tout mon art. Mais, encore une fois, tu dois bien comprendre que ton cas est grave. Tu ne tiens pas compte d'une éventuelle explosion populaire.

---

1. Bien que les femmes n'aient pas le droit de plaider officiellement, Hortensia, la fille d'Hortensius, défendra la cause des femmes une trentaine d'années plus tard.

Mais Verrès ne l'entend pas de cette oreille. Il a tellement l'habitude de faire céder tout opposant à ses caprices qu'il éructe.

– Le peuple ! Le peuple ! Vous en avez tous plein la bouche de ce mot. Il vous terrorise, le peuple. Mais vous ne voyez pas que ce peuple vit à nos dépens ? Il a acquis des droits sur nous. Il nous ruine en exigeant en toutes occasions des festivités, des jeux, des gladiateurs, des bêtes sauvages. Sais-tu combien coûte une panthère, un lion, un rhinocéros, un buffle capturés en Afrique ? Sais-tu combien les lanistes[1] nous font payer la mort d'un gladiateur ? Comment passerait-il son temps, le peuple, si nous n'étions là pour lui assurer sa pitance et ses distractions ? Son plaisir, c'est de venir mendier le matin sa ration de grains chez son patron et d'aller aussitôt assister aux spectacles du cirque. Et ça ne le gêne pas, pour manger ses cornets de pois chiches, de voir, à midi, les condamnés à mort rôtir sur des grilles incandescentes ! Il faut même que nous offrions des parfums pour dissiper les odeurs nauséabondes de chair brûlée tant leur nez est devenu délicat. Dans ces conditions, ne trouves-tu pas bien naturel qu'il nous restitue une partie de ce que nous lui donnons si complaisamment ? Et comme il ne rendra rien de son plein gré, je me suis autorisé à prendre de force ma part. Ce n'est que justice. Comment ose-t-on me faire un procès pour cela !

Hortensius sent que sa patience atteint ses limites. Un bref instant, il songe à renoncer, à ne pas se compromettre avec ce personnage sulfureux qui par son arrogance et sa haine du peuple risque de faire très mauvaise impression. Tous les procès sont publics à Rome et l'opinion de la foule, qui ne se prive pas de manifester, y joue un grand rôle. Mais Hortensius a aussi une réputation à

---

1. Maîtres de gladiateurs.

défendre. Il est encore le maître du barreau et il va se trouver, selon toute vraisemblance, confronté pour la première fois à son meilleur élève, celui qui lui succédera dans quelques années, Marcus Tullius Cicéron. Une dérobade serait interprétée comme un signe de déclin.

— Tu comprends bien que je ne peux utiliser une telle argumentation. Ce serait le désastre, peut-être l'émeute. Non, tu dois me trouver des pièces à conviction et de solides témoignages qui montrent que tu as agi selon le droit et pour l'intérêt du peuple. S'il le faut, aide quelques Siciliens à retrouver une autre mémoire en achetant leur conscience. Tu as assez de fortune pour cela. Et fais en sorte qu'ils soient crédibles. Je te rappelle aussi que je suis un élu de la plèbe et que je ne peux pas toujours défendre les riches alors que je suis un élu des pauvres. Enfin je voudrai te demander pourquoi tu verses toujours dans l'excès et dans la noirceur alors que, pour t'avoir vu grandir, je sais tout ce qu'il y a d'amour et d'humanité en toi. Ta passion pour l'art traduit forcément un respect pour les artistes qui en sont les auteurs. Tout cela est bien dissimulé, bien enfoui, certes, mais fortement ancré.

Verrès jette maintenant un regard différent sur le vieil ami de sa famille. Ces derniers propos le renvoient quelques mois en arrière auprès de la seule personne qui a réussi à infléchir ses comportements, la seule qui a tenu des propos similaires, la seule, une femme, qu'il n'avait pas eu envie de violer sur-le-champ, une femme dont le regard l'a subjugué dès leur première rencontre et dont il vient de faire sa femme après avoir abandonné ses nombreuses maîtresses siciliennes.

— Tu parles comme Tullia. Elle aussi croit qu'il y a une part de bonté en moi ! ricane-t-il. Mais c'est faux, je suis mauvais parce que c'est mon plaisir de l'être et mon pouvoir de la manifester.

— Mais, cependant, tu as épousé Tullia !

– Oui. Et je ne le regrette pas. C'est un dilemme pour moi. Mais, malgré tout l'apaisement qu'elle m'apporte, je ne peux pas m'imaginer en train de faire le bien pour le peuple.

– Pourtant, si tu m'accordais une petite ouverture dans cette direction, je suis à peu près sûr que j'obtiendrai ton acquittement. Pour vous avoir rencontrés plusieurs fois depuis ton retour de Sicile, je sens la bonne influence qu'elle a sur toi. Tu es un personnage à double face, une sorte de Janus, humain.

– Tiens, encore une expression que Tullia a dû te souffler. Mais je n'ai pas, comme ce dieu, le don de lire à la fois le passé et l'avenir. Saturne, qui a accordé ce pouvoir à Janus aurait été bien bon s'il m'en avait donné quelques miettes.

– Je crois que tu as la possibilité de faire le bien et le mal et que tu es libre de tes choix.

– Ne crois-tu pas qu'il est bien tard pour devenir un homme de bien ?

– Tu n'as pas fait que le mal. J'entends bien montrer au cours du procès tes hauts faits notamment militaires au service de l'État. Mais je voudrais pouvoir aussi argumenter que la violence, la méchanceté, la cruauté qui te sont reprochées ne sont que la manifestation d'une sévérité adaptée aux besoins de la gestion de la Sicile. Tu dois m'aider à montrer la meilleure face de ton Janus.

Verrès présente maintenant un visage rasséréné, apaisé. Il s'est tellement laissé entraîner dans la spirale du mal, de la concussion et de la luxure, dans les excès en tous genres, qu'il voit difficilement une autre issue qu'un affrontement brutal avec une justice qui ne devrait que le condamner. Mais, au fond de lui, il souhaite une autre solution qui le sauverait de lui-même.

2.

L'affrontement

La foule des grands jours est massée sur le Forum, bruyante et agitée malgré le froid qui rougit les visages et donne l'onglée. L'hiver peut être rude à Rome quand le vent d'est descend des Abruzzes.

Bien qu'il ne s'agisse que des préliminaires du procès, tout Rome veut suivre au jour le jour l'affrontement annoncé entre le maître du barreau et son talentueux élève, Hortensius contre Cicéron. Une première, avec un enjeu qui dépasse la personne de Verrès.

Car les motivations pour parier sur la victoire de l'un des deux camps varient selon la classe à laquelle chacun appartient. Les aristocrates, arc-boutés sur leurs privilèges, viennent soutenir les juges tous issus de l'aristocratie depuis que Sylla en a décidé ainsi, il y a dix ans. Le peuple espère voir condamner Verrès, non pas par solidarité avec les Siciliens qu'ils connaissent peu mais parce que cette défaite pourrait permettre le retour à une justice digne de ce nom, une justice qui ne soit plus de classe et où les représentants du peuple pourraient siéger.

Si Verrès mord la poussière, c'est toute la classe dominante qui en sera affaiblie. Et la pression de la rue peut changer les choses.

En gravissant, en compagnie de son frère Quintus, les dernières marches qui mènent au Forum, Cicéron est pensif et concentré. Il n'a droit à aucun faux pas. L'enjeu de ce procès est colossal. Pour ses amis siciliens sans doute mais encore plus pour lui qui avance dans la carrière des honneurs[1] et se présente, pour l'année 69, à la fonction d'édile.

En 75 il a vécu une année inoubliable à Lilybée, à la pointe ouest de la Sicile, cette île à la fois belle, riche et attachante. La République l'avait nommé questeur et il y a laissé un excellent souvenir, celui d'un juriste habile et intègre, d'un bon gestionnaire. À son départ, la province était prospère et bien administrée. Il l'a quittée comblé d'honneurs. Aussi, tout naturellement, les notables siciliens restés ses amis l'ont imploré d'assurer le rôle de l'accusateur pour déjouer les manœuvres que Verrès ne manquera pas d'imaginer au cours de son procès en collaboration avec Hortensius, le meilleur avocat de Rome.

– Que penses-tu de la tactique de la clique de Verrès ? Proposer Quintus Caecilius, un de leurs affidés, pour être accusateur à ta place, est habile ? demande Quintus.

– C'est le premier obstacle. Mais il n'est pas insurmontable. Je vais m'efforcer de le déconsidérer aux yeux des juges.

– Ne crois-tu pas qu'ils sont déjà acquis à sa cause ?

– C'est la situation que préfère un grand avocat,

---

1. La carrière des honneurs (*cursus honorum*) est la hiérarchie des magistratures qui règle la carrière politique des Romains. L'ordre de progression est le suivant : Questure, Édilité ou Tribunat de la Plèbe, Préture, Consulat, Censure.

rétorque malicieusement Cicéron. Pour conserver ma réputation et détrôner Hortensius, je dois être considéré comme vaincu avant d'avoir commencé. Plus prestigieuse sera la victoire.

Les Romains massés sur son passage commencent à l'applaudir.

Cicéron s'est arrêté devant un groupe de petits commerçants.

– Je vais gagner pour vous mais je vous demande de vous en souvenir quand je me présenterai pour le consulat.

Quintus qui le soutient dans sa carrière politique a prévu ce genre d'interpellation publique. Il est son agent de propagande et doit profiter de toutes les occasions pour faire monter sa cote de popularité. Il sait que Marcus est un grand rhéteur et un excellent avocat, mais qu'il ne sait pas se vendre, défaut majeur et souvent rédhibitoire dans ce monde où presque tout s'achète. Il fait signe à l'un des esclaves, un Syrien basané, chauve, au ventre protubérant qui témoigne de ses fonctions de cuisinier. Celui-ci s'approche des badauds et, à l'aide d'une grosse cuiller de bois, puise dans un grand sac de toile qu'il a déposé à ses pieds pour distribuer des poignées de pois chiches grillés à la foule.

– Cicéron, ça ne te coûte pas cher. Avec celui que ton ancêtre avait sur le nez, ta famille a pu en produire des milliers[1] !

La foule rit. C'est de bon augure.

Sous les ovations, l'avocat traverse le forum en diagonale et va s'installer derrière la tribune dressée à la droite de celle des juges. Ses aides ont investi les lieux

---

1. Le nom de Cicéron qui veut dire « pois chiche » vient d'une sorte de verrue en forme de pois chiche qu'un de ses ancêtres avait sur le nez.

depuis une heure déjà. Les parchemins sur lesquels il a rédigé sa plaidoirie sont déroulés, rangés en bon ordre sur la petite table en contrebas. Il leur jette un bref coup d'œil mais il sait qu'il ne s'en servira pas. Comme à son habitude il parlera sans l'aide de ses écrits qu'il connaît presque par cœur.

Il se sent prêt à l'affrontement. Il se place debout devant les juges. La peur, c'était avant. Maintenant il est dans l'arène, dans son arène. Il n'a plus peur.

Dans la vie quotidienne, il est timide et réservé, il peut être hésitant et irrésolu. Mais lorsqu'il se trouve dans un tribunal il sent monter en lui une force nouvelle, de vraies certitudes, des convictions inébranlables. À chaque plaidoirie, un picotement soutenu prend naissance au bas de sa nuque et descend jusque dans ses pieds, une sensation agréable. Il va se battre. Avec ses mots et sa façon de les mettre en valeur, de les entremêler, de les opposer l'un à l'autre, de les projeter pour leur donner à la fois de l'éclat, de la pertinence et de la virulence. Il est le gladiateur des mots et il sait qu'il peut tuer par mots interposés. Obtenir une condamnation à mort, c'est être l'auxiliaire du bourreau.

Il lève la main droite et le silence se fait en un instant sur le Forum.

– Juges, je suis devant vous pour solliciter le privilège d'être nommé accusateur dans le procès que les citoyens de Sicile ont décidé d'intenter à leur dernier gouverneur, Verrès.

« Il est prématuré de parler de celui qui, durant trois années, a véritablement pillé sa Province. Je réserverai donc mes flèches pour le procès. Pour l'heure, je voudrais vous démontrer que je suis le seul capable de porter cette charge pour que nos amis spoliés retrouvent leurs droits et leurs biens et pour l'honneur de la République romaine et de son aristocratie. Car, beaucoup plus qu'un accusateur, je suis un défenseur. Un défenseur des opprimés et un défenseur des valeurs fondamentales de la République.

Chacun sait bien que j'ai passé l'âge de tenir ce rôle habituellement dévolu aux jeunes qui entrent dans la carrière de l'éloquence et de la politique. Chacun se souvient comment, il y a sept ans, Jules César alors âgé de vingt-trois ans s'est fait connaître en accusant de concussion Cneius Cornelius Dolabella, ancien consul élu par Sylla de sinistre mémoire, qui s'était tristement illustré comme gouverneur de Macédoine durant l'année 80. Faut-il d'ailleurs rappeler que, durant cette période de honte pour Rome, nous trouvons déjà Verrès à ses côtés ?

« Non je ne suis plus un de ces *pueri nobiles*[1] impatient de jouer un rôle au sénat. Comme vous le savez bien, je suis déjà sénateur et j'avance dans la carrière des honneurs. Et je ne ferai pas la liste des Romains célèbres qui ont déjà tenu ces rôles d'accusateurs pour sauver les provinces.

« Car ce procès n'est pas banal. On peut même dire qu'il doit être, qu'il sera exemplaire à plus d'un titre. D'abord par l'importance des charges accumulées contre ce représentant de l'autorité romaine et ensuite par l'image négative qu'il propage sur la probité et l'intégrité de Rome et donc sur sa capacité de gérer ce vaste territoire qu'elle a su conquérir et pacifier par les armes.

C'est pourquoi je me présente aujourd'hui devant vous très étonné d'avoir appris le nom de celui pour lequel vous devez, au cours de cette audience préliminaire, décider s'il conviendrait mieux ou moins bien comme accusateur. La défense a en effet proposé que

---

1. Les *pueri nobiles*, littéralement « nobles encore dans l'enfance », étaient ces jeunes gens de l'aristocratie qui attendaient d'entrer dans la carrière des honneurs à l'âge de trente ans en se faisant les dents dans des procès à spectacle comme accusateurs.

vous nommiez comme accusateur un certain Q. Caecilius Niger.

« Mais savez-vous que celui-ci fut le propre questeur de Verrès ? Oui, bien sûr, vous ne pouvez pas ne pas le savoir. Il a donc été au courant de toutes les actions de son gouverneur. Je n'irai pas jusqu'à dire qu'il en a été le complice mais la question pourrait être posée.

« Et savez-vous que son propre frère M. Caecilius vivait dans l'intimité de Verrès durant les trois années de sa préture et que ce personnage demeure toujours en Sicile, fortune faite ?

« Savez-vous enfin que ce personnage est fils d'affranchi et que la rumeur court selon laquelle il serait juif. Il faudrait donc laisser à un juif le soin d'accuser Verrès alors qu'il ne mange jamais de cochon[1] ! »

Cicéron s'interrompt. Il est coutumier de ces jeux de mots parfois très lourds, pour s'attirer les faveurs du public. Cette dernière allusion qui ravive la question juive et évoque la similitude de nom entre le propréteur et l'animal de ferme entraîne un brouhaha dans la foule et quelques insultes ordurières fusent. Rome, qui est multi-raciale et plutôt tolérante, n'aime pas les juifs dont les traditions et notamment l'adoration d'un dieu unique leur semblent incongrues.

– Je vous en conjure, juges, reprend Cicéron. Vous devez faire un choix équitable. Vous ne pouvez pas laisser à la défense la possibilité de manipuler l'accusation. Par mon passé d'intégrité, je suis seul apte à assumer cette lourde charge. Dans ces temps troublés où la concussion est devenue une règle pour tous les propréteurs de province, l'avenir de la République dépend de vos décisions et des suites que nous donnerons à ce procès.

---

1. En latin, le nom de Verrès permet de faire un jeu de mots avec verrat (porc).

Il ne reste plus au tribunal qu'à délibérer durant le mois de janvier 70. Il confirmera Cicéron dans sa charge d'accusateur en lui accordant cent dix jours pour boucler son enquête dans la Province de Sicile.

L'enjeu

Nous sommes le 1er janvier, vers huit heures du matin.

À la demande de Licinius Crassus, Pompée se rend à son domicile sur le mont Aventin. L'homme d'affaires le plus riche de Rome attend le général dans son *tablinum*[1], occupé à étudier une série de plans. Car Crassus est aussi un grand bâtisseur. Une bonne moitié des immeubles de Rome, les fameuses *insulae* de six étages, lui appartiennent et leur location lui assure d'énormes revenus.

Bien qu'il soit d'un caractère optimiste et qu'il ait la faveur populaire, Cnéius Pompéius Magnus est préoccupé. Il aborde cependant son confrère sur un ton plaisant.

– Comment vas-tu, heureux consul ? Nous voici donc embarqués sur la même galère. Notre victoire sur Spartacus nous a valu de partager pour cette année les honneurs du consulat. Mais je crains que nous n'ayons un mandat pénible, mon cher Licinius. La colère gronde dans les faubourgs. Le peuple ne supporte plus les privilèges que Sylla nous a restitués. Il va falloir faire des concessions sinon nous ne serons pas à l'abri de l'émeute.

– Je croyais que tu venais me voir pour que nous

---

1. Le *tablinum* est une pièce qui servait pour ranger les documents commerciaux et les archives de la famille.

décidons lequel d'entre nous prenait la direction des affaires en janvier[1], s'étonne benoîtement Crassus.

— Mais c'est toi qui m'as demandé de venir ! D'ailleurs, pour cette dernière question, c'est tout décidé. Comme je suis le plus paresseux, c'est toi qui commences. J'en profiterai pour diligenter une discrète enquête sur la détermination des gens à s'attaquer au privilège de l'aristocratie.

— Nous avons encore deux semaines pour préparer cela. Mais il y a un autre évènement qui justifie cette rencontre car il peut avoir des conséquences graves sur le comportement de la plèbe.

— Tu veux parler du procès de Verrès ?

— Oui. Mais Verrès ne risque pas grand-chose surtout concernant une éventuelle peine de mort. Il est défendu par Hortensius et nous pourrons faire pression sur les juges. Mais que penses-tu de Cicéron ? C'est un manœuvrier habile.

— Ah, Cicéron ! Notre penseur, notre intellectuel, notre brillant orateur, notre avocat si convaincant. Cicéron essaie de compenser, comme il le peut, sa médiocre extraction. Il n'appartient pas à la classe des Optimates. Son absence d'ancêtres valeureux, sa condition de chevalier rendent plus pénible la marche vers les honneurs. Il a besoin de se mettre en valeur, de se montrer. Il cherche des voix. Et il ne peut se targuer ni d'être un grand soldat ni d'être riche comme toi.

Tout en parlant, Pompée admire par la fenêtre le superbe péristyle au centre duquel une fontaine en mosaïque bleue crache son eau par la gueule d'un monstre marin. Il arbore le sourire un peu fat que Crassus connaît bien. Celui-ci regarde à la dérobée l'homme avec qui il

---

1. Les deux consuls élus pour une année se partageaient le travail : chacun un mois en alternance.

va partager le pouvoir suprême pendant un an. Il pense que le grand général manque peut-être un peu de finesse dans son analyse. Trop imbu de sa gloire, trop sûr d'être adulé des foules, Pompée plane au-dessus de la mêlée. Mais la ferveur populaire est parfois ingrate et le propre père du grand général, Pompéius Strabo, a été mis à mort et son corps déchiqueté par le peuple il y a dix-sept ans.

— Je sais tout cela, Pompée, mais ne crois-tu pas qu'il risque d'aller trop loin ? Ne crois-tu pas qu'il pourrait obtenir une vraie condamnation et du même coup jeter l'opprobre sur tous les aristocrates ? Et s'il basculait du côté de la plèbe ?

— Rassure-toi, Licinius. Cicéron cherche à s'élever. Bien qu'il se réfère sans cesse à la justice et à la probité, il cherche plus à devenir comme nous qu'à revêtir les oripeaux de la plèbe. Il sait où est son intérêt et je suis persuadé qu'il ne franchira pas certaines limites. Il a d'ailleurs besoin de nous pour les élections futures.

— Peut-être. Mais comme tu me l'as fait remarquer, le climat social est malsain. Je pense que tu n'as pas oublié que, toi comme moi, nous étions du côté de Sylla pendant la grande répression et que nous avons profité d'évènements qui ont laissé des traces sanglantes dans une bonne partie de la population.

— Beaucoup plus toi que moi, mon cher Licinius. Moi, j'ai surtout fait la guerre et j'ai toujours gagné. Toi, tu as beaucoup « hérité » si je puis me permettre !

Crassus sait qu'il n'aura pas le dernier mot avec Pompée. Mais il est assez habile pour ne pas s'en offusquer. Il préfère tirer les ficelles en coulisse.

— Et si on lui adressait un petit avertissement ?

Pompée s'est détourné de la fenêtre, intrigué.

— Que veux-tu faire ?

— Je voudrais calmer son ardeur, qu'il comprenne qu'il peut lui en coûter de s'attaquer à une famille aussi éminente que celle de Verrès en utilisant les ragots rapportés par les Siciliens.

– Que proposes-tu ? Que j'embauche quelques gladiateurs pour le faire rosser ? Ce n'est pas dans mes habitudes.

– Non. Peut-être pourrions-nous demander à Caton d'intervenir ? Ils se chamaillent tout le temps mais ils ont du respect l'un pour l'autre. Et Caton, bien que grand défenseur de notre aristocratie, est aussi connu pour s'intéresser au peuple. D'ailleurs son ascendance plaide en sa faveur[1]. De plus il est le plus jeune membre de la *Cella* 1 et ne peut donc rien nous refuser. J'ajoute que, lors de la dernière réunion de celle-ci où nous étions tous deux absents, M. Aemilius a proposé que Caton se rapproche de Cicéron pour lui suggérer de nous rejoindre. Il pourrait faire d'une pierre deux coups ?

---

1. Caton l'ancien de la même lignée était connu pour sa probité et la défense des valeurs morales de Rome.

3.

Le péril en chemin

Des paillettes de givre accrochées aux branches noires des arbres scintillent à quelques pieds des vitres sous les rayons encore timides d'un pâle soleil d'hiver. Un merle à bec jaune s'y réchauffe après une nuit passée au creux d'un buisson. Il est huit heures du matin.

Cicéron travaille dans la bibliothèque située au premier étage de sa maison, une grande pièce orientée à l'est dont les fenêtres donnent sur un magnifique jardin. Les trois autres murs sont dissimulés par des casiers en bois qui contiennent des milliers de volumens. Un trésor. La plus belle collection de Rome.

Il rédige sa plaidoirie.

D'abord sur des tablettes de cire où il grave, à l'aide de son stylet, ses idées et ses arguments comme ils viennent, en désordre. Sur ce matériau réutilisable, il peut raturer sans vergogne. Puis, après réflexion, il rédige la version définitive sur des parchemins, de son écriture appliquée tracée avec une encre noire qu'il fait venir de Bithynie. Les calames viennent d'Égypte. Ils sont taillés dans une espèce de roseau qui ne pousse que sur les bords du Nil. Cicéron est un jouisseur de l'écriture. Parfois, pour aller plus vite, il dicte à Tiron, son intendant. Mais il ne peut se priver d'écrire lui-même, le plus souvent possible. Pour le plaisir.

Il sait bien, cependant, que, le jour venu, il ne s'en servira pas... ou très peu. Mais cela le rassure d'écrire tout ce qu'il tient emmagasiné dans sa tête. Cela lui permet aussi de le retenir. Il lui suffit de lire le texte une fois à voix haute avant de partir pour le tribunal et les mots demeurent gravés en lui comme au burin dans la pierre.

Absorbé dans sa réflexion, il n'a pas entendu entrer Tiron.

– Marcus, un porteur vient de me remettre ce pli. Il a dit que c'est urgent. Je ne voulais pas te déranger, mais j'ai de sombres pressentiments. Le personnage a une allure inquiétante.

– Donne.

Le court parchemin a été enroulé et scellé à l'aide de cire rouge. Le motif du sceau est illisible. Visiblement, il a été brouillé.

Cicéron le déroule. Une carte de la Sicile a été maladroitement dessinée à l'encre rouge également. Une sorte de triangle aux angles coupés et l'indication de trois villes : Messine, Syracuse et Lilybée. À l'intérieur des limites de l'île, on peut lire :

« *Cicéron, il est encore temps de te mêler de tes affaires et d'oublier de jouer les justiciers. Tu cherches les honneurs, la fortune et la gloire. Tu vas trouver la peur, l'infamie et la mort sur ton chemin.* »

Et une signature énigmatique : C 1.

– Tu as vu juste, Tiron. Ce sont des menaces. La partie adverse commence à sentir que les choses sérieuses commencent. Ils essaient de m'intimider mais il faudra plus qu'un torchon de parchemin pour me faire peur.

– Je crois cependant que tu devrais commencer à être prudent. Si tu le permets, je peux recruter quelques mercenaires efficaces pour assurer ta sécurité.

Mais Cicéron voyage dans ses pensées. Il contemple le parchemin comme s'il attendait qu'une signature lisible soudain apparaisse, révélée par la force de sa réflexion. C 1 ? Que peuvent signifier cette lettre et ce chiffre ? Peut-être : « Cicéron, premier avertissement... »

– Anonyme, évidemment. C'est étrange, Tiron. Hier j'étais au sénat et Caton m'attendait dehors à la fin de la séance. Il était très pressé mais il eut le temps de m'inviter à venir chez lui pour parler de choses importantes et confidentielles. Tu connais son goût pour le secret. Je m'attends à une de ces confidences sans intérêt qui ont déjà fait trois fois le tour de Rome et qu'il a apprises bon dernier. Mais cette missive anonyme relance un peu ma curiosité. Qu'en penses-tu, Térentia ?

La femme de Cicéron vient d'entrer dans la bibliothèque. De grands yeux noisette, une épaisse chevelure brune maintenue relevée sur la tête et un petit nez couvert de taches de son rachètent un visage anguleux aux formes sévères dénué de grâce. Les mauvaises langues, très nombreuses dans la haute société romaine, assurent que la fortune de Térentia a pesé plus lourd que sa beauté dans le choix de Cicéron. D'ailleurs, elle a la réputation d'être très dure en affaires et de gérer elle-même avec l'aide d'Atticus, un grand ami de la famille, son patrimoine immobilier et ses terres.

– Tu devrais prendre très au sérieux cette menace, Marcus. J'étais dans l'atrium lorsque le porteur du message est arrivé. J'ai eu le temps de l'observer. Ce n'est pas un de ces va-nu-pieds que l'on emploie pour servir occasionnellement de coursier. Il portait une toge de bonne laine très propre et des sandales de prix. J'ai cru un instant qu'il allait attendre ta réponse. Mais il s'est éclipsé dès que je me suis avancée vers lui. Il semblait très pressé. Dans la rue, une litière l'attendait.

– Une litière ? Tu en es sûre ?

– Je l'ai vue, Marcus, car je suis sortie voir s'il avait des complices ou des hommes de main.

– Mais c'est une nouveauté ! L'aristocratie de Rome opère à visage découvert, ironise Cicéron.

– Ne prends pas cela à la légère, Marcus. Dans mes réunions de femmes j'ai appris que ta proposition d'être accusateur de Verrès indisposait la majorité de l'aristocratie. Il risque de s'en trouver au moins un pour aller jusqu'au bout de son funeste projet. Et puis...

Connaissant la susceptibilité et l'orgueil de son mari, elle hésite à lui lancer une information qu'il pourrait considérer comme n'étant pas du ressort des femmes.

– Térentia, tu me caches quelque chose, parle !

– Il se murmure qu'une société secrète s'intéresse beaucoup à l'affaire Verrès.

– Tu connais des noms ?

– Tu sais bien que les noms restent toujours secrets sous peine de mort. Du moins c'est ce qui se dit.

– Je vais y réfléchir, Térentia. Je dois voir Caton, demain. Quand il n'est pas dans ses intrigues, il est de bon conseil. Je lui parlerai de cette affaire et lui demanderai ce qu'il sait en matière de société secrète.

Le complot

Marcus Porcius Caton attend Cicéron avec impatience.

Les deux consuls, Pompée et Crassus, lui ont fait parvenir une longue missive dans laquelle ils lui demandent de sonder les intentions cachées de Cicéron concernant le procès de Verrès. Il se sent flatté de cette confiance que lui accordent ses illustres Socii, mais ne veut pas le montrer. Car bien que l'accusateur du propréteur soit son aîné de douze ans et puisse se prévaloir d'une expérience incomparable dans les affaires publiques, il met un point d'honneur à le traiter comme son égal et à lui manifester ses désaccords avec aplomb et autorité.

Caton est très attaché aux principes. Il se veut stoïcien dans la plus pure tradition et se pose en défenseur acharné des trois arts fondateurs de Rome : l'agriculture, le droit et la guerre. Il cherche ainsi à se montrer digne de son célèbre ancêtre, Caton l'ancien, qui vécut cent cinquante ans auparavant, et que les historiens de l'époque surnommaient déjà Caton le censeur pour son intransigeance et sa rigueur dans l'application des lois.

Cette attitude amuse Cicéron qui n'est pas dupe et accepte toujours avec plaisir de le rencontrer pour aborder avec lui tous les sujets de la vie politique romaine. Il est lui-même très proche de la philosophie stoïcienne sans y mettre la rigueur de son jeune collègue. Le plus souvent, ils sont d'accord sur l'essentiel et se posent ensemble en défenseurs acharnés de la République.

Mais la visite de ce jour prend un caractère plus grave du fait de la lettre de menace de mort reçue la veille. Cependant, il s'adresse à Caton avec le sourire :

– Il faut vraiment que je te range parmi mes amis pour avoir accepté de quitter la chaleur de ma bibliothèque et de m'aventurer jusqu'à ta demeure perdue dans les brumes du Quirinal. Le vent qui descend de la montagne depuis quelques jours prend en enfilade les rues qui montent vers le sommet où tu as choisi de faire construire ta demeure. Quand te décideras-tu à habiter comme nous tous sur l'Aventin ou le Palatin où nous avons du soleil tout le jour ?

– Tu sais bien, Cicéron, que je m'accommode facilement de conditions assez rudes. Le froid stimule la pensée et évite la torpeur provoquée par un excès de confort. De plus, tu auras du mal à me convaincre que le climat de l'Aventin est très différent de celui du Quirinal distant d'un mille et demi.

Cicéron décide de brusquer un peu les choses car il est certain qu'un débat sur les principes de la doctrine stoïcienne ne constitue pas l'objet de leur rencontre.

– De quel sujet veux-tu m'entretenir ?

Le visage de Caton traduit soudain sa préoccupation. Il regarde son visiteur droit dans les yeux comme s'il allait lui faire une révélation d'importance.

– Les consuls nommés m'ont chargé d'une mission.

Et il s'interrompt pour juger de l'effet produit.

Cicéron est habitué à cette mise en scène. D'ordinaire, il accepte de jouer le jeu pendant quelques instants. Mais, aujourd'hui, il est curieux et impatient.

– De quoi s'agit-il ?

Caton se résigne à être court.

– Je suis chargé d'attirer ton attention sur les conséquences du verdict prononcé à l'issue du procès de Verrès. Une condamnation trop sévère pourrait déstabiliser la République. Certes, il ne fut pas un gouverneur exemplaire, mais il a été loyal pendant la révolte des esclaves et a su négocier avec les pirates pour interdire à Spartacus de passer en Sicile. Il a d'ailleurs d'autres faits de guerre à son actif. On te suggère de ne pas trop l'accabler durant ta plaidoirie.

Cicéron est stupéfait d'entendre ces propos dans la bouche de Caton si prompt, habituellement, à défendre le droit le plus strict.

– Mais tu sais bien qu'il a commis toutes les exactions, toutes les infamies, qu'il a pillé la Sicile et qu'il a réduit à la misère la moitié de la population ! Comment peux-tu, toi, le descendant direct de Caton le censeur, défendre une telle position ?

Le jeune homme affiche une expression de gêne inhabituelle.

– Je te fais parvenir un message dont je n'approuve pas totalement le contenu. Mais nous connaissons ta fougue et ton talent lorsque tu es au tribunal et, malgré les qualités de ton maître Hortensius chargé de la défense, certains redoutent que tu n'en fasses trop. Les mauvaises langues disent même que tu vas te servir de cette position pour commencer une véritable campagne électorale et rameuter des voix populaires pour briguer le consulat dans quelques années. Mais on ne peut pas être élu consul uniquement avec les voix de la plèbe !

Cicéron n'est plus dupe. Il commence à entrevoir l'étendue du complot. On lui fait parvenir une lettre de menace de mort en laissant entrevoir le niveau social du messager et on utilise la naïveté du jeune Caton pour lui signifier que les aristocrates pourraient cependant l'aider s'il acceptait de modérer ses attaques contre un des leurs.

Il choisit d'offrir un visage conciliant.

– J'ai bien reçu le message, Marcus. Je vais réfléchir. Mais toi, que penses-tu vraiment ?

– Je pense que tu dois être sévère, mais je te vois bien consul dans quelque temps. La République a besoin d'hommes comme toi et tu as mon soutien. Essaie de trouver un compromis.

– Je ne peux attendre de toi que tu m'expliques quelle forme doit avoir ce compromis. C'est un mot que tu dois avoir du mal à prononcer ! Juste une dernière question. Les consuls qui t'ont demandé de me rencontrer t'ont-ils parlé d'une menace de mort me concernant ?

Caton est stupéfait.

– En aucune sorte. Pourquoi te menacer de mort ?

Il pâlit. Il est troublé par l'annonce de cette menace. Les deux consuls ne lui ont pas parlé de cela. À moins qu'ils ne lui aient pas tout dit, volontairement.

Cicéron profite de son trouble pour insister :

— La menace n'était pas signée. Il y avait juste une lettre et un chiffre.

Caton est devenu blanc. Il essaie de se contrôler. Ne rien laisser paraître. Il s'efforce de présenter un visage étonné, simplement interrogateur. Cicéron a pitié de son ami.

— Un C et le chiffre 1. Cela t'évoque quelque chose ?

— Non, vraiment rien, s'empresse de répondre Caton, un peu trop vite. Mais je vais me renseigner.

— Eh bien, tu me feras part de tes investigations.

Au petit matin

Dès que Cicéron a disparu à l'angle de la ruelle, Caton sort en hâte et emprunte un itinéraire détourné pour se rendre chez Pompée. Il est furieux. Il s'est fait berner comme un débutant. Il veut en avoir le cœur net. Demander des explications. S'il le faut, donner sa démission de cette société secrète dont il attendait plus de loyauté.

Les gardes armés sont allés prévenir le maître de maison. Il attend devant le porche majestueux encadré de deux ifs centenaires.

Pompée l'attend dans un petit *triclinum*[1] dont les vitres donnent sur le parc. Il déguste sa préparation favorite pour les matinées d'hiver : des grains de raisin sec qu'il dispose sur de petites tranches de fromage de chèvre elles-mêmes placées sur des rondelles de pain croustillant.

---

1. Salle où l'on s'installait sur des lits pour manger.

Il sourit à l'arrivant, bienveillant mais un peu hautain. Il n'aime pas être dérangé sans motif, et Caton ne doit qu'à sa célèbre ascendance d'être reçu sans rendez-vous. Après les salutations d'usage, il marque son étonnement :

— Quel évènement est donc assez grave pour que tu te présentes aussi matinal à la porte de ma demeure ?

— Pardonne-moi cette intrusion, répond vivement Caton, mais l'heure est grave et j'ai besoin de tes conseils et de ton aide. J'ai accompli la mission dont la *Cella* 1 m'a chargé auprès de Cicéron. Tout s'est bien passé. Mais celui-ci m'a apporté une information supplémentaire qui nécessite des explications et m'a empêché de lui faire des propositions pour être affilié à notre *Cella*. Je viens vers toi parce que je crois que tu es celui qui peut me renseigner.

— Cesse tes allusions. De quoi s'agit-il ?

— Cicéron a été menacé de mort par la *Cella* 1.

Pompée cesse de contempler ses raisins secs. Il plonge son regard dans celui du jeune homme.

— En quoi cela te concerne-t-il ?

Caton reste interdit quelques instants. Il devient blême.

— Mais, Cnéius, je fais partie de la *Cella* 1. J'ai le droit de savoir, surtout lorsque je suis chargé d'une mission.

— Tu es trop jeune parmi nous pour avoir des droits. En revanche, tu as des devoirs que tu viens d'accomplir, semble-t-il. Tout est dit.

— Mais...

— Cher Marcus, cesse d'avoir des états d'âme. Nous agissons toujours avec sagesse pour le bien de tous. Nous cherchons à maintenir l'équilibre dans une société romaine en mutation. Tu dois nous laisser le choix des moyens.

– L'assassinat à des fins politiques est un moyen que
je réprouve.

– Cicéron est toujours en vie, que je sache ?

– Oui. Mais qui me garantit la suite ?

– Personne. Je n'ai rien d'autre à te dire. Mon intendant va te raccompagner.

4.

Vers Messine

Par la rumeur, toute la ville d'Ostie est au courant de l'enquête dont le tribunal a chargé Cicéron. On sait aussi qu'il doit embarquer sur un navire qui relâche dans le port de Rome pour se rendre à Messine.

Quand on lui rapporte que le grand avocat cherche un régisseur pour s'occuper de l'intendance durant son voyage en Sicile, Arcanoë décide de proposer sa candidature. Elle voit là une occasion unique pour approcher l'orateur qu'elle a interpellé sur le forum il y quelques mois, après la déroute des troupes de Spartacus, alors qu'il fustigeait Verrès et promettait un grand procès dont il serait l'accusateur. Vivre quelques semaines dans la proximité de Cicéron lui permettrait de se rapprocher de son ennemi et de trouver l'occasion d'exercer sa vengeance.

Grâce à Phrasipaë et à sa sœur Claudia, elle a réussi à transformer son apparence. Ses cheveux sont coupés court sur la nuque et juste au-dessous des oreilles. Elle les a teints en brun ainsi que les sourcils et les a raidis à l'aide d'un mélange d'amidon et d'argile noire. L'escamotage des seins a été plus ardu. Aussitôt après la naissance de Lucia, elle avait absorbé des tisanes pour tarir la montée de lait et raffermir sa poitrine. Celle-ci, déjà peu volumineuse, était devenue menue et une large bande d'étoffe, serrant son buste, avait achevé de la dissimuler. Elle présentait maintenant un profil suffisamment uniforme pour que la confusion des sexes soit plausible. Affublée d'une tunique maintenue bouffante au-dessus d'une large ceinture, chaussée de bottes de cavalier thrace, elle pouvait passer pour un jeune homme de son pays.

Arrivés le matin même sur une des très nombreuses barques qui sillonnent le Tibre pour approvisionner Rome en blé stocké à Ostie, Tiron s'est installé dans la basilique du forum pour recruter tandis que son maître, Cicéron, est allé négocier les conditions de sa traversée avec le propriétaire du navire sur lequel il a jeté son dévolu.

Sur l'un des piliers, le fidèle secrétaire a posé un panneau en bois badigeonné de blanc, sur lequel il a écrit ses besoins en grandes lettres rouges : huit gladiateurs avec certificat des lanistes, quatre esclaves à acheter dont un palefrenier et un cuisinier et, pour organiser l'ensemble, un factotum, un homme à tout faire chargé de la bonne organisation du voyage.

Il vient de négocier avec Léomagnus, un solide guerrier venu accompagné de sept mercenaires de plus de trente ans. Lorsqu'on dépasse cet âge dans les jeux du cirque, c'est l'indice d'une qualité certaine de combattant vaillant et expérimenté. Ces huit -là formeront une bonne escouade capable de dissuader d'éventuels agresseurs sur les routes isolées de Sicile.

La présence soudaine d'un jeune homme devant la table où il a posé ses tablettes lui fait d'abord croire à une erreur.

– Que cherches-tu ?

– Je viens me proposer pour la place de factotum.

Tiron veut en finir rapidement. Il choisit d'être désagréable.

– Je n'ai pas besoin d'apprenti.

Arcanoë ne laisse paraître aucun trouble.

– J'ai plus d'expérience que tu ne le penses. Je sais organiser. Je sais lire.

Tiron reste un instant à contempler le personnage. À son allure, il a tout de suite compris qu'il ne s'agissait pas d'un simple manœuvre ou d'un palefrenier. Il est impressionné. Attiré par les yeux un peu bridés, par l'éclat doré des prunelles. La silhouette est juvénile et harmonieuse mais les bras et les jambes sont musclés et les mains sont solides. Des mains qui ont l'habitude du travail, pense-t-il. Son regard est attiré par la présence d'un poignard passé dans la ceinture de cuir, du côté droit. Il désigne l'arme :

– C'est pour te défendre ?

– On fait parfois des rencontres inattendues.

Arcanoë sent qu'elle a passé la première épreuve. Il faut qu'elle profite du trouble qu'elle a suscité pour convaincre de l'étendue de ses talents particuliers.

– Je sais aussi écrire.

– D'où viens-tu donc, pour savoir lire et écrire ?

– Je suis thrace et je sais bien des choses que les Latins ignorent.

Tiron est troublé. Son calme, l'assurance, inhabituelle à cet âge, que manifeste son interlocuteur et cette aura de mystère dont il s'entoure habilement, ont ébranlé ses certitudes. Cependant, il se retranche derrière les ordres et cherche des arguments pour éliminer ce candidat gênant.

– J'ai besoin de quelqu'un d'expérimenté pour assurer toute l'intendance du voyage. C'est une lourde charge.

Je n'ai pas pour mission d'enrôler un jeune homme sans expérience. Je ne peux rien pour toi. J'ai besoin d'hommes solides, capables de chevaucher durant des milles sans se plaindre et de tout endurer pour protéger notre maître. Sais-tu seulement monter à cheval ? D'ailleurs, je te trouve fatigué. As-tu été malade dernièrement ?

— Non, je ne suis pas malade. J'ai une robuste constitution mais je rentre d'une très longue et rude chevauchée à travers l'Italie. Tu devrais savoir que, dans mon pays, hommes et femmes maîtrisent les chevaux dès l'enfance. Dans ce pays montagneux, c'est notre meilleur moyen de transport et nous participons à des compétitions rituelles plusieurs fois par an.

Tiron hésite de plus en plus. Il est piqué dans sa curiosité.

— Parles-tu grec ?

— Oui. Je parle grec comme je parle le latin. Je sais aussi le thrace mais je doute que le grand avocat Cicéron ait eu la curiosité d'apprendre cette langue.

Cette petite touche ironique fait sourire le secrétaire de l'avocat, fin lettré lui-même. Voilà qui le change des rustres qu'il a vus auparavant. Et savoir parler grec est véritablement un atout dans ce pays où la majorité ne parle encore que la langue des premiers colons. Il essaie de supputer ce que la présence d'un tel homme apporterait à leur groupe itinérant. Saura-t-il organiser leur voyage, choisir les chemins sûrs, les étapes les plus judicieuses, trouver les logements les plus appropriés, les chevaux nécessaires... et aussi servir d'intermédiaire et de traducteur avec leurs hôtes ? Ou, au contraire, vu l'aventure et les risques qui les attendent, sera-t-il un boulet dont il faudra rapidement se séparer ? Il a encore des doutes.

— Dis-moi la vérité car je ne peux t'engager qu'après en avoir référé à Marcus qui vérifiera tes dires.

Arcanoë sent les préventions s'effriter une à une.

– Je ne crains rien. Et tu diras aussi à ton maître que je sais soigner les blessures avec des onguents de ma fabrication, que je sais faire la cuisine avec quelques plantes sauvages, que je sais écouter sans me lasser et même que je peux vous aider si les dieux nous sont défavorables.

– Que veux-tu dire ?

– Les dieux parfois me parlent et je sais interpréter leurs désirs. Cela peut être utile dans les situations délicates. J'ai reçu un enseignement auprès des prêtres de Dionysos. D'ailleurs, j'ai apporté une recommandation rédigée par l'un d'entre eux. Si tu veux en prendre connaissance.

Arcanoë lui tend un rouleau fermé par un cachet à la cire rouge à l'effigie de Bacchus[1].

Tiron brise le sceau et lit.

« *Moi, Arsillion, prêtre de Dionysos, responsable de la communauté de Rome, assure que Julius Calvinus fait partie de nos fidèles. C'est un homme vaillant et d'une grande probité. Malgré son jeune âge, il a déjà une longue expérience. Nous lui avons confié plusieurs missions dans des pays voisins de l'Italie. Il en a assuré l'organisation avec diligence et autorité.* »

Tiron est de plus en plus perplexe. Il ne veut pas prendre le risque de décider seul. Il connaît « son » Marcus et sait combien il est sensible à tout ce qui est nouveau ou hors du commun. Il est certain que ce jeune homme lui plairait. Mais il ne peut préjuger de sa décision.

– J'apprécie ta culture, mais les semaines à venir seront mouvementées. Il faudra que tu confirmes tous tes dires et tes qualités de cavalier aguerri. Ainsi, tu t'appelles Julius ?

Arcanoë exulte intérieurement. S'il lui demande de confirmer son nom, c'est qu'elle a presque gagné.

---

1. Bacchus est le nom latin de Dionysos.

– Oui, Julius Calvinus

– C'est un nom romain.

– Le mien est trop compliqué à prononcer pour vous. J'en ai donc changé.

– Cicéron sera ici ce soir. Je lui soumettrais ta candidature et il décidera.

Arcanoë sourit.

– Avec avis favorable ?

– Avec avis favorable.

Cicéron arrive en fin d'après-midi. Il est de bonne humeur. Il est même comblé. L'armateur qu'il a rencontré a été flatté que l'avocat ait choisi son navire. Très informé des exactions de Verrès, il n'a eu de cesse que d'entendre raconter par son célèbre client certaines des turpitudes du gouverneur de Sicile. Il a même revu à la baisse le prix de la traversée.

Immédiatement, Tiron lui rend compte de son après-midi et le prend à part pour lui proposer la candidature de Julius qui attend à l'écart, assis sur un banc.

– Il me semble avoir les qualités pour faire un bon factotum mais il est très jeune. J'ai besoin de ton jugement.

– La jeunesse n'est pas un défaut et c'est une maladie dont on guérit, hélas ! trop vite, Tiron ! Fais venir ce Julius.

D'emblée, Cicéron interroge Julius en grec, puis mêle le latin à la conversation. Il se trouve vite convaincu par la finesse de ses réponses et l'étendue de ses connaissances. Séduit aussi par la grâce naturelle des gestes et la limpidité du regard. Une recrue peu ordinaire mais dont la réserve suscite chez lui une sorte d'inquiétude. Un instant, il imagine le pire : s'agirait-il d'un agent mandaté par Verrès ou la société secrète dont il a reçu l'avertissement menaçant ? Il décide cependant de suivre son intuition. D'ailleurs, la secte de Dionysos rassemble des gens paisibles bien intégrés à la société.

– Je t'engage, Julius. Nous appareillons la semaine prochaine. Tu verras tous les détails avec Tiron.

Appareillage

Cicéron est pressé.

Il n'a que cent dix jours pour son enquête et il faut compter avec les aléas du voyage.

D'Ostie à Messine la navigation ne présente pas de graves dangers. Le cap sud-est, en ligne directe, est facile à tenir et si le vent est de la partie, c'est-à-dire favorable et souffle du nord ou du nord-est, il ne faut pas plus de deux à trois jours pour apercevoir les rives de la Sicile. Si les dieux ne sont pas de la partie, quand la voile devient difficile à manœuvrer pour remonter le vent d'ouest ou de sud-ouest et compte tenu des courants capricieux, il faut revenir au près de la côte pour la suivre jusqu'en Calabre. Dans tous les cas, la fin du trajet est périlleuse car pour gagner Messine il faut affronter par le travers les lames du terrible détroit où Charybde et Scylla prélèvent chaque mois leur ration de naufrages.

De plus, en fin d'hiver ou au début du printemps, la Méditerranée peut être redoutable. Surtout aux alentours de l'équinoxe. Lorsque la mer est formée, le *gubernador*, le capitaine, doit rester vigilant pour éviter d'être roulé et même de chavirer si la cargaison, mal arrimée, se déporte d'un seul côté.

La navigation, toujours interrompue en période hivernale, vient de reprendre. Cicéron a négocié son voyage avec le propriétaire d'un navire céréalier qui retourne à Palerme à demi chargé. Cela permet d'espérer une vitesse moyenne de 800 à 900 stades pour une journée et une nuit de navigation. Compte tenu de la distance à parcourir, environ 2 600 stades, Cicéron espère que le voyage aller et retour n'occupera pas plus d'une semaine. Dans les soutes, cinq cents barils de salaisons de porc gaulois en provenance de Lugdunum sont alignés et calés avec soin.

Sans grand enthousiasme, Lavilius, le capitaine, a accepté de faire une escale à Messine, ce qui le détourne de sa route initiale et surtout lui impose de louvoyer deux fois dans le fameux détroit. Mais il n'a pas pu refuser le généreux pourboire glissé dans un repli de sa tunique loin du regard cupide de son patron.

Le bateau qui transporte Cicéron, son cousin et son personnel ne possède qu'une grande cabine à l'arrière réservée au capitaine. Le reste de l'espace est utilisé pour la cargaison, les hommes d'équipage dormant au hasard des espaces disponibles. Il a donc fallu diviser l'appartement de Lavilius en deux espaces, l'un pour Julius-Arcanoë et Tiron et l'autre pour Cicéron et son cousin Tullius, et aménager des espaces dortoirs pour les douze autres personnes dont les huit gladiateurs affectés à la sécurité rapprochée et quatre esclaves.

À l'aube du 23 mars, après avoir obtenu un avis favorable des augures, le navire quitte le port d'Ostie par un bon vent d'est, ce que chacun apprécie comme un signe des dieux pour protéger ce voyage. Dans ces conditions, le cap vers Messine devrait être facile à tenir. Mais c'est l'équinoxe de printemps et chacun sait, sur le pont, que bien des aléas peuvent intervenir durant les trois prochains jours. Neptune, dieu de la mer, a plus d'une ruse au bout de son trident.

Les pirates

Par chance pour Cicéron sujet au mal de mer, la Méditerranée est dans un de ses bons jours, calme et ensoleillée. De courtes vague frangées d'écume brisent sur l'étrave dans un doux clapotis.

Équipage et passagers profitent sur le pont de la clémence de cette journée de printemps. Le navire taille allègrement sa route dans le feulement léger du vent qui gonfle la grande voile. Le temps s'écoule paisiblement.

Après avoir sommeillé dans la cabine durant toute la matinée pour s'amariner, Cicéron a installé une petite table de travail sur le pont. L'air du large lui fait du bien. À l'aide d'une carte de la Sicile, il dicte à Tiron, en présence de Julius, l'itinéraire de leur expédition.

Durant la fin de l'après-midi, tandis que le soleil décline, une troupe d'une vingtaine de dauphins escorte le navire en lui indiquant le bon cap vers la Sicile. Le capitaine ne peut s'empêcher de faire partager son émerveillement :

– Voilà les meilleurs pilotes de la Méditerranée. Ce sont les dieux qui nous les envoient. Ils connaissent toujours la destination du navire. Il suffit de les suivre pour arriver à bon port.

– Mais pourquoi sautent-ils sans cesse hors de l'eau, les uns derrière les autres ? demande Cicéron.

– Les dauphins sont très joueurs. Mais, aujourd'hui, ils veulent peut-être m'avertir d'un danger. J'ai déjà remarqué ce comportement lorsque, par erreur, j'avais mis le cap sur un récif. Ils essayaient de m'alerter pour me changer de route. Mais ici, je suis sûr que la voie est libre. Je ne comprends pas.

Après un repas du soir frugal de fruits et de galettes de froment, chacun s'installe plus ou moins confortablement, dans un lieu abrité du navire, pour dormir. Seul le capitaine et deux matelots restent de veille.

C'est à la fin de la première nuit de navigation, alors que l'aube du deuxième jour se fait attendre, que le danger surgit alors qu'au grand étonnement du capitaine la bande de dauphins a entrepris de tourner à forte allure autour du bateau.

Lavilius a derrière lui une vingtaine d'années de navigation par tous les temps. Depuis quatre ans, il commande ce navire céréalier, entre la Sicile et Rome. Un vrai bonheur, car il aime passionnément la mer et ses mystères parfois terrifiants. Il vit en harmonie avec son bâtiment. Il en connaît tous les bruits, surtout ceux provoqués par l'eau sur la coque. Il est capable d'apprécier sa vitesse en fonction du feulement de l'étrave qui s'enfonce pour jaillir aussitôt et rejouer ainsi à l'infini avec l'élément liquide. Il sait aussi, lorsque le vent ne hurle pas trop et que les vagues ne dominent pas le mouvement, repérer le sens du courant selon le clapotis particulier de l'eau.

En cette fin de nuit, il file comme un char de course vers la victoire sur le Circus Maximus. On peut lui laisser la bride sur le cou tout en restant vigilant. Lavilius sourit à cette comparaison. Il se souvient. Lorsqu'il signa son contrat avec l'armateur, Tullius Validus Pulcher, l'une des grosses fortunes d'Ostie, le bateau qui lui fut attribué, ce céréalier ventru, se nommait *Bos crassus*, le gros bœuf ! Bien que débaptiser un navire fût mal vu dans le milieu marin, après une dizaine de traversées, il avait décidé de l'appeler *Lepus*, le lièvre. Un nom qu'il fit inscrire en lettres jaune d'or, sur les bords, de chaque côté de l'étrave. Depuis ce jour, il est certain que *Lepus* lui en est reconnaissant même s'il a bien conscience du caractère excessif de cette dénomination. *Lepus* n'a pas la vélocité de son homonyme terrestre. Mais, bien piloté, avec un bon vent arrière et des vagues raisonnables, il tient une place honorable dans la marine marchande de sa taille.

Lavilius jette un coup d'œil à la grande voile carrée gonflée, gorgée d'air, dont les cordages sifflent au-dessus de sa tête. Le mât subit la forte poussée du vent en s'inclinant vers l'avant. À son sommet, la corbita, sorte de panier en osier qui indique sa qualité de céréalier, est ballottée de part et d'autre. Tout cela est normal. À cette allure il devrait pouvoir relâcher à Messine le jour même, dans la soirée, et repartir pour Palerme, son port de chargement pour le blé, au lever du jour suivant.

La lueur dansante du fanal d'avant, sorte de grosse lampe à huile étanche, n'a pas résisté aux mouvements parfois désordonnés du bateau. Elle a rendu l'âme dans la nuit. Mais Lavilius n'a pas cherché à la rallumer. Il a préféré continuer dans l'obscurité. Ce point lumineux n'est utile que pour signaler sa présence. Pour sa sécurité, il fait confiance à sa vue perçante très aguerrie à distinguer la moindre intrusion dans son champ de navigation.

Le ciel s'est ennuagé depuis le deuxième jour. C'est donc sans repères d'étoiles qu'il a dû piloter son navire. La lune a cependant fait quelques pâles apparitions. Dans ces cas-là, il a l'habitude de maintenir son cap, presque au flair, et il est bien rare qu'il se déroute.

— Notre grand capitaine est-il bien éveillé ?

Léomagnus, le chef des gladiateurs, vient d'émerger de la cale et s'approche du marin. Bras nus, en tunique brune, un baudrier en travers de la poitrine et son glaive au côté.

— Suffisamment pour vous emmener en Sicile. Tu as meilleure mine que ton patron qui était bien pâle hier soir.

— Je ne suis jamais malade en mer.

— Tu connais la mer ?

— J'ai bourlingué dans ma jeunesse du côté du Pont

et sur toutes les eaux avoisinantes. Je connais bien la Bithynie.

— Tu aurais pu être marin.

— J'aurais pu. Mais j'aimais trop me battre.

— Tu as la carrure d'un baroudeur. Tu ne quittes jamais ton épée ?

— Je lui dois la vie. C'est ma meilleure compagne. Elle reste à portée de ma main.

Léomagnus est un colosse. Il parle peu, toujours aux aguets. Le capitaine, admiratif et rassuré d'être à ses côtés, imagine combien d'individus il a tailladés, assommés, éventrés, transpercés, décapités.

Les deux hommes se taisent, pris par la magie des flots et du vent. Après une nuit de veille, cette heure qui précède les premières lueurs de l'aube est propice à la rêverie.

Mais, soudain, tout bascule dans l'effroi.

Lavilius ne voit la figure de proue, une tête de Gorgone monstrueuse, qu'au dernier moment. Par un étonnant réflexe, il évite la collision en orientant à bâbord les grosses rames qui lui servent de gouvernail[1].

Inclus dans la proue du navire pirate, le puissant éperon de bronze qui dépasse de cinq pieds la Gorgone ne laisse qu'une profonde éraflure sur sa coque. Mais, en même temps, un lourd grappin vient s'accrocher dans le plat-bord. Le fameux corvus, manœuvré de main de maître, vient de créer un chemin d'accès au lourd navire de commerce. Cette passerelle articulée fixée à la proue des navires de guerre, une fois arrimée sur le bateau ennemi, permet l'abordage.

Les pirates passent à l'assaut.

---

1. Les navires n'avaient pas de gouvernail mais deux rames de chaque côté de la poupe qui en tenaient lieu.

Les huit gladiateurs engagés par Cicéron pour former sa garde dorment encore sous le pont.

Léomagnus, en guerrier expérimenté, comprend aussitôt que la survie de tous se jouera en quelques instants. Il a déjà combattu sur des navires, du côté des pirates, lorsqu'il avait une vingtaine d'années. Il sait que la victoire est toujours obtenue par l'effet de surprise et en plaçant très vite un maximum d'hommes sur le pont du navire ennemi.

À l'inverse, pour repousser une telle attaque, il faut refouler immédiatement les premiers assaillants pour créer un obstacle au passage des suivants et, si possible, éliminer le *corvus*. En dégainant son arme, il hurle pour couvrir le bruit des flots.

– À moi, les gladiateurs. Nous sommes attaqués. À moi. Les pirates sont là. Aux armes.

Le capitaine s'est précipité dans la cale et secoue les hommes.

– Prenez vos armes. Tous sur le pont. Les pirates. Les pirates. Aux armes.

Arcanoë-Julius, dans sa cabine, ne dort pas. Habituée aux veillées de guerre, elle a encore en mémoire les moments tragiques vécus avec Spartacus, la tension des affûts lorsqu'ils épiaient les légions romaines. Elle comprend dès le premier choc des coques qu'il se passe quelque chose de grave. Les cris lui confirment que la situation est préoccupante. Il faut protéger Cicéron. D'autorité elle entre dans sa cabine.

L'avocat affublé d'une tunique de nuit ocre jaune, les bras nus, s'est redressé, appuyé sur son coude. Il a le visage défait, l'œil morne et la voix pâteuse des gens qui supportent mal les voyages en mer.

– Que se passe-t-il ?

– Marcus, nous sommes attaqués. Tiron et toi, Tullius, barricadez-vous. Nous allons vous protéger pendant le combat.

Cicéron a compris. Ce qu'il redoutait, ce que le messager de mort lui avait annoncé sur le parchemin reçu avant son départ, était en train de se dérouler. Il n'avait pas imaginé que l'attaque aurait lieu sur mer. Il aurait dû mieux interpréter la présence des dauphins auprès du navire, hier soir.

– Je dois aller me battre.

Il tente de se lever, il chancelle. Un coup de roulis l'envoie cogner tête première contre la poutre de soutien du pont. Il s'écroule, sonné. Arcanoë-Julius sort de la cabine, l'épée à la main.

Pendant ce temps, au-dessus, sur le pont, la bataille s'est déclenchée, meurtrière.

Le premier pirate qui a tenté de sauter sur le *Lepus* est venu s'empaler sur le glaive de Léomagnus qui, dans le même mouvement, l'a repoussé sur le vaisseau pirate faisant basculer à la mer les deux assaillants qui le suivaient. Par chance, le *corvus* est étroit et deux hommes ne peuvent pas l'emprunter de front. Le gladiateur profite de ce court répit pour se saisir d'une hache accrochée près du gouvernail et commencer à entailler le pont mobile. Sa force herculéenne fait merveille. En quelques coups bien assénés, l'engin donne des signes de dislocation. Mais les pirates, grimpés dans les cordages, se jettent sur le pont. Quatre d'entre eux convergent vers Léomagnus en tentant de l'encercler au moment où la troupe émerge de la cale.

La lune éclaire une scène confuse, dantesque où une quinzaine d'hommes, fantômes furieux, essaient de s'étriper. Julius-Arcanoë montre alors un courage et une habileté de guerrier aguerri.

Le *corvus* cède soudain et une forte vague éloigne les deux embarcations. L'assaut est un échec.

– Nous sommes sauvés. Achevons le travail et exterminons la vermine.

Deux gladiateurs et trois assaillants gisent dans des mares de sang. À l'écart, Julius-Arcanoë chancelle. Elle tente de comprimer à l'aide d'un morceau d'étoupe le sang qui coule sur sa tunique entaillée en travers de la poitrine, au ras du cou, par une longue estafilade.

Sur le pont, quatre pirates sont retranchés à l'avant. Ceux-ci savent que personne ne leur viendra en aide. Leur bateau est déjà loin. Leur chef ne fera aucune tentative pour venir les chercher. C'est la dure règle dans ce milieu sans pitié. Ils n'ont qu'un choix. Se jeter à la mer ou combattre à mort.

Les protagonistes s'observent. Léomagnus leur parle en grec.

– Épargnez-nous de devoir vous égorger. Jetez-vous à l'eau. Il vous reste une petite chance si vous savez nager longtemps.

Sous le vent qui descend du nord-est, l'eau est très froide dans la mer Tyrrhénienne au mois de mars et le temps de survie n'excédera pas une ou deux heures pour les plus vaillants. Trop peu pour atteindre une terre. Les îles éoliennes, au nord de la Sicile, sont encore très éloignées. Quant à l'affrontement, à quatre contre six, avec cet athlète déterminé qui s'approche menaçant, c'est un combat perdu d'avance.

L'un des hommes, avec audace, tente sa dernière chance.

– Notre vie contre des informations.

– Quelles informations une fripouille de ton espèce peut-elle avoir à monnayer ?

Léomagnus n'est pas né de la veille. Dans la même situation, il aurait proposé la négociation, ne serait-ce que pour déconcentrer l'adversaire, le faire hésiter et profiter d'un moment d'inattention. Il hésite cependant. Le célèbre avocat qu'il vient de sauver d'une mort certaine est peut-être intéressé par des révélations. Il décide d'en savoir davantage.

— Notre but, dit le prisonnier, n'était pas le vol et le pillage. Nous devions semer la terreur moyennant une forte rétribution.

— Comment sais-tu cela ?

— J'étais à Syracuse dans la taverne où le commandant a reçu celui qui nous a engagés. J'étais caché à l'étage. J'ai tout vu et tout entendu.

Tiron qui est arrivé sur le pont intervient.

— Attends, Léomagnus, Cicéron aimera certainement savoir. Laisse-moi lui demander.

Le chef des gladiateurs hésite.

— Ils mentent pour sauver leur peau.

Tiron insiste. Il sait qu'il ne s'agit que d'hommes de main, de soudards payés pour tuer, mais il répugne à les voir exécuter alors que les vrais responsables sont loin.

— Écoutons-les. Nous les relâcherons à Messine ou en vue des côtes. Je vais chercher Cicéron.

La frêle lumière qui pointe à l'orient et l'air frais du petit matin redonnent des couleurs au visage de cendre de l'avocat. Il avance en se tenant au plat-bord, louvoyant comme un homme ivre. Les pirates désarmés ont été solidement ligotés. Ils sont terrorisés. Ils savent qu'ils jouent leur dernière carte.

— Qui vous a donné ordre de me tuer ?

Le pirate le plus hardi prend la parole.

— Il s'appelle Timarchide[1]. Mais on ne devait pas vous tuer. Seulement vous faire peur. C'était un avertissement.

---

1. Timarchide a été pendant trois ans l'un des bras droits de Verrès.

Léomagnus intervient.

– Et mes deux compagnons morts, c'est un simple avertissement ?

– C'est le combat !

– Qui est Timarchide ? insiste Cicéron.

– Je ne sais pas.

– Nous n'en tirerons rien de plus, laisse-moi m'en occuper.

– Non, Léomagnus. Je t'interdis de les tuer. Jette-les à fond de cale. Arrivés à Messine, nous aviserons avec Metellus, le nouveau gouverneur.

– Bien Maître, maugrée le gladiateur, tout en ruminant un plan plus radical.

Démasquée

Chacun s'affaire à remettre de l'ordre et à faire disparaître les traces de sang du pont lorsque Tiron remarque Julius-Arcanoë assis à l'écart, blême, les deux mains ensanglantées fortement appuyées sous le cou.

– Julius est blessé. Tullius, aide-moi à le descendre dans ma cabine, il faut examiner et panser la blessure.

A demi consciente, Julius-Arconoë comprend cependant qu'elle va être démasquée. Dans un murmure, elle essaie de reculer l'échéance :

– Tout va bien. Le sang ne coule plus. C'est superficiel. J'ai seulement besoin de repos.

Mais Cicéron impose son autorité.

– Déshabillez-le.

Tiron, très étonné de trouver la poitrine enserrée dans une large pièce d'étoffe grossière, remarque :

– On croirait que Julius voulait se protéger. Il avait une armure en tissu sous sa tunique.

Cicéron, intrigué, s'est approché.

Tullius, le premier, découvre la supercherie :

— Mais c'est une femme !

D'instinct, Arcanoë a la force de poser ses mains sur ses seins soudain dénudés.

Cicéron se penche sur la poitrine de son factotum. Il semble intrigué, amusé mais nullement réprobateur.

— Soignez sa blessure et portez-la dans ma cabine. Elle aura certainement des explications à me fournir.

Tiron qui connaît un peu de médecine a nettoyé la plaie qui n'a sectionné aucun muscle tout en balafrant le corps d'une épaule à l'autre. Plus de peur que de mal. Arcanoë a retrouvé un peu de vigueur. Revêtue d'une tunique propre, elle se tient debout devant Marcus à demi allongé sur sa couche.

— Assieds-toi, Julius, et dis-moi comment je dois désormais t'appeler ? demande-t-il avec une pointe d'ironie.

— Je suis Lucia. Mais on m'appelle Julius.

— Eh bien, Julius, quelle autre surprise nous réserves-tu ? On t'envoie pour m'espionner ? Pour m'assassiner ? On vient de me rapporter que tu manies l'épée à l'égal d'un homme.

— Depuis quelques années, je m'habille en homme mais je suis une femme et je viens même d'avoir une fille. Je n'ai aucune mauvaise intention à ton encontre. Je voulais absolument être engagée car je dois élever cette enfant, et je suis seule. Les gages que m'a proposés Tiron me permettront de vivre pendant plusieurs mois.

— C'est une démarche très inhabituelle pour une femme et assez difficile à croire. Tu n'as pas une meilleure explication ?

Le ton n'est pas agressif. Cicéron mène son enquête avec une certaine bonhomie : le charme d'Arcanoë est à

l'œuvre. Celle-ci à tout a fait repris ses esprits. Elle décide
de pousser l'avantage.

— Non. Il faut me croire et me faire confiance. Je ne
suis pas romaine. J'ai été élevée dans la religion de Dionysos où les hommes et les femmes sont égaux. Je suis
capable de tenir toutes mes fonctions. Maintenant que le
voyage est commencé, ne revenons pas en arrière. Mets-
moi à l'épreuve. Tu ne le regretteras pas.

— Tout est vrai sauf ton prénom ?

— Oui.

Cicéron la contemple. Rien ne se passe comme à
l'ordinaire dans ce procès. Tout est hors du commun :
l'accusé Verrès coupable de mille exactions, les juges qui
lui sont *a priori* favorables, les menaces d'une société
secrète supposée, celles de l'aristocratie, l'attaque des
tueurs à gages et maintenant cet homme qui se transforme
en femme séduisante arrivée comme par magie sur le pont
du navire qui le transporte vers la Sicile. Il n'a pas la force
de poursuivre l'interrogatoire. Depuis quelques minutes
le vent s'est levé et la mer est plus heurtée. Il commence
à en ressentir les effets. Il doit se coucher au plus vite.

— Puisque tu veux demeurer Julius, tu demeureras
dans ton identité masculine. Cela me semble la solution
la moins mauvaise. Tiron et Tullius garderont le silence.
Je réglerai ton sort à Messine.

Confidences

La mer s'est formée. Des lames courtes, des creux
de quatre à cinq mètres qui n'inquiètent pas le capitaine
mais qui déclenchent aussitôt d'insurmontables nausées
chez Cicéron. Celui-ci connaît cette faiblesse depuis
l'enfance, lorsque son père l'emmenait en mer, avec les
pêcheurs de Baïes dans le golfe de Naples où ils passaient

les vacances dans la résidence d'un ami sénateur de
Capoue. Pour l'aguerrir, paraît-il, il devait supporter des
heures de crampes et de vomissements, couché dans le
fond d'une barcasse où s'amassaient les poissons, les
coquillages et les algues visqueuses sortis des filets.
L'odeur du fraîchin ne faisait qu'empirer la situation.

Des mauvais souvenirs qui s'imposent chaque fois
qu'il met les pieds sur un bateau.

Après avoir régurgité le contenu de son estomac,
Marcus s'est allongé sur la couche installée dans la cabine,
recroquevillé sur lui-même. Il redoute d'avoir encore un
jour et une nuit à passer dans cette position sans pouvoir
ingurgiter la moindre nourriture.

Arcanoë, qui a affirmé pouvoir lui venir en aide,
prépare une potion. Elle dilue une poudre verdâtre dans
un peu d'eau avec quelques gouttes de vinaigre.

Cicéron a encore la force de plaisanter car son estomac vient de lui accorder quelque répit.

– C'est du poison ?

Arcanoë sourit.

– C'est une potion efficace. Tu peux me faire
confiance. Bientôt tu seras apaisé et tu pourras dormir.

Lorsqu'elle sort sur le pont, la mer est déjà plus forte.
Lavilius est à l'arrière, attentif. Les gladiateurs installés
sur le plat-bord essaient de jouer aux osselets malgré le
tangage. Les esclaves, recroquevillés dans la cale, tentent
de dormir.

Arcanoë ne sait pas si elle a gagné la partie. Elle ne
sait pas non plus où cette aventure va la conduire. Son
engagement auprès de Cicéron va-t-il lui permettre de se
venger de Verrès ? N'est-ce pas une voire très tortueuse
pour atteindre son but ?

Dans un premier temps elle doit profiter de la faiblesse de Marcus. La mixture qu'elle lui a fait absorber
doit le faire dormir, calmer ses nausées et aussi diminuer

sa vigilance lorsqu'il sera éveillé. Dans la soirée, ils pourront parler et son interlocuteur sera plus réceptif.

La nuit est venue.

Cicéron parle dans un état de rêve éveillé. Il est détendu. Sa voix est traînante, lourde. Son discours est haché. Il délire un peu. Il ne vomit plus, n'a plus de nausées. Lorsque le faux Julius a frappé de nouveau à la porte de sa cabine, il l'a laissé entrer.

— Je dois vous faire un aveu, dit Arcanoë. Le but de votre mission en Sicile est connu, et je suis convaincue de son importance. J'ai des amis siciliens et je partage l'horreur qu'ils ont de Verrès.

— Ah ! Verrès. Il a commis tous les crimes. Tous les crimes... Il se croit tout permis. C'est un dépravé... un voleur... un criminel... un pervers sexuel... un cynique qui utilise sa condition d'aristocrate pour tenter de se garantir l'impunité. Il déshonore Rome... Il faudrait pouvoir le mettre en croix comme il a fait pour Gavius...

Elle feint l'ignorance.

— Il est encore en Sicile ?

— Il n'est plus en Sicile. Il a eu peur... trop peur que les Siciliens lui règlent son compte. Il s'est réfugié à Rome avec ses comparses, les Optimates... ils ne m'aiment pas beaucoup ceux-là ! On dit qu'il a loué une villa sur l'Aventin. Mais il n'y couche pas souvent.

« Il se cache... et il rassemble son butin qui est arrivé par cargaison entière presque tous les jours à la fin du mois de décembre.

— Et qu'allons-nous faire en Sicile exactement ?

— Je vais enquêter, recueillir des témoignages sur les exactions, sur les crimes de Verrès.

— Mais n'y aurait-il pas des témoignages favorables ? Verrès n'a-t-il pas quelques actions positives à son actif. On dit qu'il a joué un rôle important dans la révolte de

Spartacus ? J'ai entendu dire que c'est lui qui a empêché le passage des esclaves révoltés en Sicile.

— Ah ! Oui. C'est un bon point pour lui... et son avocat va sûrement essayer de le présenter comme un sauveur de la patrie... Verrès sauveur de la patrie... tout serait donc possible dans notre pauvre République... Mais je vais essayer de démontrer qu'il a encore spolié le trésor public dans cette négociation... Je suis sûr... qu'il a empoché la plus grosse partie de la somme affectée pour dissuader les pirates de faire traverser Spartacus...

— Mais il a réussi.

— Oui. Il a réussi et je n'en suis pas mécontent... cette horde de gueux finissait par menacer Rome...

Arcanoë sait qu'elle est sur un terrain brûlant. Elle ne peut continuer trop longtemps sans risquer d'attirer l'attention de Cicéron, partisan de l'ordre établi même s'il prône, en même temps, plus de justice. Elle tente une dernière piste.

— Penses-tu que Spartacus aurait réellement menacé la Sicile ?

— Probablement. Il reste des foyers d'insoumission dans notre province... et Verrès était trop atteint par sa vie dépravée pour être encore un bon soldat... nos légions avaient été plusieurs fois mises en déroute en 73 et en 72... et puis il pouvait plus facilement gagner l'Afrique après avoir réorganisé sa horde... le sénat pardonne beaucoup à Verrès pour cela...

La fin de la phrase est prononcée dans un murmure. Marcus s'est endormi. Arcanoë n'a rien appris de nouveau et ne sait toujours pas quel sera son sort. Elle quitte la cabine de Cicéron pour regagner la sienne.

5.

Premiers jours

Le soleil est à quelques pieds de l'horizon lorsque le *Lepus* entre dans la rade du port de Messine. Un mille auparavant, profitant d'un dernier somme de Cicéron dans sa cabine, Léomagnus jette par-dessus bord les quatre pirates prisonniers après leur avoir délié pieds et mains. À Tiron qui tente de s'interposer il déclare :

– Évitons les complications.

Sans états d'âme, il regarde le plus gros qui ne sait pas nager, se noyer dans le sillage du navire pendant que les trois autres tentent péniblement de regagner le rivage dans une mer agitée.

Dès que le navire s'est arrimé au quai nord, une délégation du gouverneur et les décurions[1] de la ville viennent à la rencontre de Cicéron et de sa suite.

C'est le 25 mars.

---

1. Les dix premiers personnages de la ville qui en constituent une sorte de sénat.

Depuis le début de l'année 70, Metellus est en poste en Sicile. Dès qu'il a su que Cicéron serait son accusateur, Verrès a dépêché un émissaire auprès de son successeur qui finit de s'installer dans le grand palais de l'ancien roi Hiéron, à Syracuse. Il lui a demandé de tout faire pour entraver l'enquête tout en lui faisant le meilleur accueil.

L'un des membres de la délégation se détache du groupe :

– Je suis Sergius Trophimus, le légat du gouverneur retenu par des affaires urgentes à Syracuse.

– Voici mon neveu Lucius Tullius Cicero et mon intendant Tiron. Avec moi, Julius Calvinus qui me sert d'interprète, de factotum et de conseiller, annonce Cicéron. Nous ne sommes plus que douze personnes puisque nous avons perdu deux gladiateurs pendant la nuit. Il faut loger tout ce monde.

– La mer était-elle si mauvaise que des hommes sont passés par-dessus bord ?

Cicéron toise son vis-à-vis, une lueur d'ironie dans les yeux.

– Non, mon cher Trophimus. Des pirates ont voulu jouer au jeu de l'amphithéâtre avec nous et nous avons gagné, grâce à ces soldats courageux.

Le légat paraît stupéfait.

– Des pirates ! Mais ils sont calmes en ce moment. Nous avons passé des accords avec eux. Pourquoi s'attaquer à ce céréalier ? Connaissaient-ils ta présence ?

– Je te le demande. C'est sûrement une coïncidence mais parfois de telles concordances proviennent de gens malintentionnés. D'ailleurs j'ai été menacé avant mon départ. Ce qui prouve que certaines personnes voient d'un mauvais œil mon intervention dans le procès de Verrès pour lequel je suis ici.

– Metellus m'a ordonné de tout faire pour faciliter ton travail. Crois bien qu'il est animé des meilleures intentions à ton égard. Je suis à tes ordres pour te préparer le chemin.

Les arrivants sont installés en ville dans deux riches maisons. Le cousin germain Lucius chez les Percennius et Cicéron chez un ami, l'un des notables de Messine, C. Pompéius Basiliscus, connu du temps de sa questure à Lilybée.

Son hôte a préparé un repas de fête et Cicéron se réjouit de pouvoir avaler quelques aliments. Les deux hommes se sont installés dans le *triclinum*, chacun sur un lit, face à face. Deux braseros dégagent une chaleur agréable et une fumée un peu âcre qui les prend à la gorge. Des soles, des maquereaux et des tranches de murènes finissent d'y griller. Sur les tables basses voisines, des pots de *garum*[1] et de miel sont proposés comme sauce d'accompagnement ainsi que de grosses olives noires sans noyau, très appétissantes, que les deux invités croquent en attendant que les poissons soient cuits à point.

– J'ai entendu que votre traversée avait été mouvementée, Marcus.

Cicéron sourit. Il a retrouvé un peu d'énergie et les olives dont il raffole commencent à apaiser les spasmes d'un estomac vide depuis trois jours. Il boit un verre de vin coupé d'eau.

– Je ne m'attendais pas à un accueil chaleureux, mais l'attaque sur mer m'a surpris. Cela signifie qu'un véritable complot est ourdi pour me faire taire. Je dois donc m'attendre au pire pour la suite. Que me conseilles-tu, Pompéius ?

– Je te conseille de tripler ton escorte, d'envoyer des éclaireurs à quelques milles et de ne pas musarder en

---

1. Le *garum* est une sauce fabriquée en laissant se décomposer des poissons avec leurs viscères, des herbes aromatiques et du sel. Sans doute assez voisin du nuoc-mâm vietnamien.

chemin. Souviens-toi de ton séjour ici, il y a cinq ans. La Sicile n'est pas l'Italie. Les routes n'y sont pas aussi sûres et les malandrins y sont nombreux, en quête d'argent facile et sans état d'âme. Méfie-toi aussi des relais et des auberges. Ce sont des points isolés parfaitement adaptés pour un guet-apens. Tu ne dois t'y arrêter qu'après avoir fait inspecter les bâtiments par un détachement de ton escorte.

– Parle-moi de l'atmosphère générale du pays. Que pensent les Siciliens de ce procès ? Y a-t-il un consensus contre Verrès ? Qu'attend le peuple ?

– À part les Mamertins qu'il a favorisés pendant trois ans et grassement payés pour se taire et les Syracusains qu'il a terrorisés, l'ensemble de la population est indignée et attend réparation. Tu vas te rendre compte de l'état de désolation de certaines régions où les champs ne sont plus cultivés et certains villages abandonnés. Verrès a créé le chaos et Metellus a bien du mal à relancer l'activité agricole et le commerce. Il a déjà rétabli la dîme selon la loi traditionnelle. C'était la première mesure à prendre.

– Voilà déjà une preuve contre Verrès. S'il a fallu la rétablir, c'est qu'il l'avait bien dévoyée à son profit !

– Sans doute. Mais tu n'es pas au bout de tes surprises. Allons, va prendre quelque repos. Je te souhaite une bonne nuit, Marcus.

Manœuvres

Dès le matin, Lucius, Tiron, Léomagnus et Julius se mettent en quête de chevaux et de toute l'intendance nécessaire pour une expédition de deux mois. Suite aux conseils donnés par Basiliscus, ils cherchent aussi à recruter deux groupes de vingt légionnaires pour garantir leur sécurité. Celui-ci leur a suggéré d'aller vers le sud, dans la campagne qui s'étend le long de la mer en direction de Catane, une langue de terre étroite mais très fertile.

– Des petits domaines ont été attribués à des vétérans de l'armée de Sylla qui ont également combattu avec Lucullus contre Mithridate. Une colonie d'une centaine d'hommes, mariés pour la plupart et avec des enfants, qui sont venus d'Italie l'an dernier. Ce sont des légionnaires aguerris et déterminés. Ils ont survécu, pour la plupart, à quinze années d'expéditions et de combats très durs. Ils sont disponibles car les champs ne réclament pas de travail en ce moment. Les blés sont semés et ceux qui resteront pourront assurer les travaux indispensables. Ils ne sont pas riches. L'État leur a donné une terre mais ne leur verse plus rien. Ils seront alléchés par une solde confortable. Vous pouvez leur faire confiance. Ils n'ont pas du tout été mêlés aux affaires de Verrès qui s'est bien gardé de les importuner. Ils gèrent leur petite communauté entre eux, viennent peu à Messine et n'ont jamais été impliqués dans un délit depuis leur arrivée.

Lucius a suivi ce conseil. Les légionnaires ont construit un ensemble de petites fermes individuelles selon un plan de distribution harmonieux, étagées des bords de la route de Catane qui suit le rivage, jusqu'aux contreforts de la montagne. L'ensemble dessine grossièrement un ovale à l'intérieur duquel se trouvent les parcelles séparées par de petites haies d'églantiers. En plein centre, un édifice un peu plus important qui rappelle une petite basilique sert de lieu de réunion pour la communauté.

La petite délégation a retrouvé les cinq légionnaires élus par leurs pairs, dans ce bâtiment. Ce sont de solides gaillards âgés d'environ quarante-cinq ans, d'apparence très robuste. Lucius fait sa proposition.

– Le grand avocat Marcus Tullius Cicéron est en Sicile sur ordre du sénat, pour une enquête de deux mois. Il doit parcourir l'île à la recherche de témoins et d'indices pour confondre de concussion l'ancien gouverneur Verrès. Mais la partie adverse n'entend pas nous laisser les mains libres. Nous avons avec nous Léomagnus et cinq gladiateurs et nous avons déjà subi un assaut des pirates pendant notre traversée d'Ostie à Messine. Nous cherchons quarante soldats divisés en deux groupes de vingt : l'un pour servir d'éclaireurs et l'autre pour nous protéger directement. La mission dure soixante jours et sera bien payée.

Cornifacius, le chef des élus, hoche la tête.

– Dans l'armée, nous n'aimons pas beaucoup les gladiateurs. On préférerait ne pas avoir affaire à eux. Je suis centurion et je ne tolérerais pas d'être commandé par l'un de ces vauriens.

Léomagnus est devenu écarlate.

– Veux-tu choisir six de tes hommes pour te mesurer à nous ? Même vétérans, vous ne tiendrez que quelques instants avant d'être égorgés.

Arcanoë connaît bien cette hostilité de l'armée qui considère comme des pantins ceux qui s'exhibent dans les amphithéâtres. Car la légion combat pour l'honneur et la grandeur de Rome alors que les jeux glorifient des hommes considérés comme des déchets humains, dépossédés de leurs droits de citoyens, et donnent libre cours aux pulsions les plus perverses des spectateurs. Mais elle sait aussi tout ce que peut cacher de noblesse cette apparence et le souvenir lancinant de Spartacus est là pour raviver cette plaie douloureuse.

Elle intervient en se plaçant devant Léomagnus, apaisante.

– Nous ne sommes pas venus vous provoquer. Les six gladiateurs resteront pour nous servir de garde rapprochée. Ils ne recevront d'ordres que de nous quatre.

Quant à vous, vous serez directement sous le commandement de Cicéron.

Cornifacius dédaigne visiblement la jeunesse du pseudo-Julius. Ostensiblement, il se tourne vers Lucius et Tiron.

– Vous payez combien ?

– Vingt sesterces par jour, pour chacun. La moitié au départ, le reste à l'arrivée. La nourriture en plus. Vous fournissez vos chevaux.

– D'accord pour trente et vous nous payez un équipement : selles et manteaux de laine.

– Pas plus de vingt-cinq sesterces. Je ne paie que les manteaux, vous avez tous des selles.

– On doit consulter les hommes.

L'affaire est conclue en début d'après-midi. Tiron a compté douze sesterces et deux as à chaque légionnaire.

– Demain matin, à l'aube vous nous attendrez en bas sur la route. Je vous apporterai les manteaux.

– Nous y serons.

Il faut maintenant trouver des chevaux pour quatorze personnes, plus un convoi et des ânes pour les bagages. Léomagnus a repéré une grande auberge qui sert de relais juste à l'entrée de Messine. Dans un vaste enclos, une centaine de chevaux s'ébattent en liberté. À l'intérieur, Marcus Modium, le tenancier, se tient derrière son comptoir. Presque chauve, mal rasé, il donne l'impression d'être sale et très fatigué. De sa bouche édentée, seule une dent émerge qu'il découvre sans parler en retroussant sa lèvre supérieure à chaque instant. Son regard est fuyant. Il contemple sans aménité les arrivants.

C'est Léomagnus qui intervient.

– Nous avons besoin de quatorze chevaux, dès maintenant. Fais-nous seller les meilleurs de ton troupeau et propose-nous ton prix.

Marcus Modium les fixe sans répondre avec une mimique interrogative, comme s'il ne parlait pas leur langue. Arcanoë traduit en grec. Il répond alors en latin.

– C'est impossible.

– Pourquoi est-ce impossible ?

– Je n'ai plus de chevaux.

– Mais il y en a plus de cent dans le pré.

Modium rit, d'un petit rire un peu forcé qui égrène ses notes decrescendo, lentement. Il les regarde avec une lueur amusée dans les yeux.

– Ils ne sont plus à moi.

– Tu les as vendus ?

– Non.

Léomagnus sent la moutarde lui monter au nez. Il dégaine son glaive et s'approche, menaçant.

– Tavernier, je manque de patience. Je vais commencer par les oreilles mais, parfois, mon coup manque de précision. Je deviens vieux. Tu ne devrais pas risquer un accident grave.

Modium tremble maintenant.

– Ils sont réquisitionnés.

Arcanoë intervient.

– Par qui ?

– Par le gouverneur, Metellus. Un émissaire est venu porteur d'un parchemin. Je ne sais pas lire mais il m'a dit que tous les chevaux devaient rester là en attendant d'autres ordres.

– C'est un malentendu. Cicéron est mandaté par le tribunal de Rome et le légat du gouverneur, Sergius Trophimus, nous a assuré, hier, qu'il ferait tout pour nous faciliter la tâche.

Modium est complètement imperméable à cet argument qu'il ne comprend pas bien.

– Je ne sais pas qui est Cicéron ni qui est Trophimus, mais je sais que, si je désobéis à Metellus, je risque gros.

Léomagnus est à bout. Il fonce sur Modium soudain terrorisé par ce géant furibond. Il semble se rapetisser sous la menace.

– Écoute, tavernier, tu n'as pas le choix. Nous nous moquons des ordres de ton gouverneur. Va nous préparer les chevaux ou je t'envoie rejoindre les mânes de tes ancêtres.

Le tavernier s'éclipse aussitôt et part en courant vers la prairie.

Le gladiateur, le cousin, l'intendant et Julius se sont installés autour d'une table en bois et sirotent un verre de vin du pays.

– Ils ne connaissent que la force, se rengorge Léomagnus.

– La partie n'est pas encore gagnée, fait remarquer Julius.

– S'il me désobéit, il aura vécu son dernier jour.

– Il peut faire pire. Il peut trouver une solution pour que les chevaux ne soient attribués ni au gouverneur, ni à nous.

Léomagnus semble dépassé.

– C'est trop compliqué pour moi. Il faut absolument que je reparte d'ici avec quatorze chevaux.

Soudain un bruit de cavalcade se fait entendre. Le petit groupe se précipite pour voir les chevaux effrayés s'égailler en galopant vers la montagne proche. La barrière du champ a été enlevée mais pas de trace de Modium. Rattraper toutes ces bêtes qui ont repris goût à la liberté demandera plusieurs jours.

– Encore une traîtrise de Verrès relayée par Metellus. Il est certain qu'il est intervenu auprès de tous les relais alentour. Il nous reste à nous adresser aux particuliers par l'intermédiaire de Pompéius. Chaque Sicilien propriétaire d'une ferme possède quelques chevaux pour le travail des champs ou pour son plaisir. Nous finirons bien par être équipés.

De retour à la villa de leur hôte, ils tiennent conseil avec Cicéron qui remercie celui-ci.

— Tes craintes étaient fondées, Pompéius. Peux-tu nous aider grâce à ton cercle d'amis ?

— Je donne des ordres immédiatement. Cinq de mes esclaves vont vous trouver des montures.

— La ville semble hostile. Tout au moins en apparence.

— Oui, Verrès l'a comblé de faveurs. Elle était sa base de repli. Elle n'a donc pas porté plainte contre lui. Certains notables ont cependant un discours plus nuancé. Un énorme butin est encore entreposé ici. Mais il faudrait une armée pour le débusquer. À moins d'avoir la chance que l'un des édiles accepte de trahir. Pour ma part je ne suis pas dans le secret.

— Pourrai-je compter sur Heïus si affable et si bienveillant ?

— Peut-être.

— Je dois le rencontrer demain chez lui.

— Bonne chance.

Chez Heïus

Le lendemain matin, Cicéron est en compagnie de Heïus. Selon le cens[1], l'homme le plus riche de la cité. Ce Mamertin très considéré a fait savoir qu'il parlerait en confidence. L'avocat est prêt à négocier.

La villa se trouve sur les premières collines en direction des monts qui dominent la ville de leurs 1 120 mètres.

---

1. En tant qu'enquêteur officiel, Cicéron avait accès aux registres de recensement qui indiquaient la fortune de chacun.

La partie habitée s'étend sur plus de deux mille mètres carrés avec un parc de cinquante hectares.

Heïus prend plaisir à faire visiter son domaine et à livrer les chiffres. Il reste silencieux pendant la traversée du parc, au long de plusieurs péristyles décorés de statues de marbre blanc. Les premières fleurs annoncent un printemps encore discret : des jonquilles, des perce-neige, des forsythias.

Arrivé au sanctuaire, le maître de maison a les larmes aux yeux. Il invite Cicéron à y pénétrer. Il s'agit d'un petit temple rond coiffé d'un superbe dôme en forme d'ogive recouvert de tuiles rouges. On croirait une copie en miniature du temple des Vestales à Rome. Au centre, deux petits autels absolument nus. Rien d'autre.

— Où sont les statues ? demande l'avocat.

— Elles sont chez Verrès.

— Tu les lui as vendues ?

— C'est ce qui est écrit sur mes livres de compte pour la somme de six mille cinq cents sesterces.

— Mais, de quelles statues s'agit-il ?

— Un superbe Cupidon en marbre de Praxitèle, un Hercule en bronze de Myron de très belle facture et deux Cénophores de Polyclète – deux belles jeunes filles en bronze qui supportent, sur leurs mains dressées, les objets sacrés de ma famille.

— Ce me semble une somme dérisoire pour de tels chefs-d'œuvre !

Heïus a la force de rire.

— C'est bien pire que tu ne peux imaginer. Il me les a volées et j'ai dû inscrire cette somme sous la menace, dans mes livres. Je suis donc deux fois volé.

— As-tu déposé plainte ?

— Non. Mais je veux obtenir qu'il me les rende. Ce sanctuaire est celui de mes ancêtres depuis plus de cent cinquante ans. Il a été édifié à l'époque où les premières colonies s'implantaient ici, en provenance d'Italie. Il est ouvert à tous, chaque jour. Verrès a ainsi spolié ma famille et tous les Mamertins.

— A-t-il volé autre chose ?

— Oui, bien sûr. Des tapis très précieux en provenance de Bithynie, qu'il a ordonné de livrer dans la villa qu'il a réquisitionnée à Agrigente. Ils y sont toujours.

— J'ai besoin de ton témoignage, Heïus. Tu es connu dans toute la Sicile. Tes propos pèseront lourd sur la décision du jury.

— Mais je dois aussi remercier Verrès pour ses bienfaits. Les Mamertins se sont enrichis grâce à lui. Ils ont été exemptés d'impôts, exonérés de toutes taxes, libérés de tous frais concernant les services publics. Sur les deniers de l'État, un très grand vaisseau de transport a été construit sous la direction d'un de nos sénateurs.

— Mais ce navire n'a servi et ne servira que pour transporter le butin de Verrès. Tu sais aussi qu'une construction de ce tonnage est interdite à tout sénateur, par la loi.

— Sans doute, mais j'ai reçu mandat pour louer Verrès et ses bienfaits.

— Pourquoi cela t'empêche-t-il de témoigner des spoliations que tu as subies ?

Sa réponse est ambiguë :

— Qui sait ce que les dieux nous réservent ?

En quête

Il pleut sur Messine et le détroit, lorsque la troupe des quatorze cavaliers s'élance sur les dalles glissantes de la voie qui mène vers le sud et se termine à Syracuse. Lucius Tullius Cicero, le neveu dévoué, a réussi, dans la soirée, à régler toutes les questions d'intendance. Deux éclaireurs et un convoi de trois chariots tirés par des mulets les devanceront d'une ou deux journées pour réserver les chevaux frais dans les relais répartis tous les dix à vingt milles le long des routes de Sicile. Dès la sortie de la ville, une couche très fine de graviers damés coulés dans un mortier lisse remplace les larges dalles de pierre. C'est moins glissant mais plus facilement détérioré par les intempéries. Ça et là, des nids-de-poules témoignent d'une vigilance défectueuse des cantonniers locaux. La prudence impose de tenir fermement ses rênes.

Au lieu de rendez-vous convenu, Cornifacius est là avec ses légionnaires. Tiron distribue les manteaux et la troupe repart au galop.

Cicéron, très exalté à l'idée de contraindre Verrès à réparer les injustices commises à l'encontre de cette province qu'il apprécie depuis son année passée comme questeur à Lilybée, décide de mener l'enquête au pas de charge. Durant la journée d'hier, l'itinéraire a été mis au point. Objectif : visiter le plus de cités possibles. Avec son intendant Tiron, ils ont tracé sur la carte un parcours presque circulaire. La moitié de la côte Est, Messine, Taormine, Catane, puis l'intérieur avec Centuripe, Assoro, Agiro, Henna, la côte tyrrhénienne avec Palerme, Égeste, Érice, le sud côté Méditerranée avec Lilybée, Sélinonte, Agrigente, Gela, un détour par Noto, puis Syracuse, enfin retour à Messine.

Il ne sait pas encore combien de jours ils devront séjourner dans chaque cité. Cela dépendra de l'accueil et du nombre de témoignages à recueillir ainsi que des documents officiels à consulter.

La pluie est glacée. Le printemps a commencé depuis quelques jours, mais l'hiver semble toujours là et l'Etna règne en maître sur les contreforts de la montagne. La mer est presque violette avec des bandes émeraude. Emmitouflés dans leur épaisse cape de laine brune, ils sont maintenant cinquante-quatre hommes à chevaucher à bonne allure. Cicéron est entouré des six gladiateurs, sa garde rapprochée particulièrement vigilante depuis l'attaque des pirates. À leur tête, Léomagnus, géant impressionnant, équipé comme un légionnaire. Cet abordage en pleine mer a confirmé la détermination des adversaires de ne pas hésiter à tuer pour éliminer l'avocat. Mais il a aussi renforcé sa volonté de faire justice. Il doit rapporter de son voyage un grand nombre de preuves et de témoignages accablants pour faire condamner Verrès. Ce sera la reconnaissance du droit mais aussi un atout majeur, pour lui, dans sa progression vers le consulat. Il sait qu'il joue sa carrière dans ce procès. Un échec, une relaxe de Verrès aurait de néfastes conséquences.

Il doit gagner.

Il chevauche en réfléchissant aux meilleurs moyens d'obtenir ce résultat. Il évalue les armes de la défense. Hortensius qui fut son maître, l'avocat de Verrès, n'est pas un enfant de chœur. Il va saisir toutes les occasions pour faire diversion. Il va tenter de banaliser Verrès, de montrer qu'il ne fut pas pire que la majorité des gouverneurs de province qui n'ont jamais été condamnés malgré leurs nombreuses exactions.

Sans tenir compte des voix qui s'élèvent de la plèbe injustement traitée par Sylla en 80, l'aristocratie tient le dessus du pavé. Cicéron, le chevalier, l'homme nouveau qui ne peut asseoir sa respectabilité sur des générations de héros, doit faire ses preuves. Pour cela il n'a que sa parole, son talent oratoire, sa rhétorique.

Un brusque écart de son cheval qui n'a pu éviter un trou profond dissimulé par l'eau le ramène à la réalité du jour. Le soleil a fait son apparition en fin de matinée et dépasse le zénith lorsqu'ils arrivent sur le forum de Taormine après une chevauchée de plus de quatre heures et quarante-deux milles parcourus. Plus d'un millier de personnes informées par les éclaireurs se sont portées en avant et les acclament. Cicéron admire le site de cette ville accrochée à flanc de la montagne à moins d'un mille et demi du rivage. Il entend les encouragements de ses habitants qui lui demandent d'apporter la justice.

Les dix *duumvirs* de la cité installent la petite troupe dans une villa réservée aux hôtes de marque, le plus souvent des représentants du pouvoir central. Historiquement, la Sicile fut la première province annexée. À ce titre, elle a des relations privilégiées avec Rome.

Après avoir revêtu sa toge, Cicéron se rend dans la basilique située à l'extrémité du forum, où l'attendent les notabilités et une délégation de la population. Il a besoin d'entendre un autre son de cloche que celui des Mamertins.

L'accueil est très chaleureux et la réunion instructive. Évanouie l'ambiance mielleuse de Messine où chaque notable épiait l'autre. Ici, la franchise est de mise et les langues vont bon train pour raconter les tristes exploits de Verrès.

Une liste détaillée est remise à Tiron avec le nom de chaque citoyen et l'objet de sa plainte. Tous les larcins sont répertoriés avec leur valeur en sesterce. Chacun a signé devant deux témoins qui ont contresigné. Le président du *duumvir*, le maire de la cité, a apposé son sceau. Un document de valeur que le secrétaire collecte avec soin pour argumenter la plaidoirie de Cicéron.

Nouvelles menaces

Dans la soirée du 29 mars, Cornélius Vetrius Pulcher, notable de Taormine, grand propriétaire terrien sur le territoire de Catane et sur les pentes fertiles de l'Etna, a pris rendez-vous avec Cicéron. Tiron s'est renseigné : il possède deux domaines respectivement de cinq mille et douze mille cinq cents hectares. Il aborde Marcus sans préambule.

– Je connais ta réputation et ta probité. C'est donc un devoir pour moi de te mettre en garde.

– Les pirates ont déjà essayé de m'envoyer sans sépulture en pâture aux murènes de Méditerranée.

– Je sais. Mais ce n'est pas terminé. Par des amis bien placés à Syracuse, j'ai appris que Laetilius a fait parvenir à Metellus des plis de la plus haute importance.

– Qui est Laetilius ?

– Un Sicilien qui assure depuis longtemps des services postaux dans toute la Sicile et entre l'île et le continent. Bien organisé et efficace, il manque un peu de discrétion, ce qui lui permet de se faire payer plusieurs fois.

– Il divulgue le contenu des courriers ?

– Il t'en donne pour ton argent ! Pour ma part, par l'intermédiaire de mes enquêteurs, j'ai beaucoup payé donc j'ai beaucoup appris.

– Raconte-moi.

– Verrès, ses amis, son propre père, ses protecteurs à Rome sont intervenus sans discontinuer pour impressionner Metellus. Il faut donc t'attendre à beaucoup de difficultés. Celui-ci a envoyé des émissaires dans toutes les cités siciliennes pour les inviter à renoncer à leurs plaintes sous peine de sanction. Il a même promis des récompenses en présentant ses largesses comme des incitations à reprendre la culture des champs abandonnés. Il vient d'exiger que la ville de Centuripe remette sur leurs socles les statues équestres à l'effigie de Verrès que le peuple avait jetées à bas. Il a fait croire que l'amnistie générale des peines accordée dès les neuf premiers jours de sa préture avait été programmée par Verrès lui-même.

Enfin, le bruit court qu'il a soudoyé des tueurs étrangers, peut-être des Ibères, pour t'éliminer en chemin.

— Je me suis préparé à cela, Cornélius. Les menaces ne me feront jamais renoncer.

— Nous connaissons ton courage. Mais j'insiste. Tu dois avoir suffisamment d'hommes armés et entraînés pour répondre à une attaque en règle.

— J'ai quarante-six guerriers aguerris.

— Étudie bien ton itinéraire. La Sicile recèle de nombreux coupe-gorge où il est facile d'intervenir en trompant la vigilance d'une garde rapprochée. Il n'y a jamais eu autant de malheureux affamés, prêts à tendre une embuscade pour quelques sesterces. Du plus puissant au plus démuni, toute la Sicile te guette dans l'ombre, pour t'aider ou pour t'éliminer. Prends bien soin de toi.

— J'en tiendrai compte, Cornélius.

— Encore un mot. Metellus essaie de tout remettre en ordre. Il respecte de nouveau les lois Hiéron et invite les agriculteurs à reprendre le travail. Comme je l'ai déjà dit, il distribue même de l'argent et certains Siciliens commencent à oublier ce qui s'est passé depuis trois ans. Tu dois aussi te méfier des gros propriétaires dont la plupart était de connivence avec Verrès. On raconte même qu'il les tient par leur appartenance à une société secrète à laquelle ils ont juré obéissance. Ils ont profité des crimes et feront tout pour que rien ne bouge.

— Merci, Cornélius. J'ai apprécié tes conseils

À tâtons

Sur sa couche, alors que la lumière blême de la pleine lune illumine sa chambre, Cicéron réfléchit à la dernière phrase de Cornélius qui sonne dans sa tête comme un avertissement grave, plus redoutable que la menace d'attentat. Il a déjà constaté les effets d'une collaboration d'individus crapuleux avec le pouvoir. Ses convictions profondément républicaines le soutiennent dans sa quête, mais il sait aussi qu'il doit ménager l'aristocratie. La classe moyenne, celle des chevaliers à laquelle il appartient, n'est pas encore assez puissante pour figurer comme force crédible dans une alternance du pouvoir. Parfois, il envie les hommes d'action, les guerriers qui ne se posent pas autant de questions, qui tranchent et foncent en laissant le soin à l'avenir de juger leurs actes et en profitant des lauriers conquis au jour le jour. Pour lui, la vie est plus angoissante, l'incertitude et le doute sont des compagnons de route exigeants.

Il ne parvient pas à s'endormir. Et, soudain, il songe à Lucia, la jeune femme toujours cachée dans l'apparence d'un homme, le pseudo-Julius. Peut-être ne dort-elle pas non plus ? Elle est dans la chambre voisine de la sienne. Il se lève et l'appelle du couloir à voix basse.

– Lucia ? Lucia ?

Il ne l'a jamais appelée par ce prénom. Étonnée, elle ouvre la porte et fait entrer son visiteur.

– J'espère que tu ne dormais pas, dit-il à voix basse. J'ai pensé que c'était le meilleur moment pour te parler.

La jeune femme offre un siège à son visiteur, puis prend sur une table basse une petite urne en bronze munie d'un couvercle sphérique surmonté en son centre d'un serpent enroulé autour d'un tronc d'arbre. Elle est remplie d'huile dans laquelle une mèche maintenue au-dessus du liquide brûle durant toute la nuit. Dans un coin de la chambre un grand candélabre à base triangulaire supporte une lampe en forme de canard à plusieurs becs. À l'aide d'une petite torche d'étoupe de lin qu'elle allume à sa veilleuse, Lucia porte le feu à chacun de ceux-ci, illuminant la pièce d'une clarté jaunâtre.

Cicéron hoche la tête en regardant l'éclairage.

– Notre entretien va certainement y gagner en clarté. Elle s'assied en face de lui. Il hésite un instant, embarrassé.

– Depuis que tu nous as révélé que sous Julius se cachait Lucia, nous n'avons plus parlé de cette métamorphose. Pourtant, avant de prendre une décision, je voulais en savoir plus. J'ai eu enfin quelques renseignements sur toi. Par hasard j'ai rencontré à Messine un ami proche de la secte de Dionysos. J'ai ainsi appris que celui qui t'a recommandée sous le nom de Julius ne savait rien de ton véritable sexe. Pour lui, tu étais un homme et il t'avait appréciée comme tel. Ce point important m'a tranquillisé sur ta personnalité. Mais je n'étais pas très inquiet car, pour m'espionner ou me nuire, mes ennemis auraient eu recours à un homme sans user d'une telle supercherie compliquée et ridicule avec le risque d'éveiller des soupçons et d'entraîner un rejet immédiat. Pour être franc, je t'avoue avoir eu l'intention de te prier de déguerpir à notre arrivée à Messine. Mais tu m'intriguais et après quelques heures passées en ta compagnie je n'ai pas eu le désir de me priver de cette part d'insolite que tu apportais au voyage. De plus, en dépit de ton apparence masculine, le charme singulier qui est le tien dégageait une harmonie qui m'apaisait.

« Après t'avoir longuement observée, j'ai constaté que tu t'intégrais bien dans notre groupe, que tu tenais parfaitement ton rôle et, qu'en outre, tu étais pleine de ressources. Comme celle de confectionner des potions contre le mal de mer, ajouta-t-il en souriant. J'ai alors décidé que nous irions ensemble jusqu'au bout du voyage.

– C'est une bonne nouvelle, dit-elle calmement. Je suis bien parmi vous. Je m'efforce d'être efficace et, de surcroît, j'apprécie de servir une juste cause. Cela compense les fatigues et les multiples tracas du voyage.

– Notre mission est utile parce qu'elle est moralement bonne. L'homme est le seul animal pourvu de conscience et, de ce fait, capable de distinguer le bien du mal. Cette faculté lui confère une très grande responsabilité, un devoir difficile à assumer mais qu'il doit accomplir. Nous savons que Verrès est le mal.

Il s'aperçoit que son interlocutrice le regarde avec ferveur. Vêtue seulement d'une courte tunique qu'elle a dû enfiler à la hâte pour lui ouvrir, les pieds nus, elle n'est plus Julius mais une jeune femme aux cheveux courts, aux yeux dorés, dont les formes apparaissent maintenant sans contrainte. Cicéron se sent soudain pris d'un violent désir alors que, en même temps, retentit en lui une alarme. Il ne doit surtout pas céder à une tentation qui perturberait tout le voyage.

– Cet entretien était nécessaire. Pardon de t'avoir réveillée et merci de m'avoir accueilli. Demain nous serons à Taormine.

La cohorte

Le lendemain, 30 mars, Cicéron se promène dans le théâtre en compagnie de Quintus Porcius, un gros négociant en fruits secs. Celui-ci veut apporter des précisions sur les méthodes d'une certaine cohorte infernale qui était aux ordres de Verrès.

L'édifice est un mélange harmonieux de style grec qui remonte à trois siècles avant l'occupation romaine et de style latin. Les deux architectures, insérées en profondeur dans la colline, se marient harmonieusement. Des gradins, on peut voir l'Etna dans tout son éclat, recouvert de neige en cette saison. Le soleil levant qui se réverbère sur les pentes immaculées incite à profiter des merveilles de cette île bénie des dieux. Mais, aujourd'hui, les circonstances ne portent pas à la rêverie. Il faut glaner le plus possible de faits et témoignages pour faire condamner Verrès.

Le marchand a fixé son rendez-vous dès le lever du jour car il se méfie des oreilles indiscrètes. Il parle à voix basse :

— Tu dois faire savoir à Rome que nous avons vécu un enfer pendant trois années. Verrès est un personnage d'une totale duplicité. Il a joué avec nous comme le chat avec la souris, par petits coups de griffes successifs, nous gardant toujours dans son champ de vision jusqu'au coup final qui était, pour les plus chanceux, une spoliation des récoltes ou une amende et pour les autres — qui étaient souvent les rebelles — les verges et la hache.

— Mais quelle était sa procédure ?

— Je parlerai de ce que j'ai vécu. Pour la première fois depuis que j'ai succédé à mon père à l'âge de vingt-cinq ans, à la tête de l'entreprise de conditionnement et de vente de fruits secs, j'ai eu affaire à deux équipes bien distinctes qui se présentaient au nom du gouverneur. D'une part, des fonctionnaires officiels qui faisaient leur travail d'évaluation des terres cultivables et des récoltes et consignaient leurs mesures sur les parchemins conservés dans les archives de l'État, et, d'autre part, les dîmeurs qui venaient négocier avec nous le montant de l'impôt. Ces derniers devaient utiliser les documents établis par leurs prédécesseurs en appliquant la loi Hiéron en vigueur depuis que la Sicile est province romaine. En fait il s'agissait d'une bande de hors-la-loi tout dévoués à Verrès avec lesquels il était impossible de s'entendre.

— Peux-tu en nommer quelques-uns ?

— Les plus redoutables étaient les chefs dont Timarchide qui se présentait comme le second de Verrès, une sorte de légat officieux, Apronius qui était responsable de tous les dîmeurs et trois vauriens ignobles qui avaient beaucoup d'influence sur le gouverneur, Artémidore un de ses médecins, Volusius son haruspice et Valérius le chef des huissiers.

– Mais tous ces noms n'apparaissent nulle part dans la liste de la suite officielle de Verrès que j'ai pu me procurer avant mon départ de Rome.

– Non, je me suis renseigné car j'avais mes entrées au palais, par des complices rémunérés, des serviteurs et des esclaves très proches de cette cohorte de l'ombre. Tous ces bandits n'étaient pas recensés. Ils devaient donc se payer sur nos récoltes et nos biens tout en apportant la plus grosse part à Verrès. Le résultat a été un pillage systématique à l'exception des très grosses propriétés.

– Tu as des preuves de la collusion des Siciliens les plus riches avec le propréteur ?

– Non malheureusement. Ils sont très secrets et très bien organisés. Rien ne filtre car la moindre confidence sur leur vie et leurs affaires est considérée comme trahison et punie de mort. La rumeur fait état d'une société secrète qui les unirait et dans laquelle Verrès serait membre actif. L'un de nos indicateurs, un esclave grec très instruit qui était au service des repas du gouverneur, a essayé de le suivre un soir qu'il avait surpris une conversation avec Timarchide. Son corps lacéré de coups de poignard, la langue coupée et les yeux arrachés, a été retrouvé, bien en évidence, au milieu du forum de Syracuse avec une pancarte sur la poitrine où l'on pouvait lire : « Les yeux du peuple n'ont pas le droit de tout voir. »

Cicéron reste un moment silencieux. Il médite cette révélation qui confirme d'autres informations. Ainsi, il y aurait en coulisse un autre pouvoir, invisible, impalpable mais féroce. La lettre de menace reçue à Rome avant le départ pourrait émaner de cette société secrète. Il faut obtenir des précisions.

– Revenons à la dîme. Quel était son montant ?

– Très variable. La bande de voyous prélevait parfois quarante pour cent de la récolte. Cela dépendait des opportunités qu'ils avaient pour revendre la marchandise. Durant trois ans, le port de Messine où se trouvaient les plus fidèles complices du gouverneur a servi de base commerciale pour envoyer des centaines de milliers de livres de produits dans tout le bassin méditerranéen, au seul profit de Verrès et de sa cohorte infernale.

— Et en cas de révolte ?

— Nous étions d'abord roués de coups. On menaçait d'emmener nos femmes et nos filles pour alimenter le harem de Verrès qui ne se contentait pas de ses trois favorites, Pipa, Tertia et Nicé. On saccageait nos maisons et on nous volait notre matériel agricole, ce qui explique l'état des champs aujourd'hui dont une grande partie est en friche. As-tu vu cet état désertique de l'île ?

— Non, pas encore. Je pense que je vais tristement découvrir cela sur la route de Centuripe. Quintus Porcius, j'ai besoin de ton témoignage. Tu dois venir à Rome dans deux mois.

— Je viendrai.

Sous le volcan

Le lendemain, une chevauchée sans histoire de trente milles suffit pour atteindre Catane, cité prospère qui est à la fois un port et l'ouverture sur la plaine la plus riche de Sicile.

Il a fait un temps superbe. L'air fleure bon le printemps. La troupe arrive lorsque le soleil est à son zénith.

Ici, la pierre est noire. Tous les bâtiments sont construits avec ce matériau en provenance des coulées de lave de l'Etna. Cela donne une beauté sauvage, un peu sévère, qui rappelle en permanence la menace que fait peser cette montagne où le dieu Vulcain se joue du feu des entrailles de la terre. Varron, naturaliste distingué, dit en privé que les dieux n'y sont peut-être pour rien et,

Cicéron, son ami, souvent irrité par la multiplicité des rôles que ses concitoyens font jouer aux dieux, pense comme lui. Quoi qu'il en soit, la nature est prolixe de ses bienfaits.

Craxippe, un des premiers magistrats de la ville, les attend sur le forum où il siège avec quelques notables sur une estrade dressée spécialement pour les accueillir. La foule est dense sur la place. Une grande partie de la cité s'est déplacée et l'on peut compter de nombreuses femmes.

Le magistrat invite Cicéron et Tullius à s'asseoir à ses côtés et Cléanthe relate le vol odieux qui a endeuillé toute la cité.

— Catane possède une chapelle dédiée à Cérès qui est l'objet d'un grand respect religieux car toute la Sicile est vouée à cette divinité et à Libéra. Dans ce lieu sacré entre tous, se trouvait une statue très ancienne de la déesse et le culte lui était rendu uniquement par des femmes ou des jeunes filles. Aucun homme n'avait le droit de pénétrer les lieux. Verrès, sans jamais l'avoir vue, a donné l'ordre à ses sbires de la voler. Une bande d'esclaves profitant de la nuit, a réussi à tromper la vigilance des prêtresses, à forcer les portes et à dérober la statue. Celles-ci avaient cependant reconnu les esclaves de Verrès. Dès le petit matin, elles ont porté plainte auprès des magistrats. Le peuple indigné s'est rassemblé au forum dans un climat d'émeute.

— Mais comment avez-vous pu reconnaître les esclaves du gouverneur ?

— C'est très simple. Pour se rendre original, il leur fait porter des tuniques teintées en vert olive qu'il fait spécialement fabriquer dans ses ateliers de l'île de Malte. Et il a publié un décret qui stipule que, seul, le gouverneur a le droit d'habiller ses esclaves avec une étoffe de cette couleur. Le vol était donc signé.

– Parfois, il lui arrive donc de ne pas être assez malin.

– Oui, mais il savait bien qu'il ne risque rien. Car lorsqu'il a appris par ses sbires que la ville était en état d'insurrection, il a fait désigner un esclave accusé par de faux témoins d'avoir volé la statue. Devant notre tribunal où siégeaient les magistrats de Catane l'esclave a été acquitté à l'unanimité du fait du témoignage des prêtresses. Mais notre statue de Cérès n'est toujours pas de retour dans son sanctuaire. Qui pourra maintenant lui faire rendre gorge ?

– Les juges à Rome. Ne doutez pas qu'il sera condamné. Je ferai tout ce qui est en mon pouvoir pour cela. Il possède des biens considérables et pourra rembourser pour ses vols et payer une amende que j'évaluerai en fonction de ce que j'aurai collecté pendant mon enquête. Mais il me faut le plus possible de témoignages écrits et authentifiés.

– Je viens d'y passer deux mois avec tous les scribes de la cité. J'ai rédigé cent soixante-deux déclarations pour la seule ville de Catane et deux cent soixante-dix-sept pour tous les villages environnants.

– Vous avez fait du bon travail.

6.

La menace

Centuripe est à trente milles de Catane, une distance raisonnable pour une chevauchée superbe dans une nature généreuse. Cette vallée est irriguée par les deux plus importants fleuves de Sicile, le Cyamosorus et le Chrysas. À la sortie de Catane, la grande majorité des champs est encore cultivée. Les arbres fruitiers et les cultures maraîchères alternent sur des parcelles séparées par des haies d'églantiers.

Dans la journée, un contretemps inquiétant retarde le groupe au relais de poste. C'est le 1ᵉʳ avril vers deux heures de l'après-midi. Lucius est en train de négocier le changement de chevaux lorsque Julius-Arcanoë vient trouver Cicéron.

— Marcus, ils sont en train de nous gruger. Les chevaux qu'ils nous donnent ne sont pas reposés. Ils les ont bouchonnés à la hâte, mais ils ont encore de l'écume aux commissures. Ils ont certainement été drogués pour leur donner une meilleure apparence. Le poil est encore moite. Ces chevaux étaient au galop il y a moins d'une heure.

L'avocat est éberlué. Comment une femme peut-elle avoir ces connaissances ? Son factotum est chaque jour plus intrigant.

– Où as-tu appris l'art de la cavalerie ?

– Je te l'ai dit, Marcus. Toutes les femmes thraces sont comme moi. Notre peuple aime les chevaux.

Il appelle Léomagnus qui exprime le même doute et se lance dans une grande diatribe avec le tenancier car il flaire un coup fourré et veut en savoir plus.

– Ces chevaux sont exténués. Qui vient de passer ? Où sont les chevaux frais ?

Acratos, le gros Sicilien courtaud qui gère le relais, est effrayé. Il tremble et son visage bouffi transpire abondamment. Il roule les yeux comme pour chercher du secours.

– Je les ai lâchés dans le pré il y a une heure. Il y avait une jument en chaleur dans le troupeau. Je ne m'en suis pas aperçu. Ils se sont déchaînés. J'ai dû attendre qu'ils se calment.

Léomagnus n'en croit pas un mot.

– Acratos, tu sais dans quel état tu seras quand mes gladiateurs se seront amusés avec toi ?

– Pitié, Romains. Pitié ! Je ne fais que mon travail.

– Ton travail, c'est de nous donner des chevaux frais pour aller jusqu'à Centuripe. À partir d'ici, c'est un sentier de montagne. Il nous faut des bêtes reposées au pied sûr.

– Alors il faut attendre. Dans quelques heures, ils pourront chevaucher.

Tullius, le neveu, intervient.

– Il nous ment. Au moins une vingtaine de cavaliers sont passés. Leurs traces fraîches sont visibles au petit gué qu'ils ont franchi à cinquante pas plus au sud. Ils ont changé de monture et n'ont laissé que les bêtes exténuées.

Léomagnus se fait très menaçant.

– Tu entends, Acratos ? Tu viens de nous mentir. Tu as osé ? Tu penses que l'on peut mentir à un sénateur romain en mission officielle dans ta province ? Qui étaient ces hommes ?

Acratos est hagard. Il doit jouer la carte de la vérité au risque d'avoir des ennuis graves plus tard.

– C'étaient les hommes de Metellus. Le gouverneur. Ils m'ont fait jurer de ne rien dire.

– Quand tu seras mort, ils ne pourront plus vérifier !

Léomagnus se tourne vers ses gladiateurs.

– Dressez la croix. Ça nous fera une petite distraction pendant que les chevaux s'apaisent. J'espère que nous aurons le loisir de le voir expirer avant de partir.

Mais Cicéron intervient.

– Laisse cet homme. Il a obéi aux ordres. Il ne mérite pas un tel châtiment.

– Mais, Cicéron, il n'y a plus de chevaux disponibles. Il faut attendre plus de trois heures avant de repartir. Je dois faire un exemple sinon cela se reproduira à chaque relais et tu ne pourras pas accomplir ta mission.

– Les hommes de Metellus sont des militaires. Ils doivent faire respecter leurs consignes. Ce pauvre bougre est pris entre l'enclume et le marteau. Nous ne pouvons pas mettre en croix tous les tenanciers de relais et d'auberges qui auront été visités par les hommes du gouverneur.

– Nous allons arriver à la nuit. Le crépuscule est propice aux embuscades. Il serait presque plus prudent de bivouaquer ici.

– Sans doute. Mais je ne puis pas perdre autant de temps. Rafle toutes les torches disponibles, renseigne-toi sur tous les passages difficiles et organise une avant-garde musclée. Nous partirons dès que tu jugeras l'état des chevaux satisfaisant.

L'aveu d'Acratos a dissipé toute ambiguïté. Une chose est certaine : ils sont épiés en permanence, chacun de leurs faits et gestes est rapporté à Metellus. Ils doivent redoubler de prudence.

Colères

Arrivée tardive, le 1er avril, vers neuf heures du soir.

Un groupe de citoyens est venu à la rencontre des cavaliers lorsqu'ils ont aperçu les torches sur le sentier.

Centuripe est l'une des plus belles villes de la province, véritable nid d'aigle sur un éperon rocheux qui domine de 733 mètres les deux vallées du Cyamosorus et du Chrysas, deux petits fleuves qui vont se jeter dans la mer ionienne au sud et à proximité de Catane.

Du belvédère aménagé au bout du petit forum, la vue est grandiose sur l'Etna, au nord-est, qui se laisse apercevoir lorsque les nuages interrompent leur défilé cotonneux. De Centuripe à Catane s'étend la plus belle vallée de Sicile, la plus fertile du pays. Tout y pousse, aussi bien les légumes que les arbres fruitiers, les oliviers et la vigne.

Mais la vie, ici, est également suspendue aux colères de Vulcain qui peut en quelques heures anéantir les cultures en provoquant des vomissements de lave incandescente. En fait, depuis trois ans, la vie a surtout été suspendue aux colères de Verrès et à ses infamies.

Le matin du 2 avril, après un repas léger, les édiles emmènent la délégation voir la magnifique Nymphée édifiée dans la partie nord-ouest de la ville. Suspendue au-dessus du torrent, ses jets d'eaux d'une grande beauté s'entrecroisent avant de retomber dans la vasque de marbre blanc veiné de noir. Dans le mur qui dessine un arc parfait, on peut voir cinq niches vides. Les alvéoles sont

tapissées de mosaïques qui représentent le monde aqua-
tique.

— Où sont les statues ? demande Cicéron.

— Verrès a tout pris. Il a fait venir une équipe d'ingénieurs qui ont monté un échafaudage et des palans. En
quelques jours tout avait disparu. Il nous a dit qu'elles
seraient mieux à Syracuse dans son palais. Nous avons
protesté et il nous a menacés des verges.

Après le repas, réunion dans la salle des magistrats.

Les *duumvirs* rappellent la situation particulière de
cette ville qui est la plus importante de Sicile après Syracuse. Du fait de sa fidélité à Rome, elle a reçu le *commer-
cium* qui autorise tous ses citoyens à pratiquer tous les
négoces sans restriction sur la totalité du territoire de l'île.
De plus ceux-ci ont également le droit de posséder des
immeubles, de vendre sur tous les marchés et de cultiver
des terres comme propriétaires ou locataires. Il s'ensuit,
sur le plan juridique, un imbroglio très favorable aux
roueries de Verrès. En effet, le statut de la ville de Centuripe stipule une exemption de la dîme. Mais celle-ci n'est
pas valable pour les territoires situés hors des limites de la
ville. Ces terres représentent la majorité de celles qui sont
cultivées. C'est donc avec délectation que Apronius et les
dîmeurs ont multiplié les chicanes et les actes de mauvaise
foi pour faire payer au centuple ce privilège. Une pile de
témoignages est alors remise pour être déposée devant les
juges.

Témoignages

Cette journée est réservée aux témoignages personnels. Trois citoyens parmi les plus respectables content
leurs mésaventures.

Phylarque se présente le premier. Son discours est éloquent.

– Nous connaissions bien la maladie de Verrès. Il vole les belles choses à la fois pour le plaisir de nous déposséder, pour celui d'admirer de beaux objets et pour se faire la plus belle collection de Rome. Car tout sera transféré là-bas. Ainsi, il a appris que je possédais un ensemble de phalères, six en tout, ayant appartenu au roi Hiéron II lui-même. Nous avions ces merveilles dans la famille depuis plus de cent ans. Ici, à Centuripe, nous prenions des précautions. Nous avions expédié une bonne partie de nos richesses dans des lieux où il ne pouvait pas les trouver. Mais j'avais conservé mes phalères non loin de moi en demandant à un ami moins en vue de les garder dans sa villa. Mal m'en a pris ! Avec l'aide de ses deux « chiens de chasse », Tlépolème et Hiéron, Verrès a fait enquêter dans toute la cité et il a fini par les débusquer. J'ai sans doute été dénoncé pour quelques pièces de monnaie. J'ai protesté avec force mais il m'a menacé de me mettre aux fers et m'a condamné à être dépossédé sans compensation du fait de ma tentative de dissimulation.

Héraclius vient ensuite relater un procès bien étrange où, suite à de mauvaises chicanes de voisins envieux, il lui était réclamé cent mille sesterces. Le plaignant avait été débouté mais, sur intervention de Verrès, le tribunal exigeait alors quatre cent mille sesterces. Un nouveau jugement, selon les lois siciliennes locales, fut rendu en faveur d'Héraclius qui se trouva de nouveau relaxé. Verrès, plein de fureur, cassa la sentence, expulsa le juge désormais interdit de siéger au sénat et frappé d'infamie. Héraclius dut payer l'énorme somme réclamée.

Puis, Caius Matranius témoigne à son tour pour Dioclès.

– Dioclès s'est pendu lorsqu'il a appris que le fermage des dîmes pour le froment avait été attribué à

Apronius. Nous connaissions ce sinistre personnage depuis un an. Il n'avait respecté aucune loi et n'hésitait pas à recourir à la violence pour nous extorquer son impôt privé. Car il ne s'agissait plus d'une dîme versée à l'État mais bien d'une énorme extorsion de fonds. Il y a deux ans, Dioclès s'était opposé au sbire de Verrès, à cet immonde Apronius. Il l'appelait « le chef des pirates de la terre ferme » ! Nous avons bien essayé de l'en dissuader, mais il était fier et ne supportait pas l'injustice. Le préteur était intervenu en personne et l'a fait battre par les esclaves de Vénus qui étaient les exécuteurs des basses œuvres. Cette année nous espérions que les fermages des dîmes seraient attribués à des agents différents. Mais il n'en a rien été. Nous n'avons pas remarqué que Dioclès s'était éclipsé après avoir entendu le nom d'Apronius. Quand nous avons voulu nous réunir pour débattre d'une action commune, nous avons cherché notre ami plus d'une heure avant de le trouver pendu à la branche basse de son plus beau chêne, au bout de son parc.

— Verrès paiera aussi pour Dioclès, Caius.

La campagne dévastée

La municipalité a organisé une visite de la région. Elle veut montrer à Cicéron l'état réel de la campagne sicilienne après trois années de règne de Verrès et de sa cohorte. L'avocat ne reconnaît plus rien dans ce paysage désolé. À perte de vue, des terres abandonnées aux herbes folles et aux ronciers.

D'ici, on peut voir les terrains aménagés en escalier pour retenir la terre dans les endroits les plus pentus. Les flancs de toutes les collines alentour portent la marque du travail appliqué de générations de paysans mais, cette année, plus des trois quarts des champs n'ont pas été ensemencés. Un maquis déjà difficile à pénétrer envahit la terre. La nature reprend vite l'avantage quand le travail obstiné de l'homme fait défaut et lui laisse le loisir d'exprimer sa loi. Elles se hâtent pour occuper l'espace, ces plantes qui ne sont sauvages que de nom : la salsepareille, la garance voyageuse, le nerprun, la filaire à feuilles étroites, le myrte commun, le lentisque, l'euphorbe. Çà et là, on aperçoit même de très jeunes palmiers nains un peu défavorisés dans cette lutte pour la vie, par leur croissance laborieuse.

Les cultivateurs interrogés expliquent qu'ils n'ont plus de matériel et pas d'argent pour en acheter. Les sbires de Verrès ont tout pris, tout volé, tout taxé au mépris des accords passés et en bafouant la loi. Le président du *duumvir* explique.

– La première année, Verrès a tenté de spolier tout le monde. Mais les bandits de sa cohorte n'étaient pas encore bien organisés. Ils ont amassé à la hâte le plus d'argent possible et dérobé le plus d'œuvres d'art avant le mois de décembre, persuadés de devoir quitter la Sicile à la fin de l'année. Mais lorsque le gouverneur a appris que son mandat était prorogé pour deux ans, ils ont mis au point avec minutie un système de vol organisé. Ils ont tout prospecté, tout visité, tout recensé systématiquement. Et c'est là qu'un vrai découragement a commencé à envahir les cultivateurs.

– Mais Verrès n'avait pas intérêt à ce que les paysans cessassent de cultiver leurs terres puisqu'il prenait une grande partie de son bénéfice sur la dîme, fait remarquer Cicéron.

– En fait, peu d'entre eux ont abandonné à ce moment-là. Ils espéraient qu'ils pourraient se relever en empruntant et, avec un peu de chance, la récolte suivante pourrait aussi compenser si elle était abondante. Mais la pression a été telle la deuxième année que plus d'un petit propriétaire sur deux a fait faillite. Verrès les a alors obligés à vendre leur matériel, leurs esclaves et leurs terres.

– Mais Verrès ne pouvait pas stocker tout ce matériel dans son palais ni employer tous ces esclaves. De plus, même acheté à vil prix, cela représente beaucoup de sesterces !

– Oui, mais il avait passé des accords avec quelques très riches fermiers corrompus qui ont utilisé leur fortune pour financer ces opérations où lui-même avait évidemment sa bonne part. Cela leur a permis de racheter des terres à vil prix pour étendre leurs domaines. Ces profiteurs faisaient tous parties de la société secrète dont Verrès était le commandeur. Ils sont toujours en Sicile. Ils se taisent et ne seront pas accusés avec lui mais nous avons commencé à en dresser la liste pour que leurs crimes ne restent pas impunis.

Cicéron sent une sourde colère monter en lui. Il se souvient de ce que lui a dit Cornélius Vetrius Pulcher à Taormine il y a quelques jours. Il entend son avertissement résonner dans sa tête : « Tu dois te méfier des gros propriétaires dont la plupart étaient de connivence avec Verrès. » Tout ce qu'il entend et tout ce qu'il constate sur le terrain dépassent de loin tout ce qu'il a pu collecter comme témoignages à Rome. Plus que jamais il se sent déterminé à obtenir une condamnation exemplaire.

C'est un désastre pour la Sicile et aussi pour Rome qui, si elle ne peut plus compter sur le blé de sa meilleure province, va tout droit vers une pénurie sans précédent. Et pour Cicéron qui brigue un mandat de consul pour les années qui viennent, c'est un sujet de grave préoccupation.

La statue de Chrisas

Cicéron commence à se réadapter au rythme d'une expédition. Cela lui rappelle sa jeunesse et ses campagnes militaires. Il supporte de mieux en mieux les chevauchées.

Après seulement 23 milles, ils arrivent en fin de matinée à Assoro qui, comme Centuripe, est située sur un piton rocheux à 850 mètres d'altitude. La cité s'enroule autour de son forum qui se termine par une superbe terrasse belvédère d'où on peut admirer l'Etna.

Dès le début de l'après-midi, Marcus préside la séance de témoignage dans la petite basilique édifiée à l'extrémité sud de la place publique, à l'opposé du belvédère. La majorité des hommes sont là. Environ trois cents. L'un des responsables de la municipalité, Sophon, relate comment Verrès a tenté de profaner ce que les citoyens avaient de plus cher : une statue de Chrisas, le dieu qui représente le fleuve du même nom qui traverse leur territoire et pour lequel ils ont une très grande dévotion. C'est en effet ce cours d'eau qui assure une fertilité exceptionnelle à leurs terres du fait d'un débit toujours constant.

Cette très belle statue en marbre, placée dans un petit édifice situé dans un champ sur la route d'Assoro à Henna, avait été repérée par les fameux « chiens de chasse » de Verrès, Tlépolème et Hiéron. Certain d'essuyer un refus, le gouverneur n'avait pas osé demander à Sophon de lui donner ce dieu Chrisas considéré comme protecteur de leur ville. Il avait ordonné alors à ses deux sbires d'organiser un véritable rapt. Ceux-ci étaient venus de nuit, à la tête d'une bande armée. Ils avaient brisé la porte du temple. Heureusement les gardiens avaient eu le réflexe de faire retentir leur trompette, signe de ralliement pour tous les paysans. Ils étaient accourus aussitôt, réussissant à mettre en fuite les assaillants qui ne purent emmener qu'une petite statuette de bronze de Cérès placée à côté de celle de Chrisas.

– Depuis cette attaque, nous n'avons plus jamais été tranquilles, se lamente Sophon. Nous avons doublé les gardes et mis au point un système d'alarme qui nous a permis de nous mobiliser plus rapidement. Mais si Verrès avait vraiment voulu nous déposséder, il aurait envoyé des mercenaires ou les esclaves de Vénus du mont Erycé qui sont redoutables. Et nous ne sommes pas des guerriers. Heureusement, depuis trois mois, le nouveau propréteur, Metellus nous a rassurés et nous vivons de nouveau en paix.

– Vous avez cependant réussi à mettre en fuite les voyous. Votre attitude a été exemplaire.

Le lendemain, nouvelle réunion dans la basilique. Les citoyens de la ville voisine d'Enguium viennent conter leurs malheurs. Il s'agit encore d'un vol odieux dans un sanctuaire. Tout se passe comme si Verrès avait cherché à se rendre le plus impopulaire possible. Cela témoignait de la pire des provocations et d'un certain plaisir à en subir les conséquences.

Dans le sanctuaire de la Grande Mère, très vénérée depuis plusieurs siècles, se trouvaient de riches présents apportés par Scipion l'Africain, l'un des grands généraux vainqueur des Carthaginois. Il y avait des cuirasses et des casques ciselés en métal de Corinthe et de superbes aiguières très hautes et effilées, façonnées dans le même métal. En moins d'une heure les voleurs de Verrès avaient détruit la porte du temple et entassé tous ces objets sacrés dans un chariot pour les emmener dans le palais de Syracuse.

Le reste de la journée se passe dans les champs à bavarder avec les cultivateurs. Le paysage est encore plus désolé qu'à Centuripe. Plus on avance vers le centre de l'île, plus l'aridité naturelle rend le travail difficile. Car mis à part la belle vallée de Catane, la Sicile souffre de sécheresse chronique. Les sources et les rivières ont des débits relativement faibles et Varron explique, dans un de ses traités d'agriculture, que l'eau des précipitations s'écoule vers la mer car à faible profondeur une couche argileuse l'empêche de passer.

Au cours de son périple, Cicéron rencontre trois hommes qui utilisent un araire en bois comme du temps des lointains ancêtres. Leur réponse à sa question étonnée le met en rage.

– Les sbires de Verrès ont inventé un trafic avec la Gaule au début de la deuxième année. Ils venaient avec des esclaves de Vénus comme hommes de main et ils nous obligeaient à vendre nos charrues à vil prix en nous assurant qu'il allait nous en procurer des neuves. Ils les revendaient, paraît-il en Phrygie, au prix fort car nous avons, en Sicile, une solide réputation concernant le façonnage des différentes sortes de fer et notre matériel est réputé pour sa qualité. Peu de temps après, ils venaient nous proposer d'en acheter de nouvelles, fabriquées en Gaule, et de qualité très inférieure. Ils ne nous demandaient que la somme que nous avions reçue précédemment et cela apparaissait comme un simple échange pour du matériel neuf. Mais, après quelques jours d'utilisation, le soc était détérioré et nous avons dû, faute de moyens, revenir à la fabrication d'araires en bois durci au feu.

Cicéron interpelle son secrétaire.

– Note, Tiron, qu'il faudra faire voter au sénat une loi d'aide financière aux paysans de Sicile pour les inciter à reprendre le travail en leur permettant d'acheter le matériel qui leur manque.

Guet-apens

Ce matin le soleil est de la partie dans un ciel bleu immaculé. C'est le 9 avril. La troupe est en Sicile depuis seize jours et Cicéron est optimiste. Cette aventure se déroule sur un mode trépidant comme il l'avait imaginée. Les preuves s'accumulent et la confiance revient. Du belvédère d'Assoro, il distingue le village d'Agiro dans le lointain, sur le flanc d'un petit mont. Un vrai nid d'aigle. Seulement 14 milles à parcourir pour l'atteindre. Une promenade de santé.

Les cinquante-quatre cavaliers ne se pressent pas. Le temps de mi-avril est au beau fixe. Depuis deux jours, la chaleur, anormale pour la saison, a permis de ranger les manteaux dans les coffres placés sur les chariots tractés par des mulets, qui suivent ou qui précèdent la petite troupe. Le printemps semble bien installé. Chacun affiche sa bonne humeur. Légionnaires et gladiateurs restent cependant sur leur garde. En bons mercenaires, ils savent qu'ils sont payés pour que Cicéron retrouve Rome sain et sauf. À aucun moment leur vigilance ne doit être prise en défaut et, en guerriers d'expérience, ils savent qu'un adversaire avisé choisit toujours le moment inattendu pour attaquer.

La première partie de la matinée se déroule sans encombre. Cicéron et Arcanoë chevauchent côte à côte. Mais celle-ci paraît préoccupée. Elle a besoin de se confier.

– J'ai fait un rêve étrange, cette nuit, Marcus. Nous étions sous la pluie, sur une route très pentue, et nous avions dû mettre pied à terre pour soulager nos montures. Nous nous sommes engagés dans un défilé de plus en plus étroit et la pluie a redoublé de violence au point que nos manteaux détrempés laissaient passer l'eau. Nous étions en quête d'un abri, même sommaire, pour attendre la fin de ce déluge lorsque des hommes sont tombés à terre sans raison apparente.

– Sans doute avaient-ils glissé. Il semble que ton rêve ne soit pas prémonitoire. Le temps de ce jour contredit tes propos et je ne vois nul nuage à l'horizon.

– Oui, mais les hommes qui étaient tombés n'avaient pas glissé. Ils étaient blessés. Ils saignaient abondamment. La pluie les avait atteints comme l'auraient fait des flèches. Il y eut un grand désordre et le groupe fut dispersé. Nous nous sommes couchés dans un fossé plein d'eau jaunâtre. La pluie s'est alors arrêtée et je me suis efforcée de panser les plaies des soldats. Tu étais à côté de moi, très pâle, debout et tu regardais le soleil qui brillait de nouveau. Et tu disais : « Même la pluie ne peut rien contre moi. »

Cicéron souriait. Il ne croyait pas beaucoup aux rêves annonciateurs d'évènements exceptionnels. Il gardait toujours une bonne distance entre lui et les augures. Mais il se rappelait qu'Arcanoë avait quelque affinité avec Dionysos.

– Je suis sûr que tu as une interprétation à me donner.

– Oui. Marcus, nous allons être attaqués et c'est pour bientôt. Regarde ce petit défilé qui se profile dans deux ou trois milles. La route commence à monter car Agiro est sur le sommet. Nous allons bientôt passer entre deux flancs de montagne. C'est là. Nous devons redoubler de vigilance.

– Mais il ne pleut pas. C'est une chance, ajoute Cicéron sur un ton un peu moqueur.

– La pluie symbolisait les flèches et les javelots. Nous sommes mal protégés contre ces armes. Tu n'as même pas de cuirasse.

– Tu vas peut-être réussir à me faire peur.

– Cicéron si tu ne le fais pas, je vais alerter Léomagnus et Cornifacius. La garde doit peut-être se déployer autrement.

Cicéron est soudain pris d'un doute. Cette femme jeune au caractère déterminé qui joue si bien le rôle d'un homme lui en impose chaque jour un peu plus. Il ne risque rien à prendre quelques précautions supplémentaires. Il pousse sa monture jusqu'en tête du convoi où le chef des gladiateurs ouvre la route.

– Léomagnus, j'ai des pressentiments. Nous allons passer dans un défilé. Peut-être serait-il bon d'envoyer des éclaireurs et de nous disposer pour être moins vulnérables.

Toujours confiant dans ses énormes possibilités de combattant, le gladiateur obtempère sans enthousiasme.

Cicéron est maintenant aux côtés de Cornifacius, à la queue du groupe, qui lui accorde beaucoup plus d'attention.

– Je pense comme toi depuis une bonne heure. Nous arrivons dans une zone à risque. J'envoie cinq hommes en avant.

Chacun redouble d'attention. L'entrée dans le défilé se fait dans un silence lourd. Les légionnaires n'ont pas leurs grands boucliers rectangulaires avec lesquels ils manœuvrent si bien en formation serrée dans les batailles où s'affrontent des milliers de belligérants. Cet équipement est incompatible avec la conduite d'un cheval. Ils n'ont donc emporté qu'un petit bouclier, la rondache qu'ils peuvent lier à leurs effets personnels, derrière la selle. Cornifacius est soucieux car il y a peu d'abris naturels, tout au plus quelques petits rochers blancs éparpillés sur les flancs de la montagne. Et il n'a pas d'archers avec lui ni de javelots à lancer. Mais, pour le moment, il n'y a pas non plus de possibilité de se cacher pour un éventuel agresseur.

Cependant, après un virage très serré en colimaçon, la route perd brusquement un tiers de sa largeur et les parois de la montagne deviennent beaucoup plus abruptes. Le défilé continue à grimper dans la montagne et de nombreuses cavités apparaissent conduisant peut-être à des grottes creusées par le ruissellement des eaux. Les cinq éclaireurs sont passés sans encombre et sont déjà à plus d'un mille. Cicéron reste paisible.

— Je les sens venir, dit Arcanoë.

La première volée de flèches les prend presque au dépourvu. Elle provient du seul côté gauche. Léomagnus a hurlé l'ordre de dispersion.

— Abritez-vous. Il y a des trous, des entrées de grotte. Grimpez, mais vite. Nous devons attendre le corps à corps. Ils ne sont pas nombreux.

Le grand gladiateur a eu le temps d'évaluer le nombre de flèches. Il s'est précipité pour faire un rempart de son corps à Cicéron. Mais Arcanoë a eu le premier réflexe. Elle a vu que le tir était concentré sur Marcus qui porte une tunique bleu pâle facilement repérable. Sans hésiter, elle le pousse violemment dans le premier fossé de drainage. Léomagnus est déjà là. Il a repéré une cavité à cinquante pas. Il attrape l'avocat couvert de boue, par la taille, et le porte sous son bras tout en courant. Ils n'ont pas été touchés. Ils sont déjà à l'abri lorsque arrive la deuxième volée de flèches. Arcanoë a suivi, courbée en deux, au ras du sol, utilisant les deux hommes comme rempart.

Quatre légionnaires sont immobilisés sur la route, sérieusement blessés mais silencieux. Six chevaux atteints au poitrail et sur les flancs galopent au hasard en hennissant de douleur.

L'effet de surprise n'a pas suffi. Cicéron est à l'abri. Cornifacius a déjà lancé ses légionnaires sur la paroi pour débusquer les agresseurs. Les éclaireurs qui arrivent au pas de course leur font des grands signes.

— Ne les cherchez plus. On les a vus sortir de la montagne en direction de la crête. C'est un passage secret. Tout était bien préparé.

Cicéron est blême. Mais c'est encore la colère qui domine. Il parle doucement car il n'aime pas laisser libre cours à ses pulsions, mais on sent une détermination implacable.

— Ils veulent ma mort. Je dois donc avoir la tête de Verrès.

Puis il se dresse dans sa tunique maculée et lance ses ordres comme si, brutalement, il se trouvait investi du commandement suprême.

— Que les éclaireurs aillent chercher des secours à Agiro. Julius pansera les blessés en attendant de pouvoir les transporter. Nous reprenons la route dès qu'il aura fini. Il faut aussi achever les chevaux.

Deux hommes ont une flèche dans la cuisse. Un troisième est mourant, le thorax transpercé et de l'écume rosâtre aux lèvres. Il ne portait pas sa cuirasse. Le quatrième a reçu le trait dans l'abdomen et, en bon vétéran qui a vécu plus de quinze ans de campagnes, il sait qu'il est condamné. Aucun chirurgien n'est capable de réparer ces blessures-là. Il sait aussi qu'il va mourir en plusieurs jours dans d'atroces souffrances. Il appelle son chef.

— Cornifacius, il faut m'achever.

Celui-ci reste un instant silencieux. Il sait, lui aussi. Mais ils sont amis depuis si longtemps. Ils ont tellement bravé la mort, si souvent.Et si, cette fois, le pronostic était différent ?

— Cornifacius, je sais à quoi tu penses. Mais personne n'en a jamais réchappé. Je n'ai pas peur de la mort.

Cicéron s'est approché des deux hommes. Il a entendu la dernière phrase. Cornifacius le regarde toujours sans mot dire.

Marcus se détourne. C'est une affaire de soldat.

L'après-midi est occupé à rendre les honneurs et à préparer les deux morts pour le bûcher. Le médecin complète les soins d'Arcanoë. Les agresseurs sont certainement de la région mais ils ont préparé leur guet-apens très discrètement. Ils savent que Cicéron n'a pas le temps de se lancer dans une longue enquête policière. Celui-ci décide de ne rien changer à son programme. Seules, les gardes de nuit seront renforcées. Les funérailles ont lieu après la tombée du jour. Tullius récupère les urnes pour les remettre aux parents des défunts, au retour à Messine.

La cité ruinée

Le lendemain, le groupe est encore sous le choc de l'agression subie. Cependant, Cicéron décide de continuer ses auditions sans attendre. Il ne doit montrer aucune faiblesse.

Dès le matin, il préside la séance de témoignages dans la grande salle municipale. Un jeune homme nommé Diodore se présente comme délégué par le conseil pour relater le chantage que Verrès a fait subir à toute la ville. Il a vingt ans et déjà une remarquable connaissance de la vie et des sentiments humains. Il s'exprime dans un latin parfait. Son père, premier magistrat d'Agiro, alité à cause d'une mauvaise fièvre, lui a confié la défense des intérêts de la cité.

– Nous avons été victimes d'une manœuvre odieuse d'intimidation par l'intermédiaire d'Apronius, le chef des dîmeurs, dit-il. Après que les quantités de grains pour l'impôt eurent été évaluées en accord entre les parties, celui-ci est venu réclamer une commission personnelle pour racheter les droits des dîmeurs et ainsi, assurait-il, nous éviter des tracasseries au moment de la récupération du grain. Instruits par l'expérience des deux années précédentes, nous savions bien qu'il s'agissait d'une basse manœuvre pour nous extorquer de l'argent au profit du gouverneur. De façon unanime, nous avons refusé de payer, nous considérant dans notre bon droit.

– A-t-il tenté d'intervenir par la force ? demande Cicéron.

– Non. Il était accompagné d'une bande de soudards avinés à l'allure très louche, mais il les a contenus et, dans cette première phase, nous n'avons eu à subir aucune violence. En revanche, deux semaines plus tard, le préteur a convoqué mon père et les cinq premiers magistrats de la ville à venir devant le tribunal de Syracuse. Ils s'y sont rendus en toute tranquillité d'esprit. Verrès, comme à l'accoutumée, a désigné des sbires de sa cohorte pour servir d'accusateurs et confirmer tous les dires mensongers d'Apronius. Il y avait là, notamment son médecin Artémidore, son conseiller Volcatius, son peintre Tlépolème. Aucun d'entre eux n'est citoyen romain mais ils sont appelés à juger des citoyens romains ! Malgré cette iniquité, notre délégation est restée ferme dans ses affirmations et a refusé de se plier aux injonctions du préteur qui propose un arrangement financier par l'intermédiaire de son diabolique conseiller, Timarchide. Verrès alors s'est étonné : « Vous préférez que je vous condamne chacun à cinquante mille sesterces d'amendes ? » Les représentants d'Agiro ont répondu, unanimes, qu'ils préféraient cela. Le préteur est rentré alors dans une de ses fureurs : « Celui qui aura été condamné sera battu par les verges jusqu'à ce que mort s'ensuive ! » Il ne restait plus à nos magistrats,

complètement abasourdis par le verdict, que de réclamer
la clémence et de proposer tous leurs biens, récoltes et
matériels en échange de leur vie. Verrès a accepté le troc
et toute la cité a été ruinée. Cela explique l'état de nos
terres en ce mois d'avril. Les friches ont progressé
jusqu'aux murs de la cité.

Cicéron interroge Diodore :

– Avez-vous demandé au nouveau gouverneur
Metellus, de réparer ces exactions ?

– Nous attendons sa décision. Mais je dois ajouter
que notre matériel a été distribué à quelques grands propriétaires qui collaboraient avec Verrès.

– Je te remercie pour la rigueur et la clarté de cet
exposé et je t'invite à aller à Rome et à Athènes continuer
tes études. La République a besoin de jeunes hommes de
ta trempe.

– Tes encouragements me touchent, Marcus.
Accorde-moi le temps pour une dernière déclaration.

– Je t'écoute.

– Les frères Sosippe et Philocrate m'ont demandé
d'intervenir en leur nom. Ils ont consigné leur affaire dans
un dossier que je résume. Il y a vingt-deux ans, ils ont
hérité de leur père et ont scrupuleusement respecté les
termes du testament qui risquait d'être annulé s'ils avaient
agi autrement. Dès son arrivée, Verrès qui passait beaucoup de temps à éplucher les archives concernant les
héritages les a convoqués. Il a décidé qu'ils n'avaient pas
respecté les volontés de leur père. En sous-main, par
l'intermédiaire de Volcatius, son financier, il a récupéré
quatre cent mille sesterces contre l'abandon de toutes
poursuites. Voilà, Cicéron, comment la justice est rendue
en Sicile.

7.

Le profanateur

Après un lever tardif, la troupe quitte la cité sous les acclamations. Les deux blessés ont été confiés aux soins du médecin d'Agiro. Une paisible chevauchée d'environ 15 milles fait oublier les circonstances dramatiques de l'avant-veille et les conduit à leur nouvelle destination.

La ville d'Henna est au centre de l'île, perchée sur le sommet d'une large colline dont tous les versants sont assez abrupts. De son forum on peut voir les plaines et les plateaux qui devraient déjà être préparés pour les semailles de printemps. Mais, ici aussi, de tous côtés ce n'est que désolation. Moins d'un quart des champs a été labouré. Les paysans ruinés ont abandonné leurs terres. Malgré les exhortations de Metellus, le nouveau préteur, la campagne offre un spectacle de désolation.

Henna est surnommé le nombril de la Sicile car elle participe à l'activité de très nombreuses cités plus ou moins éloignées situées en cercle autour d'elle. C'est un pôle commercial réputé. Il s'y tient un marché très important trois fois par mois, la veille des Nones, la veille des Ides et la veille des Calendes.

Enfin et surtout, Henna est le centre d'un culte solennel rendu à Cérès, la déesse des moissons. Plus que dans toute autre ville de Sicile, ce culte est absolument sacré.

Demain sera donc une journée capitale sur le plan religieux. Cicéron doit se préparer à recevoir les prêtres et prêtresses de Cérès car Verrès a commis ici l'impardonnable et peut-être l'irréparable.

Tullius se met en quête d'une villa à louer pour deux jours. Marcus veut en effet faire le point, prendre un peu de recul en privé, sans les officiels qui cherchent à attirer l'attention sur leur cité. Il est déjà édifié. La moisson de renseignements est d'une abondance inespérée. Il pourrait envisager d'en rester là, mais il ne veut pas décevoir les habitants des autres cités qui l'attendent.

Jour de repos

Cicéron a donc décidé de s'accorder un jour de repos. Il est en avance sur son programme. Malgré les entraves et les pièges imaginés par ses adversaires, il progresse vite dans son enquête.

Aujourd'hui, pas d'auditions de témoins. Il reste seul avec son neveu, Arcanoë et Tiron. Cette petite interruption est également nécessaire pour que celui-ci mette à jour les dossiers. Cicéron est plein d'estime et parfois d'admiration pour le dévouement de ce secrétaire exceptionnel qui a toutes les qualités. Attentif à ses moindres désirs, il comprend toutes les nuances de sa pensée et a l'intelligence de ne jamais le contrarier même s'il faut parfois revenir sur un texte. Son écriture est belle, très lisible. Il ne regrette pas de l'avoir affranchi car il lui est d'une fidélité à toute épreuve.

Concernant Arcanoë, il a vite compris qu'il pouvait utiliser son intelligence et ses compétences bien au-delà de sa fonction. Et bien qu'il se défende de la considérer autrement que comme un factotum très efficace, chaque jour qui passe ajoute à son trouble.

La journée passe, laborieuse, à classer toutes les plaintes par grands thèmes. Le nombre de chapitres est impressionnant !

Abus de pouvoir. Faux témoignages. Jugements iniques. Vol d'héritage. Vol d'œuvres d'art. Vente des charges des magistrats. Attentat à la pudeur. Viols. Violence sur les personnes. Emprisonnements injustifiés. Mise à mort de citoyens romains. Falsifications des registres officiels. Faux en écriture publique. Chantages et tentatives de chantage. Collusion avec les pirates. Débauche en tous genres. Tricheries sur toutes les dîmes. Déni de justice. Non-respect de la convention de Hiéron. Immoralité affichée.

Des centaines de témoignages vérifiés, signés, estampillés « authentiques » viennent grossir chacun des classeurs. Tiron lui-même n'en croit pas ses yeux.

— Nous n'en sommes qu'à la moitié de l'enquête et les Siciliens qui sont déjà à Rome t'ont également préparé des dossiers de la première importance.

— Oui. Ce sera un procès fleuve ! Il nous faudra plusieurs semaines pour épuiser l'exposé des témoins et la lecture des témoignages et des pièces à conviction. Ma plaidoirie prendra aussi beaucoup de temps si je l'articule sur des preuves. Mais cette situation est favorable à Verrès.

— Pourquoi penses-tu cela ? demande Tiron.

— Parce que nous allons ennuyer les juges et le public qui ne retiendront pas l'essentiel. Hortensius est assez habile pour tirer parti de cette accumulation des charges.

Je dois réfléchir à un moyen d'écourter le procès. À partir de maintenant et jusqu'à Syracuse, mon neveu Lucius va diriger les investigations avec toi. Je dois prendre du temps pour réfléchir et commencer à rédiger.

Le vol de la Cérès

Les prêtresses de Cérès sont toutes sur le forum dans leurs habits sacerdotaux, en ordre de procession, bandelettes autour de la tête et rameaux sacrés à la main. C'est le jour des Ides d'avril, le 13 avril.

Une tribune décorée de velours jaune doré, la couleur des blés mûrs, symbole de la déesse, a été érigée.

De là, Cicéron s'adresse à la foule. Il est ému. Pour marquer combien il se sent proche de cette population humiliée, il s'exprime en grec, une langue qu'il parle couramment.

– Habitants d'Henna, je sais que vous avez subi comme tous les Siciliens les pires injustices, les plus dures spoliations. Mais je sais aussi que vous êtes là, pour dénoncer celle qui, à vos yeux, est la pire de toutes. Verrès vous a volé la statue sacrée de Cérès, la déesse que vous appelez Déméter, la patronne de toute la Sicile. Je comprends d'autant mieux votre douleur que je connais les mystères d'Éleusis et que j'apprécie le culte de cette déesse qui apporte beaucoup de sérénité à l'homme. Pour ce crime d'impiété inouï, pour ce sacrilège, Verrès doit payer. Je sais que dans son temple vous avez placé des statues de marbre en remplacement de celles en bronze très ancien qui s'y trouvaient. Je vous promets de n'avoir de répit tant que je n'aurai retrouvé les œuvres originales devant lesquelles des citoyens de tout le bassin méditerranéen sont venus accomplir leurs dévotions dans votre cité. Et je demande à votre grande prêtresse, Astarté, de nous rappeler toute l'importance de ce culte dans l'histoire de votre superbe province, du monde romain et singulièrement dans l'histoire de votre ville : Henna.

Astarté s'avance au pied de la tribune, majestueuse dans une ample robe blanche. Sa voix est vibrante, elle sonne clair dans cette matinée printanière.

– Cérès naquit en Sicile et c'est en Sicile qu'elle a créé les céréales. Tous les peuples du monde connu l'attestent et c'est pour cette raison qu'ils viennent en pèlerinage lui rendre hommage tout au long de l'année. Mais il y a plus. Si vous regardez la nature des environs d'Henna, les forêts, les bocages, les clairières, les sources, les petits lacs, vous pouvez alors affirmer : c'est ici que la nature est née, à Henna. Notre ville est sacrée et les grands prêtres romains l'ont reconnue ainsi lorsqu'ils sont venus en délégation de Rome en l'année 133, il y a soixante-trois ans, pour implorer l'intervention de la déesse après l'assassinat de Tibérius Gracchus, le célèbre tribun de la plèbe. Bien qu'il existât un temple très riche dévoué à Cérès à Rome, c'est Henna qu'ils choisirent pour s'y recueillir. Verrès est donc plus qu'un profanateur car, par son éducation, il connaît tout cela. Il a donc choisi de fouler aux pieds toutes les valeurs de piété les plus enracinées dans nos mémoires. Et nous pensons tous qu'il mérite le pire des châtiments. Cicéron, je t'implore de nous faire restituer nos statues de Cérès.

– Habitants de Henna, j'ai entendu votre plainte. Je convaincrai les juges. Demandons l'aide de Cérès et rendons un culte à la déesse en son temple, par l'intermédiaire de sa Grande Prêtresse et de ses prêtresses.

La procession dure plus de deux heures. La totalité de la population y participe, hommes, femmes, enfants, tous défilent devant le sanctuaire. Seules les prêtresses y pénètrent avec les offrandes de tous. À la fin de la cérémonie, Cicéron s'éclipse. Il a besoin d'être seul. Il s'enferme dans sa chambre pour méditer.

Vers Palerme

La route est longue pour atteindre Palerme, quatre-vingt-quinze milles. Cicéron renonce à parcourir la distance d'une traite. La troupe doit s'arrêter en chemin dans une auberge particulièrement vétuste, la seule rencontrée dans cette partie très montagneuse de l'île. Les chambres sont sales équipées sommairement d'une paillasse, d'une table branlante et d'un broc à eau. Arcanoë compense le moral défaillant par une cuisine très appréciée faite de grillades de moutons et de pois chiches sautés dans l'huile d'olive.

Durant la nuit, la vermine envahit les couches dès que les lampes sont éteintes. Les punaises sont les plus agressives. Au réveil, le miroir de cuivre renvoie des visages boursouflés par les piqûres.

Il reste presque cinquante milles. Les remparts de la ville sont atteints à la tombée du jour. Cicéron a la joie de retrouver son ami Apollonius dont il avait eu des nouvelles dès son arrivée à Messine par son hôte C. Pompéius Basiliscus. Il est rassuré de le trouver en bon état physique.

– Tu vois Marcus, je suis un dur. J'ai fait dix ans de campagne en Asie Mineure. Ça m'a permis d'endurer six mois de prison dans les pires conditions. On m'a littéralement affamé. J'ai été traité comme un esclave. À ma sortie, je n'avais plus que la peau sur les os, mais Verrès ne m'a pas fait plier. Demain je te raconterai les choses en détail.

Protection secrète

Apollonius est l'un des plus riches commerçants de Sicile. Il possède d'immenses oliveraies autour de Palerme et habite au milieu de son domaine une villa enchanteresse située à quinze milles de la ville. Il expédie dans la totalité du bassin méditerranéen de l'huile et des olives conservées dans une saumure dont il a mis au point la formule avec son père Dioclus. Ses produits de haute qualité sont très appréciés et il ne peut satisfaire à une demande qui augmente chaque année. Pour rentabiliser son négoce il a fait construire ses propres navires. Il possède donc une flottille de dix bateaux ventrus qui, sous la responsabilité de son fils aîné, Publius, ont leur port d'attache à Palerme même.

Le récit de ses démêlés avec le propréteur est éloquent.

– J'étais dans mon domaine très préoccupé par la santé de mon vieux père depuis plusieurs mois alité et qui se meurt lentement de vieillesse, lorsqu'un esclave est venu m'apporter un message m'informant que Verrès me mandait d'urgence au tribunal de Palerme. J'ai pris mon meilleur cheval, j'ai installé en croupe mon jeune fils Titus et j'ai galopé vers le forum où le tribunal avait été dressé.

Un foule très compacte semblait m'attendre et je fus accueilli par des quolibets désobligeants ; ils utilisaient mon surnom : « Verrès a enfin trouvé un prétexte pour faire tomber le richissime Géminus » ; « Cela fait longtemps qu'on attendait cette confrontation » ; « Il est si riche qu'il a certainement quelque chose à se reprocher ». Évidemment la réussite de notre famille a fait bien des envieux. Je pensais que cela me valait une certaine protection contre les exactions de Verrès car je représentais un des plus beaux fleurons du négoce sicilien et Rome n'avait pas intérêt à voir péricliter de telles affaires qui rapportent gros au service des impôts. Je suis donc arrivé en face du gouverneur qui a aussitôt affirmé qu'un berger en chef nommé Mauricos était accusé d'avoir conspiré et rassemblé des groupes d'esclaves pour rallumer la guerre servile. Il me sommait de le faire comparaître immédiatement. Évidemment, je niais connaître cet esclave et j'ajoutais que je n'avais aucun berger puisque je ne possédais aucun troupeau. Verrès m'a demandé alors une caution de cinq mille sesterces. Je lui ai répondu que je n'avais pas cette somme en liquide mais que j'avais l'argent en créances. Je n'avais pas fini de parler que j'ai été emmené par les gardes, enchaîné et jeté en prison.

– Verrès ne venait-il pas de libérer les esclaves du Sicilien Léonidas, suspects d'avoir conspiré sur le territoire de Triocala[1], sous les yeux de toute la population ? demande Cicéron.

– Oui, toute la région était au courant et chacun savait que Verrès avait ainsi élaboré un moyen de chantage pour pressurer Léonidas et obtenir de l'argent en sous-main par l'intermédiaire d'un de ses sbires, Timarchide ou Volusius. Pour ce qui me concerne, tous mes amis influents, tous les corps constitués, le sénat, les magistrats, les prêtres d'État sont allés supplier Verrès de me relâcher et de me permettre de m'expliquer comme le droit me le permettait. Mais je dus rester en geôle pendant six mois avant d'être soudainement libéré après que mon ami Torquitus eut versé la somme de deux mille sesterces à Artémidore, l'usurier qui se fait passer pour médecin. Ainsi sans autre explication, sans jugement, je me suis retrouvé dans mon domaine au chevet de mon vieux père qui, sous l'effet du chagrin, se trouvait à l'agonie. Dans les jours qui ont suivi, les sbires de Verrès ont

---

1. Triocala : ville actuelle de Calatabellota située à 15 km au nord-est de Sciacca, entre Agrigente et Marsala.

fait courir le bruit que toute personne qui refuserait de payer au cours d'un procès subirait le même traitement. Il s'agissait donc du chantage inverse de celui de Léonidas. J'ai servi d'exemple pour inquiéter tous les propriétaires, tous les entrepreneurs, tous les commerçants et les préparer à plier sous les exigences illégales de leur gouverneur.

— Que se passe-t-il ici depuis ton incarcération ?

— Les gens ne sont pas bavards et Verrès agit discrètement. Ce n'est jamais lui qui reçoit l'argent en personne. Personne ne se vante d'avoir été escroqué mais je sais, car j'ai un puissant réseau de surveillance, que plusieurs de mes amis ont été « approchés ».

— Dis-moi, ami Apollonius. N'appartiendrais-tu pas à une de ces sociétés secrètes dont on parle beaucoup à Rome. N'est-ce pas cette affiliation qui t'a épargné le pire, contrairement à d'autres, comme Gavius mis en croix à Messine ?

— Tu sais bien, Marcus, que je ne puis te répondre sur un sujet aussi sensible.

— Ta réponse est presque un aveu !

Les esclaves de Vénus

Venant de Palerme après une courte chevauchée sans histoire dans l'après-midi, la troupe de Cicéron débouche directement sur le grand temple dorique si majestueux et si intrigant d'Égeste, qui semble n'avoir jamais été achevé. Ou bien a-t-il été pillé il y a très longtemps ? Tout l'équipement intérieur est absent. Les Grecs interrogés restent muets sur ce sujet.

Vu les circonstances d'hébergement rencontrées sur la route de Palerme, il a été décidé d'accomplir d'une traite la chevauchée de quarante-huit milles qui conduit à Érice.

Érice, haut lieu consacré à Vénus, est sur la route de Lilybée. Cicéron a décidé ce détour par le sanctuaire érigé au sommet d'un pic impressionnant, pour tenter d'interroger les fameux esclaves de Vénus, gardiens des lieux, très souvent signalés comme hommes de main de Verrès.

Une brume épaisse recouvre la montagne lorsqu'ils arrivent dans la soirée. Après avoir parlementé longuement pour faire ouvrir la maison d'accueil réservée aux représentants des sénats et des municipalités, Cicéron menace de donner l'assaut du camp retranché où les esclaves ont aménagé un véritable petit palais.

La visite des lieux est éloquente. Ils sont plus de cinquante, regroupés dans la grande basilique à côté du sanctuaire, qui n'ont plus d'esclaves que le nom. Ils vivent dans une insolente opulence avec un harem de qualité. Les plus belles prostituées de l'île semblent avoir été rassemblées ici.

Durant plus de deux heures, Marcus et Tullius essaient d'obtenir quelques renseignements sur leurs interventions sans rien obtenir. Ils montrent une face hébétée et feignent de ne rien comprendre. Ils ont certainement reçu des consignes qu'ils appliquent avec rigueur. Le silence ou la mort.

Au final, une seule indication échappe à un petit Ibère râblé et crépu, sous le regard réprobateur des autres : « Laisse-nous tranquilles, c'est Verrès qui sait tout. C'est lui le chef. Nous, on obéit. »

Ce n'est pas une révélation ! Ils finissent par renoncer.

Le supplice de Servilius

Les trente milles qui restent pour atteindre Lilybée sont allègrement franchis avec la perspective de retrouver de nombreux amis de Cicéron.

L'accueil est triomphal car tous se souviennent de sa questure, ici, il y a cinq ans. La situation était alors difficile pour les Siciliens mais aussi pour Rome qui avait de la peine à rassembler son quota de blé pour nourrir une population toujours croissante.

Marcus connaît chaque citoyen et se laisse porter par la liesse populaire. La municipalité reconnaissante pour la qualité de sa gestion passée offre, dans la maison de la ville, un somptueux repas qu'il ne peut refuser malgré sa hâte de continuer les investigations.

La joie des retrouvailles sera donc de courte durée. Dès le lendemain les auditions reprennent.

Trois négociants de la ville, Cléontos, Craxippe et Doritos ont demandé à Cicéron de venir chez ce dernier pour témoigner d'une affaire d'importance où il y eut mort d'homme. Il s'agit du supplice par les verges d'un citoyen romain nommé C. Servilius. Ils reçoivent les enquêteurs, Marcus, Tullius et Tiron, dans l'arrière-salle du magasin de volailles de Doritos, situé au centre ville.

– Servilius était propriétaire d'un vignoble réputé, dit Craxippe, et donc négociant en vins, sans doute le plus important de toute la région ouest de Sicile. C'était un passionné. Mais calme et attentif aux autres. Curieux de tout, trop curieux peut-être. Il passait beaucoup de temps à observer la croissance de la vigne et à améliorer les conditions de culture pour obtenir le meilleur vin. Il sélectionnait les plants, essayait des engrais de différentes origines et comparait les différentes tailles possibles. Ses chais étaient magnifiquement tenus. Il avait mis au point un procédé de vinification dont il gardait le secret, qui lui permettait d'obtenir un vin qui n'aigrissait pas. Il faisait même des essais de conservation dans des amphores immergées à plus de quarante pieds sous l'eau dans un bassin naturel proche de sa villa. Il nous entretenait de tout cela parce que nous sommes amis d'enfance et que nous nous retrouvions chaque mois, le jour des Ides, pour prendre un repas dans une taverne, parfois en galante compagnie. L'an dernier, aux Ides d'avril, il est arrivé en colère contrairement à ses habitudes. Après avoir bu trop de vin qu'il avait apporté de sa propriété, il s'est mis à parler fort, un peu trop fort disant que les dépravations et la malhonnêteté du propréteur dépassaient les limites de l'acceptable. Il relatait la façon dont il avait extorqué de l'argent à un de ses amis au moyen d'un chantage odieux concernant son épouse. Bref il racontait tout haut ce que tout le monde pensait ici tout bas : notre gouverneur était un voleur de la pire espèce. Évidemment, dans chaque taverne, les murs ont des oreilles. Verrès eut bientôt vent de ces propos et par l'intermédiaire d'un esclave du temple de Vénus assigna Servilius à comparaître devant le tribunal de Lilybée.

Cicéron saisit l'occasion :

– Que viennent faire des esclaves dans cette affaire ?

Cléontos précise alors :

– Verrès utilise souvent ces esclaves. Ils sont spécialisés dans le culte de Vénus. Ce sont ses hommes de main pour toute la Sicile. Mais, ici, la situation est particulière. Lilybée est proche du mont Érice où est construit le Temple de Vénus et où ils demeurent. Le gouverneur en a fait ses chiens de garde pour tout l'ouest de l'île qui est la région la plus éloignée de Syracuse. Il les rémunère largement et ils lui sont tout dévoués. Quoi qu'il en soit, Servilius a obtempéré et s'est rendu au tribunal le jour fixé. Aussitôt, Verrès lui a intimé l'ordre de consigner auprès de son licteur la somme de deux mille sesterces et il lui a signifié qu'il perdrait cette somme s'il ne parvenait pas à prouver ses affirmations selon lesquelles, lui, Verrès, s'enrichissait par des vols.

Marcus intervient sur ce point de droit.

– Cette procédure n'est possible que s'il y a deux parties en présence.

– Sans aucun doute, mais Verrès ne tient aucun compte de la loi.

Cléontos poursuit son récit.

– Verrès ajoute que les arbitres seraient choisis parmi les gens de sa suite. Il s'agit de la cohorte infernale constituée de Timarchide, du médecin Artémidore, de l'haruspice Volusius, de son huissier Valérius et de son prête-nom Volcatius. Cléomène le nouvel amiral de sa flotte, le cocu de service, était également là. Servilius est hors de lui, il hurle qu'il ne paiera pas, qu'il s'agit d'un déni de droit, qu'il récuse ses juges et, devant l'impassibilité apparente de Verrès, finit par supplier qu'on n'en arrive pas à ce comble de l'iniquité qui consisterait à le frapper d'une condamnation infamante alors qu'aucun adversaire n'est là pour l'accuser et que les juges n'ont aucune qualité pour accomplir cette mission. Verrès fait alors un signe aux six licteurs qui se saisissent du malheureux et se mettent à le taillader de verges avec la dernière violence, dans le prétoire. Le premier d'entre eux nommé Sextius lui assène de terribles coups de bâton directement sur le visage en visant les yeux, tout en exigeant de lui qu'il verse sur-le-champ les deux mille sesterces réclamés. Servilius s'écroule, le visage couvert de sang, et ses bourreaux continuent à le frapper à terre. Emporté inanimé hors de la salle, notre ami meurt deux heures plus tard sans avoir repris connaissance.

Cicéron est muet de stupeur.

– Il n'y a pas de mot pour qualifier un tel acte.

La journée du lendemain est également éprouvante. Toutes les cités de la région ont envoyé des délégations pour déposer leurs plaintes et exprimer leurs témoignages. Ils sont venus de Mazzara, de Pintia, de Drépanum et d'Halicye. Tiron ne sait plus où donner de la tête. Tullius et Arcanoë doivent le seconder. Puis, les magistrats de la ville envoient deux scribes supplémentaires. Chacun des enquêteurs finit par connaître presque parfaitement la liste de tous les méfaits de Verrès.

Cicéron est tenté de rester quelques jours à paresser à Lilybée. De nombreux amis le pressent de différer son départ. Mais il a hâte d'en finir. Après trente-trois milles, il parvient dans la fameuse cité grecque de Selinunte qui connut la dévastation du temps des Carthaginois. Il éprouve un vrai plaisir de se retrouver au milieu de ces superbes temples érigés sur le plateau à quelques centaines de pieds de la mer. Certains n'ont pas été reconstruits mais l'ensemble conserve sa magie.

Mais le lendemain n'est pas consacré à la rêverie parmi les temples antiques. Une nouvelle journée de besogne administrative attend Cicéron. Indispensable mais combien ennuyeuse. Il a maintenant une idée assez complète des méfaits de Verrès. Pour le reste, tout se trouvera dans les transcriptions de dépositions de Tiron. Il est impatient de retrouver son bureau de travail sur l'Aventin. Il a plus de témoignages qu'il ne lui en faut.

8.

Le bonheur et les jours

La petite troupe ne compte plus que cinquante cavaliers depuis l'attaque surprise à proximité d'Agiro. L'air est doux et parfumé en cette fin du mois d'avril. La route qui longe le bord de mer vers Agrigente est bordée d'eucalyptus qui se départent de leur écorce en longues squames rougeâtres.

Il reste trente-cinq milles à parcourir avant de s'arrêter dans une auberge que Cicéron connaît pour y avoir déjà séjourné, dans la cité de Thermae Selinuntiae célèbre pour ses thermes luxueux. Une journée de repos y est prévue.

Cicéron chevauche à côté d'Arcanoë. Son image s'est imposée à lui et ses pensées reviennent sans cesse vers elle. Maintenant que son enquête est très avancée, il peut distraire un peu d'énergie pour envisager d'en savoir plus sur elle.

— Comment peux-tu, sans être citoyenne romaine, sans être mariée, avoir autant de connaissances à ton âge ?

Elle a un rire retenu.

– Vous, Romains, avez un peu trop tendance à considérer les autres peuples comme des barbares incultes. Vous devriez cultiver l'humilité et accepter de connaître les autres civilisations. J'ai eu de très bons maîtres et surtout j'ai été considérée à l'égal des hommes dans l'éducation que j'ai reçue. Je ne suis pas une matrone romaine.

– Je t'écoute souvent parler avec Tullius ou avec Tiron. Je suis surpris de constater que tu es la femme la plus instruite que j'aie jamais rencontrée. Il faut ajouter que tu m'as soigné sur le bateau et que tu m'as quasiment sauvé la vie durant l'embuscade. Et, malgré cela, c'est bien vrai, tu n'es pas romaine ! s'exclame Cicéron en regardant fixement ses yeux verts.

– Ose le dire, Marcus, je suis une barbare.

L'avocat est soudain gêné.

– Ce n'est pas ce que je veux dire. Mais j'ai le sentiment que tu me caches quelque chose. Et le fait que tu conserves l'apparence d'un homme ne facilite pas nos relations.

– Regrettes-tu de m'avoir engagée ?

– Non, mais je reste dans l'expectative.

– Que voudrais-tu savoir ?

– Ce que tu cherches depuis que tu es en ma compagnie, presque dans mon intimité, du moins pour ce qui concerne mes pensées. Sur le navire, lorsque j'étais malade, il me semble que tu m'as questionné. Mais je me souviens mal de ce que tu disais.

– Je t'ai dit que je viens d'avoir un enfant, une fille, et que j'ai besoin de gagner ma vie.

– Oui. Sans doute. Mais je pressens autre chose.

– Tu pourrais demander à la prêtresse de Dionysos de t'aider dans cette nouvelle enquête qui me semble moins complexe que celle concernant Verrès.

– La solution serait peut-être de te soumettre à la torture pour te faire avouer, lance Cicéron pour faire tomber la tension.

– Voilà le procureur qui fait de moi une accusée ! Ah ! Je vois Léomagnus commander une halte. Il faut faire boire les chevaux.

Une fois leurs bagages personnels déposés dans leurs petites chambres, tous les cavaliers n'ont qu'une hâte : aller se détendre aux thermes. La cité qui essaie d'attirer les riches Siciliens pour des vacances au bord de la Méditerranée a construit des établissements de bains réputés dans toute l'île, deux édifices voisins, l'un réservé aux hommes et l'autre aux femmes.

Cicéron, bien qu'il n'ait que trente-six ans, n'est plus un grand adepte des exercices sportifs. Mais il apprécie beaucoup ces moments de détente dans des eaux successivement tiède, froide et très chaude. Il peut y nager sans devoir accomplir de performances et en rêvassant.

Il ne ressort de la maison des bains qu'après trois heures de barbotage entrecoupées de massages et d'onctions diverses, pour retrouver Tullius, Tiron et Arcanoë déjà installés pour le repas du soir qu'il a commandé dès son arrivée.

Le repas est un régal : poissons grillés et coquillages dont une spécialité d'huîtres chaudes au *garum* espagnol, accompagné d'un excellent vin blanc du pays. Cicéron se laisse aller à une douce ivresse. Dans la pénombre propice, il s'est approché d'Arcanoë.

Et soudain, sans un mot, d'un même élan, ils se lèvent et marchent sur la plage. En quelques pas, ils se fondent dans la nuit. Plus loin, beaucoup plus loin, ils s'allongent sur le sable

Marcus enlace Arcanoë, sa main remonte lentement vers sa nuque. Il se penche sur son visage, pose ses lèvres sur les siennes et commence à les ouvrir. À travers son vêtement léger, il caresse son corps chaud et mince. Il enlève la bande de tissu qui comprime sa poitrine et dégage un sein qui s'affermit sous sa main. Elle frissonne et cède vite, comme si son plaisir ne voulait pas attendre.

Bientôt, ils sont nus l'un contre l'autre. Côte à côte d'abord, puis lui pesant sur elle. Il prend sa tête entre ses mains, appuie de nouveau sa bouche contre la sienne. Elle mord un peu ses lèvres comme si elle saisissait un fruit. Il caresse un ventre qui tressaille, éveille un léger cri, écho d'une joie diffuse. Sa bouche descend, lèvres et langues s'attardent tandis que sa main caresse les longues jambes dorées. La lune éclaire leurs corps, les sculpte dans la nuit comme pour leur donner un gage d'éternité.

Alors, il parcourt encore de ses lèvres le corps lumineux, cette chair lunaire. Ils sont tous deux baignés de la même clarté, du même désir. Et puis son corps se tend, pèse sur elle et il s'enfonce en elle. Confondus dans une même absence, leur embrasement devient un long cri. Et il n'y a plus de temps.

L'aube illumine un ciel de nuages roses, lorsque Arcanoë se réveille sur le sable dans les bras de Marcus qui sourit dans son sommeil. Elle se dégage sans le réveiller et enfile sa tunique de lin. Elle a besoin de marcher librement. Après la mort de Spartacus, sa grossesse, sa vie de femme traquée, son accouchement, elle a le sentiment d'une vie nouvelle.

Ils arrivent à l'auberge avant que Léomagnus n'ait sonné le réveil.

Les trente-sept milles qui les séparent d'Agrigente sont allègrement parcourus dans la matinée.

La vallée des temples

Cicéron s'accorde un temps de répit. L'enquête continue grâce à la diligence de Tiron et de Tullius. Il lui reste un peu plus de quinze jours pour rentrer à Rome où il devra se concentrer sur le procès. Pour l'heure, il se comporte comme un de ces nombreux Romains qui viennent, à partir du printemps, visiter la belle province sicilienne. Il profite du paysage et le soir il retrouve Arcanoë avec passion.

Agrigente, la ville du célèbre Empédocle, la ville grecque par excellence, l'accueille avec enthousiasme. Il participe aux festivités mais il est absent. Dès qu'il le peut, il s'esquive pour de longues promenades avec Arcanoë. Il ne fait que de brèves apparitions dans la basilique où tous les habitants de la région viennent déposer leurs doléances.

– Pourquoi appelle-t-on « vallée des temples » ce plateau surélevé où les Grecs ont érigé ces merveilles ? Je venais souvent m'y promener pendant mon séjour en Sicile. Sur ce site qui domine la Méditerranée et par temps d'orages, on se croirait en communication avec les dieux, lance-t-il à Tiron étonné de cet épanchement peu habituel.

Les plaintes souvent très répétitives des Siciliens commencent à le lasser. Il a déjà collecté plus de mille témoignages. Non pas qu'il n'ait plus de sollicitude pour toutes les souffrances endurées mais ces litanies récitées avec force lamentations, à la manière sicilienne, finissent par l'accabler. Il souhaiterait plus de discrétion. Il serait presque enclin à demander aux plaignants d'abréger leurs déclarations.

Agrigente est l'occasion d'infléchir le rythme de l'enquête.

Cicéron a l'esprit ailleurs. Avec Arcanoë.

L'éloignement de sa femme, Térentia, a suffisamment levé ses inhibitions pour qu'il puisse s'exprimer sans remords. Arcanoë représente l'aventure. L'aventure qu'il n'a jamais connue. Elle le fait rêver à un avenir où la carrière des honneurs serait sans importance, un avenir sans les roueries de la politique, sans les coups bas du pouvoir. Il se prend à croire qu'il serait capable, comme son sage ami Atticus, de renoncer à la vie politique pour vivre une vie d'écrivain, de poète et ne s'intéresser qu'à la culture, aux arts et à la fête. Pour quinze jours, il confie à la providence son amour au jour le jour.

Léomagnus et Cornifacius assurent une vigilance sans faille mais sans excès. Pour la troupe, le relâchement momentané de l'avocat est une aubaine. Tous sont fatigués. Depuis l'arrivée à Messine, la mission s'est déroulée selon un rythme oppressant.

Tullius, promu chef de l'équipée, décide de s'accorder cinq jours pour rallier Syracuse. Il commence par couper l'étape Agrigente-Géla en deux tronçons avec arrêt dans une auberge luxueuse. Il fait de même pour rallier Noto distante de soixante-seize milles.

Ces trois dernières villes attendent la délégation de Rome avec impatience. Des caisses de témoignages sur parchemins authentifiés sont entreposées dans les édifices publics, les basiliques. Cicéron, acclamé, participe à des réunions publiques et vit cela comme un rêve.

Le jour des Calendes de mai, à midi, sous un soleil de plomb, ils stoppent la course de leurs chevaux sur le forum de Syracuse.

Chemin faisant

Après un court repos et un bain dans les thermes publics, Cicéron décide de reprendre son rôle de procureur. Syracuse est la capitale administrative de l'île, le siège du pouvoir. La visite à L. Caecilius Metellus nouveau gouverneur installé dans le palais de Hiéron, dans l'île d'Ortygie, s'impose. Celui-ci reçoit Cicéron sans grande effusion mais sans hostilité car, vu l'imminence du procès, il doit garder une prudente neutralité.

– Où en es-tu de la remise en ordre de notre belle province ? interroge Cicéron.

– Les choses vont bon train. J'ai eu moins de mal que prévu. Les Siciliens ont tendance à beaucoup exagérer. Ils m'annonçaient un désastre mais j'ai pu remettre rapidement de l'ordre et les champs sont presque tous en culture. La récolte devrait être moyenne cette année.

– Ce n'est pas ce que j'ai constaté du côté de Centuripe, d'Assoro ou d'Agiro. Plus des trois quarts des lopins sont en jachère ou abandonnés.

– Tes observations sont fragmentaires. Je suis en train de faire un relevé de tout le territoire de l'île. Dès l'an prochain, la situation sera redevenue normale.

– J'aime ton optimisme, Metellus. Mais il est en contradiction avec les centaines de témoignages que j'ai entendus ou recueillis. Pour ma part, je crains qu'il ne faille des années avant que la Sicile puisse de nouveau fournir à Rome tout le grain dont nous avons besoin.

– Tu joues ton rôle de procureur, Marcus. Tu vois le pire. C'est de bonne guerre. Les juges trancheront.

– Tu sembles bien serein et sûr de toi. Allons, faismoi visiter ton palais.

Les deux hommes entament une promenade dans l'immense château. Verrès l'a entièrement vidé. Plus une statue, plus un meuble, plus un tableau. Cependant, il n'a pas réussi à enlever les mosaïques fixées au mur. Tous ces décors étaient la propriété de la République. Il faudra bien qu'il rende gorge, pense Cicéron.

– Tu vis dans un lieu à la fois superbe et sinistre, Caecilius. Où sont donc passées toutes les œuvres d'art qui, à l'évidence, décoraient toutes ses pièces immenses ?

Metellus semble un peu gêné.

– Une partie est en restauration. Certaines remontaient à la plus haute Antiquité et j'ai dû les envoyer à Rome, certaines pièces appartenaient en propre à Verrès qui les a emmenées.

– Et tu n'as pas eu le temps d'en emprunter aux habitants ?

Le gouverneur est devenu rouge de confusion.

– Cicéron, je sais à quoi tu fais allusion. Sur ce point, je n'approuve pas les actes de « prêts obligatoires » qu'imposent, dans leurs provinces, certains propréteurs. Je préfère vivre dans le dénuement.

– Tu te cantonnes dans des généralités approximatives, Caecilius. Tu veux sans doute parler du pillage.

Metellus a détourné la tête. Cicéron ne veut pas le mettre plus longtemps au supplice.

– Je ne te ferai pas citer comme témoin à charge. Ce serait trop cruel. Dans trois jours, je m'adresse aux citoyens sur le forum et, le lendemain, je rentre sur Messine pour m'embarquer vers l'Italie. Beaucoup de travail m'attend à Rome.

Pour la visite à l'administration des douanes, Cicéron retrouve son cousin Tullius et Tiron. Il doit interroger les fonctionnaires, saisir les registres, vérifier les comptes, faire faire des copies authentifiées. Encore un travail de routine mais qui, au fur et à mesure des découvertes, s'avère fructueux. Verrès a truqué tous les documents officiels avec la complicité des publicains, ces chevaliers, ces officiers ministériels romains qui ont la charge des droits de douane. Il devient clair que tout le commerce de la Sicile avec Rome était taxé selon des barèmes inventés par Verrès pour son propre profit et celui de ses complices. Cicéron est confronté à un dilemme déchirant. Il prend à part Tullius.

— Je vais être dans l'obligation de dénoncer des chevaliers, ceux qui ont trahi la cause de notre classe.

— Fais ton devoir, Marcus.

— Mais la défense va en faire une arme !

— Oui, mais c'est en éliminant les mauvais éléments que nous imposerons les chevaliers en face de l'aristocratie.

— Sans doute. La tâche qui m'attend est rude.

— Elle est à ta mesure. N'oublie pas que tu brigues la charge de consul !

Durant les deux jours suivants, Cicéron se promène dans la ville en compagnie d'Arcanoë. Les Syracusains le reconnaissent et l'abordent sans crainte. Les langues se délient. La vie quotidienne de Syracuse lui devient familière au travers des mille récits de chacun. Il peut évaluer les souffrances subies et le soulagement intervenu avec le départ de celui qui fut considéré comme un nouveau tyran.

Chemin faisant, ils visitent les latomies, ces anciennes carrières de pierre, énormes cavités lugubres qui ont servi de prisons à des milliers de citoyens injustement condamnés. Metellus en a ouvert les portes dès son arrivée. D'anciens prisonniers viennent témoigner des conditions de détention inhumaine, les fers aux pieds, croupissant dans leurs excréments, lavés au jet d'eau glacial une fois tous les dix jours. Cicéron pense à Gavius dont l'histoire lui a été relatée à Rome, qui y passa plusieurs semaines avant d'être crucifié.

Maintenant, il est impatient de rentrer.

— C'est trop, dit-il à Arcanoë. Je préfère les causes où la preuve est difficile à apporter, où il faut de la subtilité. Ce voyage en Sicile met en évidence un Verrès imprudent, impudent et omniprésent. Impossible pour lui de nier. Une seule de ses journées suffirait à l'accabler et j'ai trois ans qui se déroulent devant mes yeux.

– Rien n'est trop facile ni trop difficile pour toi. Ce Verrès dont tu décris les faiblesses devait déjà être condamné et cependant il est bien là, à te narguer, à te harceler encore très protégé par sa classe.

– Rentrons. Je vais me remettre au travail.

L'eau d'Ortygie

Après deux jours de repos et de réflexion, Cicéron confie à Arcanoë son programme.

– Avant de quitter la Sicile, je dois parler au peuple sur le forum de Syracuse. Cette ville a eu une attitude ambiguë puisqu'elle a refusé de témoigner contre Verrès à l'instar de Messine. Mais je crois maintenant que ce n'est qu'apparence. Messine a réellement collaboré avec le propréteur. Elle était sa base de repli, son refuge, le lieu d'entrepôt de ses pillages. Ici, la pression exercée par Verrès était à son comble. Il a pillé plus qu'ailleurs. Les hommes étaient contraints de lui donner leurs femmes beaucoup plus fréquemment qu'ailleurs. Il a forcément imposé plus de complicités. Le silence de Syracuse est un silence de terreur. Il est de mon devoir de rallier les Syracusains à la cause de la justice. Je dois les convaincre de venir à Rome témoigner. Si ce n'est en délégation, tout au moins de façon individuelle.

Le lendemain, une grande estrade et une tribune sont dressées au centre du forum. Hier de nombreux panneaux disséminés dans la ville ont affiché en lettres rouges que Cicéron, le procureur du procès de Verrès, s'adresserait aux Syracusains, le matin à onze heures. C'est le 7 mai 70.

— Salut à vous, Syracusains, les plus courageux des Siciliens, vous qui avez subi le pire et qui avez su résister et attendre pour que justice passe. Je ne vous en veux pas de ne pas avoir déposé plainte contre celui qui vous persécuta pendant trois longues années. Car je sais combien grande fut la pression exercée contre vous. Je sais que, jamais dans toutes les provinces romaines, autant de pillages n'ont été perpétrés et que jamais la ville principale, celle où règne le gouverneur, n'a eu à supporter autant d'infamies. Je sais au prix de quelle honte vous avez dû accepter le viol de vos femmes et de vos filles, leur rapt, leur participation à des orgies. Je sais que, durant ces trois sinistres années, Verrès a tout mis en vente : les charges des magistrats, celles de dîmeurs, celle des prêtres, celles des sénateurs, celles du moindre juge. Je sais qu'il a donné le commandement de la flotte à Cléomène, un Grec, le mari de sa maîtresse, et je sais les désastres que cela a entraînés. Je sais de combien d'héritages il vous a spoliés et je sais combien de villas ont été pillées. Je ferai faire le décompte des chariots pleins d'objets d'art qui ont cheminé d'ici à Messine et les juges, à Rome, rendront leur verdict pour tous ces crimes.

« Mais je vous en conjure, ne restez pas silencieux. N'acceptez pas de vous taire. Vous ne craignez rien. Vous n'avez plus à redouter les foudres d'un gouverneur indigne. La peine qui sera prononcée contre lui le rendra à tout jamais inoffensif. Aucune vengeance ne pourra plus s'exercer. Vous devez donc parler, témoigner, raconter, écrire. Je vous attends à Rome d'ici à deux mois pour le plus grand procès en concussion jamais intenté contre un gouverneur de province. J'ai déjà collecté plus de mille témoignages écrits et authentifiés. Verrès est déjà enseveli sous ces charges accablantes. N'écoutez pas les appels à la clémence lancés par ses défenseurs, ses parents, ses amis et même votre propre gouverneur, Metellus, qui, après avoir tenté, à la hâte, de réparer toutes les fautes commises par son prédécesseur, essaie d'en atténuer la culpabilité et la responsabilité.

» Vous devez venir à Rome pour réclamer justice. Vous êtes les citoyens de la première ville de Sicile, la première province de Rome, la plus fidèle. Beaucoup d'entre vous sont citoyens romains, beaucoup le deviendront. Soyez-en dignes.

Une foule en liesse acclame Cicéron. Des femmes en délégation lui apportent des tresses de lauriers-roses en fleurs et tentent de l'en couronner. Il a du mal à se frayer un chemin pour quitter le forum. Léomagnus doit donner de la voix et lui frayer le passage sans ménagement.

Dans la grande villa mise à sa disposition par la municipalité il se désaltère. Ce sera le dernier souvenir agréable qu'il gardera : un verre d'eau de la fontaine qui coule au bord de la mer, dans le port, sur l'île d'Ortygie. Elle est limpide et fraîche et son débit constant permet d'alimenter en eau potable plus de la moitié de la ville.

Un verre d'eau pour se laver des salissures d'une enquête qui a montré sans vergogne les pires turpitudes.

Retour à Rome

Il a fallu deux jours pleins pour rallier Messine par Catane, en empruntant la route côtière.

Sa mission achevée, Cicéron décide de revenir rapidement à Rome. Sans doute lui reste-t-il huit jours pour rester dans les délais impartis par les juges, mais il redoute qu'un évènement inattendu ne le retarde et que son absence en tant qu'accusateur n'entraîne immédiatement l'annulation de son procès comme le stipule la loi. Verrès s'en trouverait immédiatement blanchi. Pour cette raison, il craint également que ses adversaires ne redoublent d'efforts pour l'éliminer sur le chemin du retour.

Tiron, Tullius et Léomagnus viennent de passer trois jours complets, du sixième jour au troisième jour des Ides de mai, à la recherche d'un capitaine qui accepte de les embarquer pour la traversée vers le continent.

Sans succès.

Une vraie conspiration du silence et du refus s'est organisée pour retarder leur voyage. Tous les navires sont pleins ou leur destination n'est pas l'Italie, ou ils sont en attente d'un chargement, ou l'armateur ne veut pas assurer la responsabilité de passagers.

— Si les dieux n'interviennent pas, nous allons devoir faire construire notre propre navire, comme Verrès, ironise Cicéron.

— Nous pourrions peut-être employer la force, suggère Léomagnus.

— Il n'en est pas question. Cela me fragiliserait pour le procès et ce serait, pour nos adversaires, une occasion supplémentaire de chercher à nous assassiner.

Arcanoë, de son côté, traîne dans le port vers les grands hangars, à l'extrémité de la jetée nord et dans les tavernes à matelots. Toujours déguisé en Julius, elle finit par décider le patron d'un petit caboteur, un Égyptien nommé Norbon qui a baptisé son embarcation *Horus*, de leur venir en aide mais à un prix élevé.

— Je ne vous emmène pas à Rome. Je crains que ce ne soit beaucoup trop loin pour ma vieille coque de noix. Je vous déposerai à Vibo dans le Brutium[1] et là, je vous

---

1. Le Brutium est la région située à l'extrémité sud de l'Italie. Elle forme le bout de la botte.

confierai à un ami qui vous emmènera à Vélia en Lucanie.

– Nous sommes un peu pressé. Il s'agit d'un sénateur qui doit rentrer rapidement. Ne peux-tu faire un effort jusqu'à Pouzolles ?

– Non. C'est Vibo ou rien et mille sesterces par personne.

Norbon a flairé la bonne affaire. La vie est dure pour un petit marin de Messine et il n'a pas tous les jours une personnalité à transporter. De plus, les riches peuvent bien payer un peu pour les autres.

– C'est impossible, nous sommes quatorze !

– Eh ! bien, ce sera quatorze milles sesterces, enchaîne Norbon qui calcule vite. Il s'agit d'un cas exceptionnel. Je suis obligé d'annuler le travail prévu pour demain et d'ailleurs, je ne suis pas sûr de pouvoir vous emmener tous en un seul voyage.

– Non, rétorque Arcanoë, très ferme. Ce sera dix mille sesterces, pas un sou de plus et tu vas t'estimer heureux que nous ne fassions pas réquisitionner ton bateau. Mais ta loyauté, ta célérité et ta discrétion seront récompensées.

Tout en maugréant, Norbon est alléché par cette somme importante qu'il ne gagne pas en six mois de navigation. La tâche est aisée. Il lui faut vingt-quatre heures tout au plus pour l'aller et le retour. Il finit donc par donner son accord.

– Maintenant tu dois aller rapidement aménager le bateau pour que nous puissions nous y tenir dans de bonnes conditions, précise Arcanoë. Nous en tiendrons compte.

Cicéron a accepté la proposition d'Arcanoë. Naviguer sur deux distances plus courtes diminue le risque des pirates qui préfèrent toujours la haute mer où les bateaux agressés ne peuvent attendre aucun secours.

L'embarquement a lieu très tôt, en début de matinée du sixième jour des Ides de mai. Le disque solaire énorme, rouge intense sur l'horizon, perce un léger brouillard qui a tendance à se dissiper. Mais dès que le navire se trouve au milieu du détroit de Messine, ils sont noyés dans un épais nuage.

Léomagnus, prudent, a tenu ses gladiateurs éveillés et en alerte. Les pirates ne sont certainement pas loin puisque leurs meilleurs repaires sont sur la côte nord de l'île. Chacun, sur le pont, est aux aguets. Soudain, Arcanoë donne l'alerte.

— Je viens de voir des lueurs orange dans cette direction.

Elle montre du doigt l'avant de l'embarcation.

— Ils cherchent à nous localiser en lançant des feux qui flottent quelques instants sur l'eau.

— Et après ? demande Cicéron.

— Après, ils vont s'approcher et tenter d'incendier le bateau. Ils savent certainement combien nous sommes. Ils ne vont pas répéter l'erreur de leur premier abordage.

— Que pouvons-nous faire ?

— Préparer des seaux d'eau et nous dissimuler au mieux pour éviter les flèches et les javelots lorsqu'ils seront à bonne portée.

Pendant une heure, les passagers de l'*Horus* voient les feux se rapprocher. Certains viennent brûler à quelques dizaines de pas. Parfois, l'*Horus* est totalement encerclé. Mais nulle trace de leurs agresseurs qui utilisent habilement le brouillard pour rester invisibles.

Tullius s'impatiente.

— On ne les voit pas mais on les devine. Cette attente est insupportable. Je préfère l'affrontement.

— Il viendra bien assez tôt. Eux nous voient. Calme-toi. Conserve tes forces pour l'attaque, intervient Léomagnus.

Soudain une brusque montée en puissance du vent les délivre de leur anxiété. Il est midi. Le brouillard semble s'évanouir en un instant. À moins d'un quart de mille, en provenance de la haute mer, trois navires pirates fondent sur eux de toute la force de leurs rameurs. À leur poupe plusieurs hommes porteurs de torches enflammées attendent l'heure de la revanche.

Cicéron s'est dressé. Il évalue la situation.

– Nous sommes perdus. Préparez-vous à vous défendre comme des Romains dignes de leurs traditions.

– Nous sommes sauvés si nous atteignons la côte avant de griller, répond Tullius.

La côte du Brutium est en effet déjà très visible, débarrassée de tout brouillard, vers l'est. Elle n'est guère éloignée que d'un mille.

Et soudain c'est Norbon qui redonne l'espoir.

– Des quinquérèmes de la flotte romaine de Misène arrivent vers nous.

– Espérons qu'ils auront le courage de ne pas arriver trop tard, murmure un gladiateur. Ils préfèrent souvent attendre l'issue du combat lorsqu'ils n'ont plus que des cadavres à repêcher. C'est moins risqué pour eux.

Par chance, dès qu'ils aperçoivent les impressionnants vaisseaux de combat, les navires pirates s'empressent de rompre l'attaque et de faire volte-face vers le large. Leur mission a échoué mais ce n'est sans doute que partie remise.

À l'arrivée dans le petit port de Vibo, la population leur fait un véritable triomphe. Ils ont reconnu l'avocat et toute l'Italie est au courant du procès en cours.

Plus longue, la deuxième navigation vers Vélia se déroule sans encombre. Après une nuit passée en mer et une autre dans une auberge miteuse du port, les quatorze cavaliers s'élancent vers Rome. La dernière chevauchée suit la voie Appienne à très vive allure. Les chevaux sont changés tous les quinze milles. Chacun a hâte d'avoir bouclé ce périple fertile en rebondissements. C'est Tullius qui distingue le premier, dans le lointain brumeux, les remparts.

– Je vois la porte Capène !

– Je la vois aussi, crie Arcanoë.

Une heure plus tard, la petite troupe se disloque. Cicéron s'est approché de celle qu'il appelle toujours Lucia.

– Nos routes divergent, belle prêtresse de Dionysos. Assisteras-tu au procès ?

– Certainement, grand avocat ! Personne à Rome ne voudra manquer l'affrontement entre les deux champions du barreau : Hortensius et son élève.

Cicéron a déjà éperonné son cheval lorsque, d'une brusque volte-face, il se retrouve aux côtés de celle qu'il va quitter.

– Lucia, il est probable que nous ne nous reverrons pas. Je voudrais savoir qui tu es, qui se cache derrière ce nom ?

– Je ne suis pas sûr que cela te réjouira, Marcus !

– Essayons !

– Marcus, je suis Arcanoë, la femme de Spartacus.

DEUXIÈME PARTIE

Verrès tel qu'en lui-même

Janv.73-Déc.71

1.

La loi de Verrès

La mer était « fermée » en hiver. Mais Verrès ne s'encombrait pas de ces interdits. Contrairement à la plupart des Romains qui se prévalaient de vertus ancestrales terriennes, il n'hésitait pas à affronter les caprices des flots même pendant la période difficile. Il avait donc mobilisé une trirème de la flotte de guerre de Misène pour venir le chercher à Ostie, plus proche de Rome.

Après deux jours loin des côtes, sans difficultés de navigation sur une mer bien formée, le navire arriva en vue du cap Pelorus, proche de Messine.

Ce grand port de la côte ionienne était, en janvier 73, bien équipé pour accueillir des navires de toutes dimensions, de commerce ou de guerre. Une rade très protégée, en forme de cithare ouverte vers le nord, donnant dans le détroit, protégée des vents dominants, offrait plus de cinquante emplacements à quai.

L'hiver en Sicile peut être froid surtout dans les région proches des montagnes. Une pluie drue et glaciale rendait la visibilité nulle à deux cents pieds. Le capitaine avait pris la précaution d'arriver en plein midi pour se donner toutes les chances de bien négocier la passe d'accès.

Verrès ne dissimulait pas son impatience de fouler le sol sicilien. De la cabine de commandement, il suivait les efforts des marins qui s'affairaient à amarrer le navire à deux grosses bites d'acier solidement fichées dans le mur du quai sud.

Une tribune d'honneur avait été préparée. C. Licinius Sacerdos, gouverneur en fin de charge, attendait son successeur assis dans un fauteuil de bois sculpté recouvert de satin pourpre, abrité par un dais de la même couleur. Les gardes, sur deux rangs, formaient une haie d'honneur.

Sur la passerelle étroite, un jeune esclave s'efforçait maladroitement de protéger son maître de la pluie à l'aide d'une large serviette tendue[1] au-dessus de sa tête. Celui-ci, mécontent, la saisit, la noua comme un fichu de femme sur sa chevelure bouclée, bouscula l'adolescent et d'une bourrade le fit basculer par-dessus bord dans l'eau glacée.

— J'espère qu'on est mieux servi en Sicile qu'à Rome, dit-il au gouverneur.

Indifférent à la scène, Sacerdos s'était levé.

— Je n'en suis pas sûr. Depuis les révoltes serviles[2], un vent de contestation continue à souffler sur notre belle province. Il faut être ferme et ne pas hésiter à faire des exemples.

— En voici un. Allons, conduis-nous au sec. J'ai hâte de me mettre au travail.

---

1. Les Romains ne connaissait pas le parapluie.

2. La Sicile a connu deux révoltes d'esclaves très sanglantes de 140 à 132 et de 104 à 100 AJC.

Les deux hommes installés dans leur litière, à l'abri des intempéries, se laissèrent véhiculer vers la demeure de leur hôte.

Verrès avait des yeux brillants de convoitise. Il arrivait au faîte du pouvoir. Seul maître à bord dans sa province, il allait pouvoir s'enrichir en toute tranquillité et en toute impunité, sans avoir de comptes à rendre.

– Toute la province est impatiente de découvrir son nouveau gouverneur.

– J'en prends acte, Caius, mais je ne suis pas sûr qu'ils vont gagner au change, dit Verrès avec un sourire sardonique.

– Heïus, le premier citoyen de la ville, nous attend dans sa villa. Il a préparé un repas frugal pour le cas où tu voudrais te mettre en route pour Syracuse dès l'après-midi.

– Oui, je vais profiter de l'hospitalité de ce Heïus et partir aussitôt. J'ai beaucoup à faire. Je reviendrai à Messine où je veux installer un port franc. En chemin, je m'attarderai un peu à Catane où débouche la grande vallée fertile de l'île. Pour l'heure, as-tu entendu parler d'un certain Dion de la ville d'Halèse.

– J'ai eu l'occasion de le rencontrer au cours de mes inspections. Je crois qu'il vient de faire un bel héritage.

– En effet et c'est précisément à ce sujet que je dois le voir de toute urgence. J'ai préparé une lettre que je vais lui faire porter si tu veux bien me désigner un coursier parmi ta suite.

– Tu es un homme surprenant, Verrès. Tu n'as pas mis le pied sur le sol sicilien depuis plus d'une heure et tu te préoccupes déjà d'une affaire de succession.

– Mais, j'ai planifié mon activité pour faire fortune en un an, et c'est très court, un an ! J'ai déjà quarante-deux ans. Il est temps que je vive de mes rentes et que je m'adonne à ma passion de collectionneur.

Sacerdos était un peu gêné par le cynisme aussi ouvertement affiché de son collègue sénateur.

— Il est habituel de réaliser quelques profits sur les provinces que nous administrons parce que nous ne sommes pas rémunérés. Mais il est bon de le faire avec mesure et discrétion. Quel besoin as-tu de clamer ainsi tes desseins ?

— Tu oublies que c'est un droit qui appartient aux aristocrates. Nous faisons partie des grandes familles qui ont bâti Rome. Toute cette piétaille nous doit tout et n'est là que pour nous servir et nous permettre de développer nos arts et notre culture. Sylla l'a bien compris qui a redonné tout le pouvoir judiciaire aux aristocrates.

— Mais le peuple ne pourra endurer cela bien longtemps. Tu sais que leurs tribuns ne cessent de réclamer plus de justice. Il y aura d'autres Marius[1] et la victoire pourrait alors changer de camp.

— Tu es défaitiste et ce sont les aristocrates comme toi qui nous font perdre nos privilèges. Crois-moi, il n'y a pas d'avenir dans un partage du pouvoir. Et pour en revenir à ce Dion, j'entends bien lui montrer qu'il ne peut hériter qu'avec mon consentement. Je le convoque donc dans deux jours à Syracuse pour qu'il s'explique. Ce sera mon premier procès.

— Il va avoir de la peine à honorer son rendez-vous. Halèse est sur la côte nord à plus de quatre-vingts milles et la route n'est pas excellente.

— S'il n'est pas là, il sera condamné par défaut. Je tiens à faire un exemple dès mon arrivée.

— Mais tu ne peux pas juger un citoyen par défaut, ni selon la loi sicilienne ni selon la loi romaine.

---

1. Marius s'est battu pour obtenir la citoyenneté romaine pour les Italiens qui ne l'avaient pas encore. Vaincu par Sylla, il entraîna dans sa perte toutes les cités qui s'étaient ralliées à sa cause.

– Ce sera donc la loi de Verrès.

– C'est ton affaire, mais tu transgresses brutalement des institutions approuvées par Rome.

– Eh bien, transgressons, Caïus, transgressons.

Chélido

Verrès aimait les femmes. Il ne pouvait pas se passer de leur compagnie. Sa vie amoureuse était très mouvementée.

Marié jeune, une alliance arrangée entre les familles alors qu'il rentrait d'Asie Mineure où il avait fait ses premières armes sous le commandement de Dolabella, il avait sacrifié aux coutumes de l'aristocratie romaine qui voyait là un moyen de maintenir son hégémonie. Déjà rebelle dans l'âme, Verrès ne voyait dans cette institution qu'une contrainte épouvantable. Il ne s'y était soumis que par respect pour son père, alors au faîte des honneurs, et parce qu'il pensait que la classe dirigeante, sa classe, devait rester unie.

Julia, son épouse légitime, était belle et de haute lignée, mais sans caractère et sans imagination pour les jeux érotiques dont raffolait son mari. Elle lui avait rapidement donné une fille, puis, cinq ans plus tard un fils, puis avait eu l'élégance de mourir en couches.

Bien décidé à ne jamais plus convoler en justes noces, Verrès avait entamé une vie de fêtes et de débauches qui lui avait permis d'explorer tous les mauvais lieux de Rome et de la région ainsi que ceux d'Asie Mineure où ses fonctions dans la carrière de honneurs l'avaient amené. Jusqu'au jour où il avait rencontré Chélido.

Chélido n'était pas noble, elle était même fille d'esclave affranchi. Mais à part cette tare héréditaire, rédhibitoire dans une société de classes, c'était une femme d'exception qui possédait à un rare degré beauté et intelligence. Malgré son mépris pour le peuple et son dégoût pour la condition des esclaves et des affranchis, Verrès avait été tellement séduit qu'il l'avait installée dans sa villa de Rome comme il aurait fait d'une femme légitime.

Nommé préteur urbain, c'est-à-dire juge chargé des affaires les plus graves, il lui confiait souvent la décision du verdict. Verrès trouvait que, bien souvent, elle appréciait mieux que lui les arguments des deux parties.

L'année suivante, sa désignation comme propréteur de Sicile avait réjoui Chélido. Elle préparait leur déménagement quand elle tomba malade soudainement, commençant à tousser et à rejeter du sang par la bouche.

Pour la première fois dans sa vie de cynique endurci, Verrès eut le cœur serré à l'idée de partir sans elle. Malgré ses airs et ses propos désabusés concernant l'amour, bien qu'il affichât une grande liberté de mœurs, bien qu'il fréquentât d'autres courtisanes, il aimait Chélido.

Au fur et à mesure que la date fatidique des premiers jours de janvier se rapprochait, il fallut se rendre à l'évidence. Elle était trop faible pour supporter un tel voyage et un tel changement de climat et d'habitudes.

– Je te laisse à la garde de tes médecins, Chélido. J'espère que tu pourras bientôt me rejoindre. Je vais te préparer un appartement de reine pour que tu puisses venir aux beaux jours.

– Je n'ai pas un bon pressentiment, Verrès. Les médecins sont des ânes et je me demande si les haruspices, ces farceurs de la prédiction, ne sont pas plus sûrs dans leurs jugements. Toutes leurs potions ne font que me couper l'appétit. Je me sens plus faible de jour en jour. Que fais-tu pour ton fils ?

– Je l'emmène. Il approche de ses seize ans. Je dois lui apprendre à gouverner.

– Je l'ai élevé comme mon propre enfant. Tu pourrais le laisser à Rome encore un an.

– Je le sais et j'ai beaucoup de gratitude pour l'amour que tu lui as dispensé et les principes que tu lui as inculqués. Je n'ai pas été un père parfait et tu as su compenser mes carences. Mais je dois maintenant m'en occuper un peu et m'assurer qu'il sera bientôt prêt à porter la toge virile. Sois sans crainte. J'ai choisi mon gendre comme légat. Sa sœur sera donc avec nous au palais, à Syracuse. Elle a toujours été une seconde mère pour lui.

– Essaie de ne pas lui montrer seulement ton mépris du peuple et ton cynisme. Tu vaux mieux que cela. Ton amour de l'art pourrait te servir de guide pour te réconcilier avec l'humanité.

Verrès était interloqué par ces propos. Chélido dévoilait des sentiments qu'elle n'avait jamais osé exprimer. Elle venait d'ouvrir en lui une porte secrète. La proximité de la mort stimulait-elle cette soudaine franchise ?

– La société où je vis me considère plutôt comme un jouisseur, capable de toutes les vilenies.

– Parce que tu te donnes beaucoup de mal pour offrir cette image ! Tu aimes tellement provoquer que tu en fais toujours trop. Mais c'est un leurre. Il y a un autre Verrès que je connais et que j'aime.

Verrès, plus ému qu'il ne voulut le laisser paraître, la prit dans ses bras.

– Tu dois guérir pour me faire découvrir cet autre moi-même.

Quelques jours plus tard, le propréteur s'embarqua sans sa compagne, n'emmenant que son fils.

La fête.

Janvier 73
Verrès jubilait.

En provenance de Catane, il était arrivé vers midi, en même temps que son convoi de bagages parti trois jours plus tôt de Messine, en vue de sa future demeure dans la petite île d'Ortygie qui fermait une partie de la rade de Syracuse. Il faisait un temps doux et ensoleillé dans cette partie sud-est de l'île qui bénéficiait du meilleur climat.

La résidence des gouverneurs romains était bien telle qu'il se l'imaginait : grandiose, luxueuse, somptueuse, bien digne de la gloire de Rome. Elle le comblait.

Le soleil à son zénith mais assez bas sur l'horizon en cette période hivernale illuminait de ses rayons obliques la grande demeure fortifiée qui apparaissait ocre jaune sur fond de mer émeraude. Un orage, très loin sur la mer, obscurcissait l'arrière-plan et ajoutait au contraste des couleurs.

Cornélius son médecin chevauchait à ses côtés.

– Qu'en penses-tu, Cornélius ?

– C'est une merveille. Rome a été bien inspiré de conquérir la Sicile. À nous d'en profiter.

– Je compte sur vous pour m'aider. J'espère qu'à la beauté du site correspond une richesse sans égale dans tout le pays. Allons voir l'intérieur.

Le dedans était bien digne du dehors.

Sacerdos, son prédécesseur, était un homme de goût. Le palais historique de Hiéron était splendide. Toute la partie habitation était dans un état parfait, confortable, aménagée avec art et décorée avec raffinement. Toutes les commodités les plus récentes avaient été installées. L'eau d'une source qui coulait non loin, en bord de mer, avait été ingénieusement captée pour alimenter un réser-

voir qui apportait le précieux liquide dans toutes les
pièces habitables. L'ancien préteur avait laissé tous les
meubles. Verrès était éberlué de tant de générosité. En
visitant les lieux au pas de course, en compagnie de son
intendant, il avait déjà repéré quelques tableaux qu'il avait
l'intention de rapporter dans sa résidence romaine à la
fin de l'année, lorsque son mandat prendrait fin.

   — Dans cette demeure faite pour un roi, les femmes
manquent, Timarchide. Il faut que tu repères les plus
jolies Syracusaines. Je veux vivre cette année, entouré des
femmes les plus jolies. Aucune ne pourra me faire oublier
Chélido mais je dois compenser.

   — Sans doute mais... que dois-je faire après ?

   — Tu me les amènes.

   — Mais comment dois-je les convaincre de venir partager ta couche ? Je ne vais pas les conduire au palais
enchaînées ? En revanche, si tu as besoin d'esclaves jolies
et complaisantes, je peux t'en procurer des chariots.

   Timarchide aimait bien résister à son maître dont il
connaissait tous les travers et il savait jusqu'où il avait le
droit d'intervenir, voire de provoquer.

   — Réflexion judicieuse. Tu vas me préparer une fête
grandiose pour la soirée des Ides de janvier. Je veux un
spectacle inédit avec des montreurs d'ours et de crocodiles. Je veux des danseuses africaines nues. Je veux des
acrobates de Dacie. Je veux un combat de gladiateurs
avec un rétiaire[1] et un samnite[2]. Je veux des singes mais
enchaînés. Sinon ils nous volent nos bijoux et nous avons
toujours beaucoup de mal à les récupérer. Je veux des

---

1. Le rétiaire est un gladiateur qui combat avec un filet et un long
trident.

2. Le samnite est un gladiateur cuirassé, lourd et pesant qui combat avec une lance, une épée et un grand bouclier..

cracheurs de feu et des avaleurs de glaives, je veux tout ce que tu pourras trouver d'exceptionnel.

– Je vais faire mon possible, Verrès. Mais qui dois-je inviter ?

– Uniquement les familles qui pourront présenter à l'entrée une jolie fille ou une jolie femme encore jeune. Je les veux bien un peu usagées mais pas laides.

– Tu me demandes de faire une sélection par la beauté des femmes ?

– Exactement.

– C'est contraire à tous les usages. Tu ne crains pas de te mettre à dos toute la population alors que nous venons juste d'arriver ?

– Timarchide, je n'ai qu'une année à passer ici et tu sais comme moi que le temps passe vite, trop vite. Je ne vais pas m'encombrer de présentations protocolaires. Je veux de belles femmes pour entretenir ma jeunesse et compenser l'absence de Chélido. Et dis à chaque famille sélectionnée qu'il y aura une énorme surprise, que leur gouverneur leur prépare une fête comme ils n'en ont jamais vu.

Timarchide avait bien fait les choses.

Tout ce que l'île comptait de saltimbanques, de comédiens ambulants, de devins, de chanteurs, de danseurs avait été convoqué et auditionné. Il avait retenu les meilleurs et avait exigé la perfection avec l'appât d'une bonne rémunération qu'il ne leur donnerait pas.

Pour recruter les invités, il avait dû utiliser les services des collecteurs d'impôts qui se trouvaient en activité réduite compte tenu de la saison. Leur mission : trouver de jolies femmes. Il avait donc fallu passer en revue des milliers de familles sans préciser le critère retenu pour la sélection pour ne pas trop attirer l'attention des maris. Sans doute est-il toujours difficile d'aller contre le fait du prince et si, dans les cas de droit de cuissage, les maris sont le plus souvent complaisants, il ne fallait pas exclure les réactions d'un jaloux. Verrès n'avait aucune envie de recevoir un mauvais coup.

Lorsque l'assistance fut installée, Verrès en personne vint annoncer la surprise qui alimentait les rumeurs propagées à travers la ville. Avec beaucoup de solennité, il annonça que toutes les femmes allaient devoir se retirer après le spectacle, dans la grande salle du conseil où de jeunes esclaves allaient les préparer pour la seconde partie de la fête.

– Je ne vous en dis pas plus. La fin du mystère vous attend là-bas.

La grande salle de réception était suffisamment vaste pour que les attractions pussent se dérouler sans encombre sur la piste aménagée en son milieu. Le clou du spectacle fut le combat de gladiateurs. Le rétiaire, après avoir frôlé la mort, réussit à enfermer le samnite dans son lourd filet lesté de plomb. Malgré la qualité des deux combattants, Verrès refusa la grâce pour offrir à l'assistance le spectacle qu'il croyait excitant, d'une mise à mort par égorgement.

Tandis que le cadavre était traîné vers l'extérieur et que l'orchestre de cuivres et de flûtes jouaient à s'époumoner, le gouverneur donna le signal de la dernière partie des réjouissances.

– Toutes les femmes suivent mon intendant Timarchide.

La gent féminine se déplaça donc en groupe vers le fond du palais où elles furent invitées aussitôt à se déshabiller sans tenir compte de leurs protestations.

– Il s'agit d'une idée originale de votre préteur. Il a décidé de faire ce soir un grand concours de beauté. Je vous invite donc à défiler dans deux costumes appropriés pour mettre en valeur vos charmes : d'une part une tenue de bain et puis nues sous deux voiles transparents. Les jeunes esclaves qui sont là vont vous aider à choisir ce qui vous convient le mieux.

La centaine de jeunes et jolies femmes rassemblées étaient plongées dans la stupéfaction. Jamais elles n'avaient entendu parler de l'existence de telles compétitions. Les lois de la famille grecque qui régissaient la plupart d'entre elles n'autorisaient pas de telles libertés. Mais elles avaient compris que Verrès n'avait pas l'intention de leur demander leur avis et que l'invitation était plutôt un ordre. Certaines d'entre elles, cependant, trouvaient que ce défi aux bonnes manières était plutôt excitant et appréciaient cette incroyable transgression.

Très vite, les déshabillages et habillages successifs s'exécutèrent et le défilé put commencer.

Les hommes qui n'avaient pas été prévenus commencèrent par s'indigner, mais les huissiers musclés et armés du palais, sous les ordres du Gaulois Valérius, n'eurent pas besoin de trop manifester leur détermination à réprimer toute tentative de contestation pour qu'une résignation silencieuse, bien que réprobatrice, s'installât pendant tout le défilé. Verrès, très attentif, ne perdait rien de ce spectacle. Lorsque après les maillots de bain les jolies femmes apparurent dans leurs voiles transparents, il était au comble de l'excitation.

Il était accompagné d'un de ses scribes qui, sur ses indications, prenait des notes sur des tablettes de cire en face de chaque nom que les participantes devaient proclamer en arrivant devant son fauteuil. Sur sa demande pressante, elle devait alors accomplir plusieurs tours sur elles-mêmes pour qu'il puisse détailler avec précision leur anatomie.

Timarchide était venu le rejoindre.

– Je vais faire une première sélection d'une dizaine que tu feras défiler de nouveau, mais dans la petite salle du conseil, loin de l'assistance, pour que j'en choisisse trois discrètement. Cela me paraît suffisant, du moins pour ce soir.

Après avoir consulté ses tablettes il annonça à la foule médusée que les dix premières dames de Syracuse étaient : Claudia, Julia, Pipa, Tuliola, Archella, Nicé, Lucia, Tertia, Eurydice et Persiphée.

– Je vais maintenant emmener ces heureuses élues loin de vous, dit-il, pour un défilé qui les départagera. Les festivités publiques sont closes. Vous pouvez regagner vos villas.

Mais les participants à la soirée restaient figés, cherchant à deviner ce que cachaient ces propos ambigus. La plupart des épouses et des filles qui avaient défilé avaient rejoint les membres de leur famille. Les maris de celles qui venaient de disparaître pour l'ultime sélection manifestaient bruyamment. Aussitôt, les gardes avaient pointé leurs lances vers l'assistance et les licteurs s'étaient déployés en écran entre le gouverneur et la salle.

Verrès reprit d'une voix doucereuse.

– Je ne comprends pas cette manifestation d'humeur. Je veux seulement faire honneur à la population tout entière en désignant, en privé, les trois reines de la soirée. Gardes, faites évacuer la salle.

Puis le gouverneur s'éclipsa aussitôt pour procéder à la désignation des trois lauréates loin des regards de tous.

La première fut Pipa, l'épouse d'Aeschrion, gros propriétaire terrien, l'un des magistrats les plus en vue de Syracuse. Puis il choisit Nicé, la femme de Cléomène. Pour éloigner celui-ci de Syracuse, il lui confia quelques jours plus tard le commandement de la flotte de guerre. Enfin, il y eut Tertia la fille du mime Isidore, un Rhodien, joueur de flûte de son état, invité fermement par Timarchide à quitter la Sicile.

Verrès s'était levé. Il proclama leur nom avec solennité :

— Soyez comblées. Vous venez de gagner une récompense magnifique... le droit de faire partie de ma suite privée. Timarchide, tu feras raccompagner les autres à leur domicile.

Les dix femmes ne savaient quelle contenance adopter.

Verrès souriait en les contemplant. Il se sentait comblé. Mais il voulut terminer sur une note ferme en s'adressant surtout aux sept qui n'avaient pas été choisies.

— Pipa, Tertia et Nicé, vous restez avec moi pour la nuit. Les autres voudront bien m'excuser mais je ne les oublierai pas pour autant. Quand aux hommes contestataires, dites-leur que toute rébellion sera punie des verges jusqu'à ce que mort s'ensuive.

Passion d'esthète

Dès le début du mois de mars, Verrès fit construire au sud-ouest de l'île d'Ortygie, non loin de son palais, un grand atelier pour confectionner des copies d'œuvres d'art, en premier lieu des bijoux et des objets d'argenterie ciselés utilisés au cours des repas : coupes, plateaux, assiettes. Un autre bâtiment abritait des métiers à tisser. À l'extrémité du site, en front de mer, des spécialistes venus d'Italie édifiaient une fonderie destinée à la transformation des métaux précieux : l'or, l'argent et aussi le cuivre, l'étain et le bronze.

Une armée d'esclaves et d'artistes s'affairait sans relâche pour produire des pièces d'orfèvrerie et de très belles étoffes.

Verrès exultait. Il réalisait un rêve. Celui de son enfance dorée, alors que dans l'immense demeure de son père, sur le mont Palatin, il pouvait déjà contempler de splendides œuvres d'art. Il s'imaginait alors comme un grand collectionneur entouré des plus grands sculpteurs, peintres et ciseleurs.

Il était déjà cruel et raffiné dans l'exercice de ses droits de jeune maître. D'autant plus que son père lui laissait, dans ce domaine, une grande liberté. Dévolus à son service exclusif, deux jeunes esclaves grecs avaient pour mission de lui apprendre à marteler l'argent. Il aimait cette activité manuelle qui le comblait de sensations exaltantes mais qui déclenchait d'absurdes colères lorsque la matière lui résistait.

Il avait chargé Tlépolème et Hiéron, ses deux artistes limiers, de trouver les meilleurs artisans et de constituer des équipes de production. Très vite, les ateliers tournèrent à plein régime car Verrès voulait en faire commerce mais son plus grand plaisir était d'y passer des heures pour suivre, étape par étape, l'élaboration des œuvres d'art. Il n'hésitait pas à s'impliquer, à se faire expliquer les secrets, les tours de main qui permettaient d'obtenir un objet parfait. Habillé d'une tunique brune et protégé par un tablier de cuir épais, on pouvait le confondre avec un de ses ouvriers. Il devait souvent se retenir pour ne pas fraterniser avec ces hommes capables, avec leurs mains, du bout des doigts pour les ciseleurs, de créer de la beauté à partir d'un bloc de métal informe.

Les ouvriers et les esclaves étaient bien payés et nourris aux frais de l'État. Verrès, si cupide habituellement, faisait une exception pour la création d'art. Si bien qu'on se disputait pour venir travailler pour lui. Pas moins de trois cents hommes s'étaient peu à peu portés volontaires et les négociants du port exprimaient leur satisfaction en voyant se développer un nouveau centre d'attraction pour la ville.

Mais Verrès n'était pas pleinement satisfait. Il voulait que la production se développât plus vite et surtout il souhaitait offrir une plus grande diversité d'objets. Ses ouvriers étaient sans doute des experts, chacun dans leur art, mais tous n'étaient pas créatifs. Comment et où trouver les artistes, les vrais, ceux dont l'imagination conjuguée à l'habileté lui permettrait de se bâtir une véritable réputation et de pouvoir se présenter comme le fondateur d'une véritable école d'art dont tout le bassin méditerranéen se disputerait la production ?

Alors qu'il cherchait une solution à cet épineux problème, Tlépolème à qui il s'était confié vint le trouver.

– J'ai une idée à te proposer pour augmenter très vite la diversité de nos modèles. Il suffit que tu réquisitionnes toute l'orfèvrerie de l'île à des fins d'expertise ? Nous pourrons alors utiliser et copier les motifs décoratifs qui s'y trouvent ou nous en inspirer.

– Tlépolème, c'est une grande idée. Je vais même la pousser plus loin. Nous allons nous approprier seulement les ornements incrustés, toutes les figures en relief qui ont été ajoutées après la fabrication du plats ou des coupes. Nous rendrons les plats nus. Ainsi nous n'aurons plus d'imitateurs. Et nous resterons dans le cadre de la loi : le gouverneur n'aura prélevé que la dîme qui lui échoit.

– Je pense que la ville d'Haluntium conviendrait bien à notre projet. La population est grecque dans sa grande majorité et elle a perpétué une longue tradition artistique. Mais cette cité est à cent soixante-quinze milles de Syracuse sur la côte tyrrhénienne. Il nous faudra au moins quatre jours pour nous y rendre et nous aurons froid dans l'intérieur de l'île.

– Eh bien, je vais dire à Timarchide de préparer les étapes pour que je sois reçu en gouverneur.

Le froment d'argent

Le temps ne favorisa pas l'expédition.

Avant d'arriver à Henna dans le centre de l'île, une tempête de neige arrêta sa progression. Il fallut se contenter d'une auberge de confort sommaire et Verrès devint d'une humeur exécrable. L'impuissance à laquelle le mauvais temps l'obligeait avait le don de l'exaspérer. Il lui fallait attendre. Et attendre était un supplice pour Verrès. D'autant plus cruel qu'il avait emmené avec lui Tertia, l'une des trois femmes qu'il s'était appropriées le soir du concours de beauté, et qu'il était tellement transi de froid qu'il fut dans l'incapacité de profiter de ses charmes. Honte suprême pour un homme qui confondait souvent virilité sexuelle et pouvoir.

Suite à ce contretemps, ils n'arrivèrent à Haluntium que le cinquième jour à midi. Verrès était donc pressé de récolter ce qu'il appelait son « froment d'argent ». Lorsqu'il fut en vue de la ville située sur une hauteur dominant le rivage, il décida qu'il avait subi suffisamment de fatigue durant le voyage et qu'il lui serait trop pénible de monter là-haut. Il fit donc appeler Archagathus, un des premiers notables de la cité.

– Archagathus, je te donne mandat, au nom du gouverneur de la Sicile, c'est-à-dire moi-même, de me faire porter, sur-le-champ, ici même, à mes pieds, la totalité de l'argenterie ciselée qui se trouve dans ta ville ainsi que tous les vases de Corinthe.

Le Grec était stupéfait.

– Pour quelle raison exiges-tu cela ? S'agit-il d'un nouvel impôt ? Auquel cas, selon les conventions passées avec Rome, nous devons en débattre avec le conseil de la ville.

Verrès devint cramoisi. Il se mit à hurler.

– L'argenterie, ici, tout de suite ! C'est un ordre. Toute l'argenterie sans exception. Je mettrai à mort sous les verges ceux qui chercheraient à en dissimuler une partie.

Archagathus retourna en ville, transmit l'ordre à ses concitoyens et leur conseilla de l'exécuter. Une partie de la soldatesque de Verrès, emmenée par Tlépolème, se précipitait déjà dans les maisons les plus riches recensées auparavant, tandis que les autres enfonçaient les portes de tous les autres logis qui ne répondaient pas à leurs sommations, même les plus humbles, et ramassaient toute l'argenterie sans distinction. Après une heure de pillage, aucune maison de la ville n'avait été épargnée.

Verrès, rasséréné, contemplait les objets d'argent entassés devant lui. Tlépolème et Hiéron faisaient un tri rapide pour exclure ceux qui étaient trop communs, tandis que les ouvriers étaient déjà à l'œuvre pour prélever les bandes ciselées, les plaques en relief, tous les décors habilement soudés sur le métal lisse.

Les habitants de la ville s'étaient rassemblés en cercle autour de lui. Les femmes pleuraient et se lamentaient tandis que les hommes serraient les poings sous leur tunique. Peu à peu un autre tas s'élevait où s'accumulaient les vases et les plats totalement dénudés de leurs décors, bosselés, parfois troués, tous dans un piteux état.

Goguenard, le gouverneur s'adressa à ses sujets.

– Vous pouvez reprendre vos objets. Je n'emporte que les décors. Si on évalue les choses en poids, je n'ai fait que prélever ma dîme. Je trouvais injuste que l'impôt ne portât que sur les céréales et les produits de la culture. Je l'ai donc étendu à la vaisselle et aux pièces d'ornement. Évidemment j'ai choisi le dixième qui me plaisait le plus. Mais je suis votre gouverneur. J'ai donc droit à quelques faveurs.

Archagathus crut bon d'intervenir.

— Mais Verrès, aucun préteur de Sicile n'a institué un nouvel impôt. Les conventions avec Rome sont formelles. Ce n'est pas de ton ressort. Tu outrepasses tes droits.

Verrès s'était dressé, de nouveau en colère.

— Ici, j'ai un pouvoir absolu, renforcé du fait que la Sicile est encore en état de guerres serviles et que, de plus, en Italie, Spartacus et sa horde de gueux répandent la terreur et cherchent à gagner notre île. Me suis-je bien fait comprendre ? Je suis cependant compréhensif. Et je te suggère de dédommager par quelques sesterces les habitants qui le désirent mais uniquement pour les frais de remise en bon état de leur vaisselle. Tu m'enverras la facture que je te rembourserai.

Par crainte d'une nouvelle bourrasque, Verrès décida de suivre la côte et de regagner Syracuse par Messine et Catane. Il attendit d'être au chaud dans la confortable villa de Heïus pour faire le bilan, devant son hôte, de sa razzia. Il s'émerveillait de sa nouvelle idée d'impôt en tentant de la justifier.

— À la réflexion je ne vois pas pourquoi le peuple aurait besoin d'objets décorés avec raffinement pour vivre. Si je leur laisse les plats non décorés, ils ont l'essentiel puisqu'ils peuvent manger dedans. Nous, les nobles, avons besoin de plus. D'ailleurs tous ces chefs-d'œuvre n'ont pas été fabriqués pour servir au peuple. La poterie devrait lui suffire. Lorsque je serai consul, je proposerai une loi pour interdire l'usage des beaux objets à tous ceux dont le cens est inférieur à dix millions de sesterces. Cela nous rappellera les lois somptuaires que Caton l'ancien avait fait voter pour protéger le style de vie de Rome. Regarde ces merveilles, Heïus ! Comment le peuple inculte peut-il apprécier cela ?

Heïus se taisait. Verrès se sentait toujours un peu jugé par ce regard très clair, vert d'eau, et mobile. Cela l'agaçait mais il n'osait pas affronter ce vieil homme dont il avait besoin à Messine, sa place forte, sa position de repli qu'il transformait peu à peu en port d'expédition pour rapines.

– Tu as tort de tout prendre, Verrès. Si tu en laissais un peu, cela donnerait peut-être aux plaies le temps de guérir.

– Mais j'ai laissé les plats nus. Cela représente beaucoup d'argent que j'aurais pu prendre aussi.

La cohorte prétorienne

Verrès débarqua à Messine en compagnie d'une suite nombreuse et impressionnante. En premier, ses légats, magistrats et autres questeurs, officiellement désignés par le sénat, ainsi qu'un groupe de personnages plus ou moins louches, mal assemblés, mais tout à sa dévotion.

Parce qu'il venait en Sicile pour s'enrichir, il savait que pour détourner la loi il était indispensable d'employer des hors-la-loi qui agiraient comme bras de transmission de toutes ses audaces. Il avait acquis, durant ses séjours en Asie Mineure, une solide expérience concernant le pillage d'une province. Il avait donc décidé de garder un semblant de légalité en surface, pour tromper ses questeurs, les gardiens du trésor public, et de donner en sousmain tout pouvoir à une bande d'individus sans scrupule qui lui devaient une rapide ascension sociale et des conditions de vie exceptionnelles que chacun, dans leur entourage, leur enviait.

Ils regroupaient ces hommes de main sous la dénomination de « cohorte prétorienne ». Ils étaient toujours derrière lui, prêts à intervenir, à s'interposer, à servir de témoins de mauvaise foi, voire à juger à sa place. Il leur donnait une grande licence mais il les tenait fermement par l'argent qu'il leur distribuait et par les menaces qu'il laissait suspendues sur leur tête.

Depuis janvier, cette équipe de malfrats était à l'œuvre, dispersée sur tout le territoire de la Sicile. Des missions spécifiques leur avaient été attribuées et il avait été convenu qu'ils se retrouveraient début avril, après trois mois d'investigations, pour établir un bilan global des richesses de l'île et donc des possibilités de prélèvements pour Verrès.

Celui-ci, pour sa part, avait préféré la douceur du palais de Syracuse à une pénible découverte de sa province en cette saison hivernale. Sa venue à Haluntium répondait à son désir de développer l'activité de ses ateliers. Mais il n'avait programmé un tour complet de l'île qu'à partir du mois d'avril, lorsque la Sicile tout entière serait devenue un île enchanteresse, fleurie et parfumée. Il avait profité de ces trois premiers mois pour installer ses ateliers et jouir au maximum des femmes qui l'accompagnaient.

Le moment du rassemblement de la cohorte dans le palais de Hiéron était arrivé. Verrès avait fixé la fête au 2 avril. Car ce serait une fête puisqu'il avait décidé, pour cette année, qu'il devait passer loin de Rome, de saisir la moindre occasion pour se laisser aller à son penchant naturel pour toutes les formes de réjouissances et de festivités, avec une attirance particulière pour les orgies et les farces.

Il avait donc expliqué aux sbires de sa « cohorte » ce qu'il attendait d'eux comme prestation pour cette soirée : une bouffonnerie dans la provocation.

— Il s'agit d'une cérémonie officielle de présentation. J'ai convoqué tous les notables de l'île. Personne n'a osé se décommander. Plus de trois cents familles. Soyez à la hauteur de votre réputation, même dans l'outrance. À tour de rôle, vous viendrez sur la scène que j'ai fait installer dans la salle de réception. Vous raconterez votre histoire, votre passé et... votre dévouement à la loi. Puis vous parlerez des trois derniers mois utilisés à repérer la situation de chacun et les fortunes des plus gros. L'assistance sera certainement étonnée de voir que je vous ai improvisé dans le rôle de censeur[1]. Mais personne n'osera protester. Les humains sont si lâches ! Pour finir, je vous attribuerai des fonctions officielles, je vous donnerai tous pouvoirs pour agir et le peuple sicilien saura ainsi à qui il a affaire.

Verrès avait fait installer sa chaise curule au sommet d'une estrade très élevée, plantée au centre de l'espace aménagée en une immense salle à manger. La tête couronnée de lauriers avec une broche d'or en forme de Sicile au milieu du front, enveloppé dans une toge immaculée bordée de pourpre, il trônait en majesté.

En attendant le début des réjouissances, il se pavanait en lançant quelques phrases vaniteuses à l'assistance. Les plus riches emplissaient peu à peu les lits de repas et les autres restaient debout à la périphérie de la salle.

– Ne suis-je pas le gouverneur le plus représentatif et en même temps le plus réjouissant que vous n'ayez jamais eu ? Je suis venu pour changer le cours monotone de votre vie.

– Tu es réjouissant comme un cochon[2] en rut qui s'emmêle dans sa queue ! lança une voix dans la foule, derrière lui.

Plusieurs dizaines de personnes pouffèrent de rire.

---

1. Le censeur devait faire à la fois le recensement de la population et de la fortune de chacun.

2. Le nom de Verrès signifie « cochon ».

Verrès s'était vivement retourné pour tenter de localiser l'audacieux provocateur, bien décidé à lui faire passer le goût de la plaisanterie. Mais il ne put repérer personne. Il réprima une profonde fureur. Il savait, par ses agents secrets qui circulaient incognito dans les campagnes comme dans les villes, que sa réputation de parfait gredin était déjà bien établie. Et cela le faisait jubiler. Mais il n'aimait pas que l'on se moquât de son nom. Il était trop fier de sa *gens* et clamait la pureté de sa lignée à la moindre occasion bien que l'animal qu'évoquait son patronyme ne facilitât pas les choses.

La salle n'était plus éclairée que par une grosse lampe à huile située près de l'estrade. Verrès se leva.

– Siciliens, le spectacle va commencer. Je vous ai invités à assister au défilé de ma cohorte. Il s'agit de mes hommes de confiance auxquels vous devez respect et obéissance. Ils sont là pour vous aider dans vos démarches auprès de mon administration et pour me seconder dans l'instauration de l'ordre et la justice. Vous allez découvrir leurs capacités, leurs talents, leurs mérites mais aussi leurs défauts dont la plus extrême sévérité. À l'appel de leur nom, ils viendront vous faire part de leurs exploits. Certains d'entre vous les connaissent déjà. Ils sont les exécutants privés du pouvoir de Rome.

Dans le même temps, une trentaine d'esclaves portant une torche à la hauteur du visage entrèrent et se répartirent sur le pourtour de la salle. Les superbes peintures murales apparurent, illuminées dans leurs moindres détails. Un murmure d'admiration parcourut la foule.

Verrès leva les deux bras pour imposer le silence.

– Aujourd'hui, c'est Rome qui régale. Je vous ai fait préparer un repas de fruits et de poissons. Que la fête commence !

Une troupe de huit danseuses vêtues d'un simple voile coloré et transparent, originaires de Thèbes, firent aussitôt leur entrée accompagnées de leurs musiciens équipés de crécelles, castagnettes, tambourins et grelots. Après une courte danse d'introduction, le maître de ballet disposa les filles au pied de l'estrade et se tourna vers le gouverneur. Celui-ci reprit la parole et d'une voix tonitruante :

— J'appelle Timarchide qui sera mon intendant général.

Aussitôt, Timarchide pénétra en courant par une porte basse qui donnait directement dans les appartements du propréteur et se plaça sur le podium au pied de l'estrade.

Il était vêtu d'une tunique bleue décorée sur la poitrine de motifs représentant des coquillages. Aux pieds, de luxueuses sandales de cuir bleu également prouvaient qu'il avait déjà les moyens de vivre dans l'abondance. Cheveux noirs très courts, légèrement crépus, long nez un peu déformé vers le bout et pommettes très saillantes donnaient à son visage un aspect exotique. Les paupières mi-closes ne permettaient pas de discerner la couleur de ses yeux. Il semblait contempler le lointain sans voir à courte distance, comme un guetteur sur ses gardes. Originaire de la Grèce du Nord, il était plus grand que la moyenne des Siciliens et des Romains.

Concernant son passé, il s'était fait une règle de ne jamais en parler et seul, le préteur, en tant que juge, en connaissait des bribes. Pour l'aspect théâtral de la soirée, il respecterait sa demande, il évoquerait une partie de ses nombreuses aventures car il avait compris qu'un tel maître pouvait lui apporter la fortune s'il mettait son habileté au service de tous ses caprices.

— Je suis Timarchide, dévoué à Verrès depuis des années. Esclave fugitif, affranchi par mon maître, j'occupe tous les postes qu'il veut bien me confier. J'ai beaucoup bourlingué sur les côtes de Méditerranée car je suis originaire de la province d'Épire où je suis né dans une noble famille grecque mais j'ai choisi de faire partie des voleurs et des escrocs. À la tête d'une bande de larrons, j'ai longtemps été spécialisé dans le chantage et l'extorsion de fonds, ce qui m'a valu de me trouver réduit à l'état d'esclave. Verrès m'a sauvé et je mets, désormais, mes talents à son service dans une fidélité totale. Après la tournée d'inspection de trois mois que je viens d'effectuer, j'ai pu constater que la Sicile était riche, même très riche. Il y a tellement de trésors accumulés dans vos demeures qu'il est légitime de se poser la question de leur acquisition. Comment avez-vous pu amasser l'argent nécessaire pour payer toutes ces merveilles ?

Timarchide s'arrêta pour mesurer l'effet produit. La salle était suspendue à ses lèvres. Chacun sentait l'angoisse l'étreindre. L'affranchi reprit son discours.

– N'y aurait-il pas quelques fraudes bien dissimulées concernant le fisc ou la dîme ? N'y aurait-il pas quelques arrangements avec les inspecteurs des services publics, les publicains ? Je vais devoir tirer tout cela au clair avec mes collaborateurs. Je rencontrerai tous ceux d'entre vous dont j'ai pu évaluer la fortune à plus de deux millions de sesterces. Je parle bien de mon évaluation et non pas de votre estimation qui a toujours été ridiculement faible si je tiens compte de toutes les œuvres d'art que vous possédez et que vous présentez toujours comme des éléments de décoration sans intérêt...

Verrès observait l'assistance qui s'était figée dès les premières phrases. Du haut de son perchoir, il pouvait lire la stupéfaction sur les visages et cela déclenchait en lui une profonde jubilation. Timarchide était vraiment sa créature, son âme damnée. Le plus malin de tous. De fait, le chef de toute la bande bien qu'il n'ait pas encore établi de hiérarchie réelle pour conserver un bon esprit de compétition. Timarchide continuait.

— J'ai un rude travail pour remettre tout en ordre avant le mois de décembre[1]. Je compte donc sur votre parfaite collaboration. Je serai impitoyable si je démasque quelque dissimulation. Mais je sais aussi être le plus aimable des hommes lorsqu'on me fait plaisir.

— Timarchide, tu seras mon intendant général. J'appelle maintenant Tlépolème et Hiéron, dit Verrès. Ce sont mes limiers, véritables chiens de chasse au flair redoutable, mais aussi artistes confirmés qui ont une culture très vaste et une parfaite connaissance de l'art grec et oriental. Grâce à eux je vais dresser un répertoire complet de vos œuvres d'art de toutes natures.

Les deux hommes qui venaient de remplacer Timarchide lui étaient en tous points différents. En revanche, ils se ressemblaient comme deux frères. Petits, râblés, le visage très rond, des cheveux bruns, longs, tombant presque sur les épaules, des yeux noirs très mobiles, les deux compères portaient une tunique écrue serrée à la taille par une ceinture à grosse boucle de nacre et des bottines de cuir ocre jaune. Ils exprimaient à la fois la facétie et la ruse.

Verrès les avait sortis de prison en Cilicie après qu'ils eurent été condamnés à être exécutés à la suite du pillage d'un temple. Ce qu'ils ignoraient, c'est que ce vol avait été organisé, de Rome, par Verrès lui-même qui avait également fait condamner les deux bougres pour se couvrir aux yeux de la loi. Les deux malandrins le considéraient comme leur sauveur et lui étaient totalement dévoués. Ils avaient décidé de se présenter de façon à faire rire l'assistance très abattue après les propos de

---

1. Verrès ne sait pas encore qu'il va rester une deuxième année, puis une troisième année en Sicile.

Timarchide. Ils mimèrent une farce où deux complices se donnaient la réplique sur un rythme de danse.

— Moi, c'est Tlépolème. Vous me reconnaîtrez parce que j'ai un grain de beauté au milieu de la poitrine.

— Moi, c'est Hiéron. Vous ne pourrez pas reconnaître Tlépolème parce qu'il n'aime pas du tout qu'on le déshabille pour voir son grain de beauté. En revanche, moi j'ai une petite bosse au sommet du crâne. Elle est visible lorsque mes cheveux sont courts, ce qui n'arrive jamais.

— Il faudra vous habituer à ne pas nous reconnaître facilement mais c'est sans importance car nous travaillons ensemble comme des frères jumeaux attachés l'un à l'autre.

— Nous avons appris à peindre et à sculpter depuis notre enfance en Cilicie. Notre père était lui-même un philosophe réputé qui enseignait dans l'école de la ville de Tarse.

— Nous sommes les meilleurs peintre et bronzier d'Asie Mineure mais il nous a paru plus facile de prendre les œuvres des autres plutôt que de nous fatiguer à produire nous-mêmes.

— On a appris avec les maîtres de l'école de Sicyone, en Péloponnèse, les descendants du grand Lysippe qui était portraitiste officiel d'Alexandre le grand.

— On a écumé les plus grandes villes de Grèce en pillant les temples, les sanctuaires et les villas des riches. On a eu des problèmes avec les autorités, on a même failli être lapidés. Mais nous avons changé.

— Un jour on a rencontré Verrès à Cibyre et tout s'est arrangé. Il est devenu notre patron, il a tout réglé, tout organisé. Puis il est rentré à Rome pour devenir préteur. Nous lui sommes tout dévoués. On va recenser tout ce que vous possédez et gare à ceux qui voudraient nous cacher leurs trésors.

Verrès était ravi du bon tour qu'il jouait à ses invités. Tout en les régalant aux frais de Rome, donc avec leurs propres sesterces puisque toutes ses dépenses étaient prélevées sur leurs impôts, il leur annonçait des lendemains terribles.

– Hiéron et Tlépolème, je vous nomme édiles adjoints aux Beaux-Arts à ma cour. Votre mission sera donc de parcourir la Sicile, de pénétrer dans les maisons riches et de repérer et répertorier les œuvres essentielles. Vous accomplirez cette tâche en collaboration avec Timarchide qui aura autorité sur vous. Je veux faire ici, dans ce palais chargé de gloire, le plus beau musée de Rome. Et maintenant, j'appelle, Volcatius, un de mes chargés d'affaires.

Volcatius était natif de l'Illyrie. Borgne depuis une rixe dans un tripot mal famé, il portait un bandeau en cuir noir sur l'œil gauche. Mais le droit qui brillait d'un vert très pâle évoquant une pierre précieuse translucide lui suffisait pour tout voir, même les détails que ses partenaires cherchaient à lui cacher. Volcatius était grand mais frêle de stature et utilisait ses mains pour accompagner ses propos dans des gestes lents et de faible amplitude.

– Je suis Volcatius, chevalier romain, et j'aime le commerce, toutes les formes de commerce. J'ai commencé très jeune par vendre des esclaves dans mon Illyrie natale, puis j'ai pu affréter un bateau et je suis allé dans l'île de Délos où j'ai fait fortune en développant ce négoce et me faisant construire une flottille de trimères qui sillonnaient la mer Méditerranée. J'étais spécialisé dans la vente des femmes jeunes et belles et des enfants car j'avais appris à repérer ceux qui promettaient d'être vigoureux. Un jour les pirates ont coulé le navire sur lequel j'avais pris place. Prisonnier, j'ai dû payer ma rançon avec la totalité de mes biens. Ce coup du destin m'a convaincu qu'il fallait renoncer à devenir riche honnêtement. J'ai donc ouvert un comptoir de prêts à Herculanum et j'ai choisi tous les petits propriétaires laborieux qui, selon la loi, devaient me céder leurs biens s'ils ne pouvaient pas, à terme, honorer leurs échéances. Je me suis rapidement retrouvé à la tête d'une nouvelle fortune et de plusieurs grands domaines que j'avais pu racheter à des familles d'aristocrates en difficulté. Mais je pratiquais des taux usuraires et j'ai été dénoncé. J'ai eu une lourde amende et surtout j'ai dû m'enfuir pour échapper à la vengeance de mes victimes qui avaient soudoyé des gladiateurs pour me donner quelques mauvais coups. C'est à Rome que j'ai rencontré Verrès. Je lui ai offert mes services. Et je mettrai toute ma science à sa disposition pour qu'il mène à bien sa lourde tâche. Je vais donc m'occuper de toutes les questions de paiement et de financement que mon maître voudra bien me confier.

Verrès continuait d'écouter avec délectation. Il avait pu mesurer le degré de cupidité malsaine de son employé. Il savait aussi la confiance qu'il pouvait lui accorder pourvu qu'il fermât les yeux sur les prébendes que Volcatius s'attribuerait avec générosité.

— Volcatius, tu seras mon fondé de pouvoir, mon prête-nom. En tant que gouverneur aucun versement d'argent ne doit m'être directement affecté. Tout passera par toi. Tu seras mon réceptacle à sesterces. Et maintenant, j'appelle Volusius, mon haruspice.

Le devin était un personnage hilarant. Toujours de bonne humeur, un peu simplet, gros et gras, il apostrophait tous ceux qui passaient à proximité pour tenter de les faire rire. Il s'était spécialisé dans les jeux de mots calamiteux et les bonnes blagues stupides. En fait, il n'était à son affaire que dans les entrailles fumantes des bœufs ou des moutons, les mains rouges et poisseuses de sang, se délectant de l'odeur un peu fade des viscères visqueux qui glissaient en longs rubans bruns quand il les empoignait. Là, il pouvait laisser libre cours à son imagination un peu délirante car personne ne devait vraiment comprendre ce qu'il marmonnait sauf au moment de la conclusion où il devait faire une prédiction toujours en faveur de son maître.

Il n'avait évidemment aucun don particulier de divination et Verrès n'en avait cure car il ne croyait ni aux augures ni aux haruspices. Mais il était convaincu de l'importance de ces pratiques pour alimenter la crédulité du peuple et donc le contrôler. Il s'en servait abondamment comme d'un moyen d'affirmer son pouvoir.

– Je m'appelle Volusius et je ne sais trop quoi vous dire. J'aurais préféré avoir un bœuf à éventrer qu'un discours à vous faire. Je suis né en Laconie, dans la capitale, Sparte. Mes parents sont venus dans un convoi d'esclaves à Rome quand j'étais jeune enfant et mon père a eu la bonne idée de dire qu'il savait lire dans les viscères des animaux. En fait, il avait le don sans le savoir. Il est devenu haruspice et m'a transmis le métier sans difficulté car j'ai vite montré que je pouvais faire jaillir l'avenir des tripes des bestiaux. J'étais sûrement doué pour cela. Je suis devenu l'haruspice errant. Je vendais mes prédictions au plus offrant. C'est Verrès qui a acheté mes services et il n'aura pas à le regretter. Quand je suis dans les entrailles fumantes, j'ai des visions, je parle avec les dieux, je suis leur ami presque leur égal. Aux Nones d'avril, durant mon dernier sacrifice, j'ai vu la population entière de la Sicile venir en un long défilé, vers le palais de Hiéron à Syracuse, pour m'entendre.

L'assistance semblait consternée. Les prédictions des haruspices avaient encore un grand crédit en Sicile. Mais que penser de Volusius peut-être devin, sans doute escroc. Verrès, pour sa part, s'amusait de plus en plus.

– Volusius, je te confirme dans ta charge d'haruspice
et je te nomme à titre honorifique grand prêtre de Sicile.
Je suis sûr que ta vision d'un pays radieux deviendra très
rapidement réalité. J'appelle maintenant Artémidore Cornélius de Pergame, mon médecin, mon empoisonneur.

Cornélius était loin d'être un savant. Il était pourtant
d'origine grecque et se prévalait d'une longue lignée de
thérapeutes. Mais c'était un bavard qui en disait beaucoup plus qu'il ne savait en faire. De Pergame, sa ville
d'origine, il ne se rappelait rien mais la seule évocation
de ce nom rehaussait aussitôt son prestige puisque la plus
célèbre école de médecine grecque y était toujours installée. En fait, il n'avait suivi aucune formation médicale et
mentait donc avec effronterie lorsqu'il déclinait avec com-
plaisance ses titres et ses réussites. Il compensait son ignorance par une rare habileté à observer ce que faisaient les
vrais médecins et à reproduire leurs actes chirurgicaux ou
leurs prescriptions. Quand il ne savait pas, il tranchait
dans le vif dans tous les sens du terme, en improvisant.
Verrès, prudent, ne lui confiait jamais sa santé ni celle de
ses proches, notamment celle de son fils, sans s'entourer
de plusieurs autres médecins. Il réservait à Cornélius
quelques basses besognes.

– Je m'appelle Artémidore Cornélius et je suis de
Pergame où j'ai suivi pendant de longues années l'enseignement des maîtres les plus prestigieux dans l'Asclépéion d'Esculape. J'ai même fait partie de la confrérie des
Asclépiades qui descendaient directement du dieu. Ils
m'ont initié à leurs rites les plus secrets. Puis je suis allé
étudier à Épidaure dans le sanctuaire d'Asclépios mon
dieu tutélaire, où j'ai appris à interpréter les songes aux
cours desquels le dieu lui-même, son épouse Épioné ou
l'un de ses enfants Machaon, Télésphore, Hygie ou Pana-
cée m'apparaissaient pour m'indiquer le bon remède ou
le procédé chirurgical adéquat. J'ai étudié à Cnide où j'ai

appris à fabriquer les meilleures potions en faisant bouillir les plantes ou en les mélangeant au vinaigre et en récupérant le jus après filtration. Je suis allé dans l'île de Cos où j'ai reçu l'enseignement des grands médecins descendants d'Hippocrate. Je connais l'art de la préparation des onguents et j'obtiens de grands succès dans les maladies des yeux si fréquentes ici. Grâce à l'habileté des artisans de Pompéi où je séjournais quand j'ai rencontré Verrès, je possède une panoplie d'outils chirurgicaux très performants et je n'hésiterais pas devant une amputation ou même une trépanation comme l'a fait Hippocrate et si les dieux m'en donnaient l'ordre. Enfin, à Alexandrie, les grands prêtres égyptiens m'ont confié les secrets de leurs breuvages magiques qui peuvent délier les langues en annihilant la volonté. Tous ces talents et toutes ces connaissances, je les mets au service de notre préteur Verrès et je ne reculerais devant rien pour les utiliser.

– Cornélius Artémidore, dit Verrès, j'aurai souvent recours à toi pour soigner les maladies mais aussi pour calmer ceux qui voudraient semer le trouble. Je te nomme médecin du peuple de Sicile. J'appelle Valérius.

L'assistance, étourdie par l'avalanche de provocations et de menaces plus ou moins évidentes proférées par les sbires de Verrès, marqua sa stupéfaction en voyant entrer un géant barbu et chevelu. Très blond de poils et très blanc de peau, son aspect contrastait avec celui des Romains et des Siciliens plutôt petits, cheveux noirs et peau mate. Il se dégageait de lui une impression de force herculéenne et de violence mal contenue. Il avait gardé son costume de Gaulois, des braies bouffantes en cuir, un justaucorps de laine tissée qui laissait visible l'impressionnante musculature des épaules et des bottes à mi-mollet. C'était un colosse et un guerrier exceptionnel. Verrès avait mis sous ses ordres une armée d'une cinquantaine d'esclaves tous entraînés au combat, qu'il avait dressés pour que son maître ne fût jamais dérangé à l'improviste.

– Je suis Valérius et je ne viens pas d'Afrique. Vous avez tous remarqué que je suis gaulois. J'étais un chef de tribu heureux et prospère de la région de Vienna Allobrogum. Je faisais le commerce de la viande de porc et de mes spécialités de charcuteries avec Rome et toutes les villes d'Italie. Parfois, j'accompagnais mes bateaux qui descendaient le Rhône et longeaient les côtes tyrrhéniennes. Mais, il y a deux ans, une tempête d'une violence inouïe nous dérouta vers le soleil couchant et le navire vint se disloquer sur une lagune de sable qui bordait une grande zone marécageuse au sud de la ville de Nemausus. Avec quelques rescapés, j'ai gagné cette cité où se trouvait une légion romaine qui rejoignait le général Pompée en Espagne. Le légat a repéré ma stature et m'a enrôlé de force comme supplétif étranger. Après quelques jours, je me suis évadé pour tenter de regagner ma patrie. Mais j'ai été repris, battu et vendu comme esclave au bénéfice du centurion avec lequel j'avais été enrôlé. En convoi, enchaîné, j'ai été conduit à Rome où le marchand qui m'avait acheté m'a offert à Verrès en remerciement de son intervention pour un procès difficile. Depuis, mon maître m'a affranchi et je suis son garde du corps très attentif. Je vous conseille de ne jamais venir l'importuner.

– Valérius, je te nomme mon huissier en titre, gardien de toutes les entrées du palais. Tu es responsable sur ta vie de toute intrusion au-delà des portes monumentales. Tu as toute liberté pour choisir les moyens de réaliser ta mission. Et maintenant, j'appelle une équipe avec laquelle vous allez entretenir les meilleures relations, mes dîmeurs avec, à leur tête, le meilleur d'entre eux, Apronius.

Apronius était, à Rome, un agent du fisc qui avait mal tourné. Après de multiples détournements et chantages à l'impôt sur des citoyens romains, avec menaces de représailles physiques et parfois violences, il avait été renvoyé de l'administration. Son réseau de fraudeurs était si bien fait, si compartimenté qu'il avait été impossible au juge de prouver sa culpabilité malgré de nombreux indices et témoignages convergents. Grâce à Verrès, il avait de justesse sauvé sa peau car ces délits étaient punis de la peine de mort. Et il s'était alors reconverti en conseiller financier. Il avait alors aidé les riches citoyens romains à gruger l'État sans omettre de prendre une substantielle commission au passage. Avant de partir en Sicile, le préteur s'était rappelé à son bon souvenir et lui avait proposé un marché fructueux pour une période d'un an : s'occuper d'évaluer et de recouvrer la dîme sur tous les produits agricoles de toutes les exploitations de Sicile, avec à la clé un pourcentage pour lui et pour son maître. Apronius avait accepté, certain d'avoir déniché la poule aux œufs d'or. Il venait d'entrer suivi des neuf dîmeurs tous vêtus d'une tunique couleur jaune d'or, la couleur des blés mûrs.

– Je suis Apronius. Pour vous mettre en confiance, je dirai que votre argent m'intéresse et que je vais déployer tous mes talents pour que s'établisse entre nous une circulation de sesterces. J'ai été à bonne école pour connaître tout ce qui concerne les impôts. Je vous conseille donc très vivement de ne jamais chercher à me rouler. À Rome, j'ai créé une agence de conseil en gestion de fortune. Tous les plus gros propriétaires d'Italie sont venus me consulter. J'ai même eu Crassus dans mon office, le célèbre Crassus à qui plus de la moitié des immeubles de Rome appartient. Je veux donc compter sur votre honnêteté et votre discipline. Dans quelques jours, nous allons commencer à attribuer le montant des dîmes. Je ne veux entendre aucune contestation. Les dîmeurs qui sont à mes côtés sont mes agents d'exécution : Cn. Sergius, Dio-

gnetus, Théomnaste, Symnaque, P. Naevus Turpio, Bario-
bal, Sex. Vennonius, Caesius, A. Valentius.

Verrès s'était levé.

– Amis siciliens, la présentation est terminée.
Comme vous l'avez entendu, les dix-sept personnages qui
attendent au pied de mon estrade sont tous des spécialistes d'une rare compétence. Dès demain, leur fonction
ne sera plus d'observer mais d'agir. Je compte sur votre
parfaite collaboration.

La *Cella* 8 de Sicile

Une fois ses courtisanes désignées et installées dans
son palais, une fois sa cohorte prétorienne lâchée sur l'île,
Verrès devait s'assurer de la maîtrise de la *Cella* 8 des
Socii de Prométhée, celle de Syracuse dont il était, de
droit, le Suprême Pontife Intronisé dès qu'il mettait le
pied sur le sol de Sicile.

Il en était ainsi dans toutes les provinces romaines,
trente-six *Cellae* pour le bassin méditerranéen dont huit
pour la Sicile, la première province créée par la République romaine.

Lorsque le gouverneur nommé n'appartenait pas à
une *Cella* italienne, les *Cellae* de province exerçaient une
sorte de pouvoir occulte chargée de contrôler celui-ci.

Ce soir du troisième jour avant les Nones d'avril[1],
Verrès attendait les Socii dans une vaste salle aménagée
dans les sous-sols du grand théâtre grec. Pour atteindre
ce lieu très secret et très surveillé, il fallait traverser un
dédale de pièces souterraines et de couloirs encombrés
de décors, de statues en stuc, de coffres remplis de costumes et de masques, de tout un bric-à-brac d'objets hété-

---

1. Le 3 avril 73.

roclites utilisés pour les nombreuses représentations données par les troupes qui parcouraient la Sicile durant la belle saison. En ce début de printemps, les manifestations culturelles n'avaient pas encore repris. Un esclave avait la charge de mettre un peu d'ordre dans ce monde inanimé et, les jours de réunion de la Cella, il devait dégager l'accès à la grande salle. Muet de naissance et prisonnier sur son lieu de travail, sa discrétion était assurée.

Les soirs de réunion, les abords du théâtre étaient sous haute surveillance. Un périmètre de sécurité était délimité et la population ne se risquait pas à se promener au nord de la ville lorsqu'elle constatait ce déploiement de force inhabituel.

Verrès était assis derrière un large pupitre en bois sculpté à l'effigie de Prométhée. Il avait tenu à être le premier dans la salle pour scruter attentivement l'entrée de chaque membre de la Cella 8 ainsi que des invités. Car, pour cette première réunion en Sicile, il avait convoqué des représentants des autres Cellae pour leur donner quelques consignes. Il était impatient car il voulait s'appuyer sur cette élite composée des plus gros propriétaires terriens et des négociants les plus prospères pour parfaire son plan d'enrichissement programmé.

Ils étaient maintenant vingt-sept. Quatorze de Syracuse et treize venus en délégation de chaque ville importante. Il était temps d'ouvrir la séance de travail.

– En tant que Suprême Pontife Intronisé, je prends la direction des travaux.

Après les formules rituelles et l'invocation à Jupiter capitolin, Verrès avait commencé son intervention.

– Salut à vous tous, Socii de Sicile. Voici quatre mois que j'ai pris mes pouvoirs dans votre province et certains d'entre vous me connaissent pour avoir été invités aux festivités de mon palais. Plus que de longs discours, je fais appel à votre coopération pour toutes les opérations que j'entends mener à bien durant mon séjour parmi vous. Je résumerai celle-ci en trois points.

« Le premier concerne l'ordre. Je suis la Loi et j'ai tous les pouvoirs. Ce pouvoir suprême sur les personnes et sur les biens est absolu et sans recours. D'autant plus que la permanence d'une rébellion servile larvée maintient cette province en état de guerre. Tous les juges sont donc à mon service et en cas de litige ma décision est sans appel.

« Le deuxième point concerne la situation économique. J'en suis le seul ordonnateur et je veux compter sur votre obéissance aveugle pour faire respecter mes décisions. Ainsi, j'ai modifié sensiblement le montant de la dîme et ma cohorte prétorienne est déjà à l'œuvre pour en négocier les nouvelles modalités avec les agriculteurs. Rassurez-vous, je ne vous ai pas oubliés dans la répartition des prébendes.

« Le troisième point concerne mes plaisirs. Je me suis entouré de quelques jolies femmes à qui j'ai fait l'honneur de partager mes nuits et d'égayer mes jours. J'ai lancé un grand programme de fêtes pour l'année, mais soyez assuré que je me conformerai aux règles de notre société et que je respecterai vos filles et vos compagnes.

« À partir de maintenant, je vous considère comme mes légats officieux dans chaque ville de Sicile. Vous n'avez officiellement aucun pouvoir, mais vous êtes mes yeux et mes oreilles. J'attends de vous des rapports circonstanciés sur tout ce qui se passe d'important ou d'étrange dans votre entourage. Je vous accorde une confiance absolue dont vous connaissez les conditions.

« Je donne maintenant la parole, par ordre de préséance, à ceux qui le désirent. Socius Carpanius, tu as la parole.

— Suprême Pontife Intronisé et vous tous membres de très noble *gens*, il n'est pas dans mes intentions de contester les décisions de notre gouverneur qui agit toujours pour le bien de Rome et de la Province. Je crois cependant que, pour mieux exécuter ses directives et mieux expliquer au peuple ses actions, il nous serait utile d'en comprendre un peu mieux le sens. Ainsi je voudrais savoir si l'expédition que tu viens de diriger à Haluntium est la première d'une série. Mon domaine agricole n'est qu'à quelques lieues de cette cité prospère et je suis l'ami d'Archagathus qui m'a relaté les conditions dans lesquelles tu as imposé un nouveau prélèvement, véritable extension de la dîme aux objets d'argent. Ma question est donc de simple information : devons-nous préparer les populations de nos villes à ces futurs prélèvements et comment devons-nous les justifier ?

Verrès avait blêmi. Il dut faire un violent effort pour se contenir. Il avait besoin des Socii de Prométhée et ne devait pas trop les brusquer. Mais personne ne devait empiéter sur son pouvoir absolu. Son ton se fit encore plus tranchant.

– Socius Carpanius, cette opération a été menée pour que je puisse développer les ateliers d'orfèvrerie que j'ai installés à Syracuse. J'avais besoin de tous ces modèles d'argenterie car je développe cette industrie pour enrichir la Sicile, mon souci étant toujours le bien du peuple. J'agirai donc au cas par cas et vous préviendrez désormais pour que vous puissiez m'aider. Mais je n'accepterai en aucun cas que vous discutiez mes décisions. Socius Apollonius de Palerme, tu as la parole.

– Suprême Pontife Intronisé et vous tous membres de très noble *gens*, je fais suite à l'intervention du Socius Carpanius pour m'inquiéter concernant la violence avec laquelle les prélèvements des décors d'argent ont été effectués à Haluntium. Je ne me permets pas de discuter cet ordre qui est de la responsabilité du gouverneur bien qu'il transgresse les accords passés avec Rome depuis les lois de Hiéron. Cependant, je souhaite pourvoir œuvrer avec toi, en tant que Socius de Prométhée, avec une voix consultative authentique. Notre parfaite connaissance de la population et de la situation économique du pays devrait t'être une aide précieuse. Nous t'offrons une collaboration loyale et souhaitons que tu tiennes compte de nos avis.

Verrès eut encore plus de mal à laisser finir Apollonius que Carpanius. Il considérait comme très impertinente son incidente concernant la transgression des lois traditionnelles. Cependant, l'ancienneté dans l'ordre de Prométhée de ce riche négociant de Palerme l'incitait à une certaine prudence. Il avait lu les archives de l'ordre et il savait qu'il était le membre le plus influent de Sicile. Il devait donc essayer de lui faire peur. Sa réponse commença sur un ton apparemment apaisant.

– Socius Apollonius, j'apprécie tes remarques qui sont d'une grande sagesse. Nous connaissons tes grandes aptitudes de cultivateur et de négociant. Ta flottille dirigée par ton fils aîné Publius est célèbre à Pouzolles et à Ostie, et tes produits sont connus pour leur qualité à Rome et dans toutes les grandes villes de la République. C'est probablement pourquoi aucun gouverneur ne s'est passé de te consulter et tu as donc été mal habitué ! Mon prédécesseur, Sacerdos, n'était pas Socius de Prométhée. Il vous a donc laissé une grande liberté d'action et vous a délégué la plupart de ses pouvoirs.

« J'agirai autrement. Je répète que je suis le seul maître en Sicile et je saurai faire plier tous ceux qui se dresseront sur mon chemin.

La fin du discours était assénée sur un ton cassant et autoritaire. Verrès avait du mal à contrôler sa voix qui s'égarait dans les sonorités aiguës.

Les Socii étaient figés sur leur banc.

Il ajouta bientôt pour abréger la séance :

– Je vois que le silence règne désormais sur cette assemblée. Nous allons donc clore nos travaux. J'invoque de nouveau Prométhée pour qu'il nous soit favorable dans nos entreprises et qu'il nous accompagne pour le bien de notre classe.

La *cena* rituelle qui suivit dans une salle voisine où des lits de banquet avaient été disposés en un grand cercle ouvert se déroula dans un silence glacial. Chacun des Socii avait bien compris que l'humeur de Verrès n'était pas à la plaisanterie. À la sortie du théâtre, au moment de reprendre sa litière, celui-ci se trouva près d'Apollonius qui enfourchait son cheval. Les deux hommes échangèrent un regard dépourvu de toute aménité.

– Je n'ai pas cherché à te provoquer, hasarda Apollonius.

– Mais tu y as réussi. Je m'en souviendrai, lança Verrès en faisant signe à ses esclaves d'avancer.

Aux enchères

Les prélèvements effectués par l'État sur ses provinces représentaient une importante possibilité de fraude pour les gouverneurs.

La dîme correspondait au dixième de chaque récolte : grains, huile, vin et légumes de toutes sortes. C'était l'impôt foncier dû à Rome. Il se payait en nature. Mais cet impôt qui était le seul obligatoire n'était pas perçu directement par l'État. Chaque année, le gouverneur de la province adjugeait, par enchères publiques, ce travail de prélèvement à des agents appelés fermiers ou dîmeurs qui étaient rétribués pour cela.

Cette adjudication n'aurait dû poser aucun problème puisque la coutume en fixait les modalités depuis environ deux cents ans. À cette époque, le roi Hiéron en avait établi les règles et lorsque les Romains, irrités par le soutien apporté par la Sicile aux Carthaginois, avaient envahi l'île et décidé d'en faire une province romaine, ils avaient conservé les lois traditionnelles locales. Ainsi, il avait été stipulé que les impôts seraient perçus au profit de Rome comme iles l'avaient été au profit des anciens souverains : mêmes principes, mêmes formes, même taux. Cela s'appelait la loi Hiéron. Et chaque partie y trouvait son compte.

Dans la pratique, chaque année, les magistrats de chaque cité effectuaient un recensement des cultivateurs du territoire et recevaient les déclarations des surfaces ensemencées. Ces données étaient officiellement consignées dans des registres publics. Elles permettaient, après la récolte et l'évaluation du rendement, de déterminer la dîme à prélever.

Verrès en décida autrement.

Selon un plan qu'il avait préparé à Rome en compagnie d'Apronius et de Volcatius, il bouleversa cet impôt pour pouvoir en tirer le plus grand profit. Il commença par décider, en toute illégalité, que l'attribution des dîmes et des charges de magistrats se ferait chaque année par adjudication publique en séance ouverte et au plus offrant. Le lendemain de la fête de présentation de sa cohorte, le matin du troisième jour avant les Nones d'avril, il avait convoqué tous les dîmeurs et tous les postulants magistrats dans la même salle de réception.

Une fois ceux-ci rassemblés, il leur expliqua les règles.

– Je mets aux enchères les dîmes et les charges de magistrats. Avec mes intendants, nous avons divisé l'île en secteurs de territoires cultivables auxquels nous avons attribué un prix selon sa superficie et son rendement. Chaque secteur sera attribué au plus offrant sachant que, lors de la récolte, le dîmeur pourra évaluer à sa guise le montant de l'impôt. Le responsable de cette organisation sera Apronius et ses dîmeurs. Lui seul sera compétent pour les litiges. Je vous conseille cependant de ne pas avoir la main trop lourde.

En deux heures tout était adjugé dans la plus grande confusion. Les gagnants se frottaient déjà les mains en supputant les profits considérables qu'ils allaient faire au détriment de leurs concitoyens.

Le système dictatorial de Verrès était désormais en place pour que cette année 73 restât dans les mémoires.

Les désirs des dieux

Le mois de juin avait été particulièrement doux et ensoleillé. Verrès était de bonne humeur. Les champs de blé jaunissaient et ondulaient sous le vent chaud venant d'Afrique.

En se plongeant dans l'étude des archives du palais, Verrès avait étudié l'histoire de la Sicile et singulièrement celle de la prise de Syracuse par Marcellus en 212. Depuis cette date, chaque année, une grande manifestation était donnée en l'honneur de la famille Marcellus considérée comme bienfaitrice de la cité et installée là depuis les débuts de la colonisation. Mais l'histoire était ambiguë. En effet, le très célèbre général romain Marcus-Claudius Marcellus, cinq fois consul à Rome, avait la réputation d'avoir été clément avec la population après avoir, cependant, autorisé le pillage de la ville par ses marins et ses légionnaires. Il avait aussitôt expulsé tous les habitants de l'île d'Ortygie réservée désormais aux citoyens romains, mesure qui était toujours en vigueur. Une partie de sa famille était restée sur place et avait alors administré Syracuse avec modération. L'hommage rendu à la famille Marcellus était une sorte de pacte d'amitié scellé entre les deux peuples.

Mais Verrès ne pouvait pas tolérer que, sur son territoire, l'on rendît hommage à un autre général romain que lui-même. Il avait donc aussitôt proclamé par un édit spécial que cette fête était supprimée et remplacée par la sienne. Dans le même temps, il avait fait détruire la statue élevée à Marcus-Claudius Marcellus et l'avait fait remplacer, au centre du forum de Syracuse, par un arc géant sur lequel il était représenté à cheval avec son jeune fils nu à son côté droit.

Il avait ainsi décidé de passer à la postérité de son vivant en instituant une fête pour sa gloire, une fête pour rappeler qu'il était le maître incontournable de la Sicile. Une fête licencieuse qu'il voulait à l'image des Bacchanales dévoyées auxquelles il avait participé dans sa jeunesse. Cette célébration devait avoir lieu chaque année à la même date.

Le 5 juillet fut institué jour de fête dans toute la Sicile par un édit de Verrès. Ces réjouissances populaires s'appelleraient les Verrias et le gouverneur avait fait savoir que toutes les licences sexuelles seraient permises jusqu'à l'aube.

C'était une idée folle mais elle lui mettait le cœur en fête.

Aussi, depuis le début de l'après-midi, Verrès se faisait transporter dans sa litière à travers la ville en compagnie de la jolie Nicé, pour constater que chacun avait obtempéré à son décret et contrôler que la débauche était bien au rendez-vous. Il donnait d'ailleurs lui-même l'exemple. Cléomène, le mari officiel de Nicé, qu'il venait de nommer amiral de sa flotte chevauchait à leurs côtés portant en croupe le fils du gouverneur. La jeune femme, merveilleuse de beauté dans sa robe rose pâle qui moulait un corps aux formes parfaites, était enroulée dans les bras de son célèbre amant sans que le mari s'en offusquât. Il avait dû céder la place et avait très vite compris que la jalousie était un sentiment qui n'avait pas cours au palais de Verrès.

Ce soir-là, pour la première fois, la fête allait se tenir en l'honneur du propréteur à Syracuse. Chaque villa, chaque maison, chaque appartement devait y participer.

Ils étaient maintenant réunis au pied de l'arc majestueux en calcaire ocre, la pierre de la Sicile du Sud. L'édifice mesurait huit pas en hauteur et six en largeur et supportait une statue de plus de huit pieds de haut, entièrement recouverte d'une couche d'or, représentant Verrès à cheval, orientée au nord-ouest. Le cavalier avait le bras et l'index tendus vers l'horizon comme pour désigner l'immensité de sa province. Également dorée, l'effigie de son fils tenait les rênes du cheval. Cléomène prit un air admiratif.

– C'est très ressemblant et très impressionnant.

Prudemment, il renonçait à manifester un trop grand enthousiasme. Il ajouta :

– Je vois que tu as eu la sagesse de ne pas faire construire un arc de triomphe qu'il aurait été difficile de justifier.

Verrès ne releva pas la pointe d'ironie de son interlocuteur.

– Ne crois-tu pas qu'elle remplace avantageusement celle de Marcellus qui n'en méritait pas tant et que j'ai bien fait de la faire enlever.

– Marcellus nous a vaincus, mais c'était un grand général. Après ses victoires sur Hannibal, on l'a justement surnommé « l'épée de Rome ». Il nous a aussi apporté la paix romaine en nous laissant pratiquer nos traditions.

– Tu sembles oublier que Marcellus a fait tuer votre célèbre savant, Archimède[1], qui vous avait si ingénieuse-

---

1. Archimède, lors du siège de Syracuse par les Romains, inventa

ment défendus contre lui durant un siège qui dura trois ans.

— Il a affirmé qu'il regrettait cette mort stupide due à un soldat trop excité. Je crois qu'il était de bonne foi car il avait beaucoup d'admiration pour ce grand géomètre dont il avait pu apprécier, par les dégâts occasionnés à sa flotte, la qualité des inventions.

— Cette mort irréparable ne serait pas intervenue s'il n'avait pas autorisé le pillage de la cité.

— Peut-être, mais nous aurions pu t'honorer tout en conservant ses statues mises en place par nos ancêtres. Le peuple est mécontent que tu aies détruit la statue de Marcellus. Tu aurais pu simplement la déplacer. Il y a suffisamment de lieux, de jardins ou de fontaines pour l'héberger.

— Mais tu n'as pas compris ma volonté. Je veux supprimer la majorité des statues qui ne représentent pas des dieux ou des déesses. Je veux toutes les remplacer par celles que je fais couler à mon effigie depuis plusieurs mois. Je veux que chaque ville de Sicile en possède une ou plusieurs selon sa population. Et je te donne la primeur de cette nouvelle : il y en aura bientôt une sur le Forum à Rome, payée par tous les citoyens de Sicile.

— Mais comment peux-tu revendiquer cette célébrité alors que tu n'as jamais été consul ?

— Je devance les désirs des dieux. C'est pour bientôt, je suis sur les rangs. Dans deux ou trois ans je viendrai vous rendre une visite de courtoisie en tant que consul en fonction.

— Je te le souhaite, Verrès. Mais permets-moi de te dire qu'il ne faut pas provoquer les dieux comme tu le

---

des machines de guerre, des catapultes et des miroirs capables d'incendier à distance les navires.

fais. Il pourrait te trouver présomptueux et te châtier pour cette prétention.

— Laisse-moi négocier avec les dieux, Cléomène.

Une foule nombreuse s'était peu à peu rassemblée autour de Verrès et certains l'acclamaient. Il y a toujours des personnes assez lâches, assez viles, pensa-t-il, pour venir manger dans votre main même si vous leur donnez un coup de bâton en même temps. Ce sont les mêmes qui pratiquent la délation et permettent aux dictateurs de gouverner. Il n'était pas dupe de ses comportements.

Il leva les deux bras en direction du peuple.

— Réjouissez-vous, ce soir est celui de la liberté. Je vais moi-même, de ce pas, entrer dans la fête.

Il remonta dans sa litière avec Nicé et son fils, escorté par douze gardes et précédé de six licteurs.

2.

L'épaule de Tullia

Les moissons et les récoltes en général furent abondantes et l'impôt rapporta gros. Verrès avait encaissé le montant des enchères sur les dîmes et les charges. Rome recevait sa part de blé correspondant au dixième de la récolte. Et un autre flot de sesterces continuait d'alimenter les caisses du palais en provenance des pourcentages que la cohorte des hors-la-loi prélevait sur toutes les transactions et sur tous les procès qu'ils surveillaient de très près. Cette année, Verrès avait décidé que les fêtes des vendanges seraient avancées au 1er octobre. Non pas que la récolte du raisin ait commencé plus tôt. Mais les dernières grandes festivités, les Verria de juillet, n'étaient déjà qu'un lointain souvenir. Il avait donc eu envie de se replonger, pour quelques jours, dans une ambiance de festins, de faste et de débauche populaires.

Il avait une motivation supplémentaire depuis que son ami, associé et compère dans l'escroquerie, Amilade le pirate, était venu lui proposer une animation absolument extraordinaire, unique au monde, jamais vue dans toute l'Italie et la Sicile.

C'était le 13 septembre. Verrès négociait les nouveaux termes d'un accord pour calmer les ardeurs de ces turbulents alliés.

— Amilade, vieille crapule, je n'irai pas plus loin. Tu as droit d'arraisonner un navire céréalier sur quinze. Et tu dois ne prendre que la cargaison. Le navire doit pouvoir revenir en bon état au port de départ. Tu dois épargner les marins civils. Et tu sais que je prélève dix pour cent sur cette prise de guerre.

— Mais je ne peux pas toujours contrôler mes hommes. Il arrive qu'il y ait des morts au cours de l'abordage.

— Tu dois les contrôler. Mais si tu ne trouves pas ma proposition assez généreuse, je peux aussi t'envoyer ma flotte de guerre. Faire escorter mes céréaliers. Tu y perdras plus de navires et d'hommes et tu n'y gagneras que peu de butin. Un bateau coulé ne restitue pas ses grains !

Amilade eut un sourire un peu méprisant. Mais il se retint. Il ne pouvait pas trop provoquer Verrès dont il connaissait les foucades. Il ne pouvait lui dire qu'avec son nouvel amiral, le Sicilien Cléomène, le mari officiel de la belle Nicé, surtout connu pour être le cocu le plus célèbre de l'île, la flotte romaine ne serait pas d'une grande efficacité contre des pirates aux qualités exceptionnelles de navigateurs et de combattants. Il pouvait seulement se permettre une petite pique.

— Ce serait une solution pour te débarrasser de Cléomène et aguerrir tes marins. Un bon accord avec moi est préférable à tous les conflits. Surtout pour ta fortune personnelle.

Le propréteur réfléchissait vite. Il savait que son dangereux allié avait raison. C'est pour cela que, depuis ses débuts sur l'île, il avait toujours tout négocié avec les pirates. Mais il fallait aussi qu'il lui fasse sentir son autorité. Car Amilade était rusé et obtenait un peu plus à chaque renouvellement de contrat.

— Amilade, je ne veux plus t'entendre parler ainsi. Tout ne t'est pas permis. Je finirai par te faire pendre en haut du mât de ta trirème.

— Ce serait dommage pour moi, sans doute, et pour toi car tu perdrais un ami sûr. Il faut éviter d'en arriver là. Pour te montrer ma bonne volonté, j'ai préparé une proposition complémentaire. Je transige : tu m'accordes un chargement sur douze et je mets dans le plateau de la balance un superbe cadeau qui augmentera ta célébrité dans le monde romain.

Verrès fut soudain très attentif. Il savait qu'Amilade n'était pas un hâbleur sans parole. Menteur, roublard, retors, certainement... dans les négociations. Mais il savait prendre un engagement loyal et définitif.

— Il faut m'en dire un peu plus.

— J'ai réussi à me procurer un divertissement inventé et utilisé par les populations qui habitent plus loin que les Indes, plus loin que les territoires où Alexandre le Grand a combattu. C'est une animation que j'ai appelée : Flores Ignis[1]. Lorsque tu auras vu cette merveille, tu ne pourras plus t'en passer pour tes fêtes. Mais c'est très rare et comme tout ce qui est rare, c'est très cher.

— Tu as l'art de me mettre l'eau à la bouche. Où peut-on voir ces Florès Ignis ?

— Je peux te faire une démonstration ce soir. L'effet n'est saisissant qu'à la nuit tombée.

— Marché conclu. Si je suis convaincu tu auras droit à un navire sur douze. À ce soir, Amilade.

---

1. Il s'agit des feux d'artifice qui ont été inventés par les Chinois plusieurs siècles avant Jésus-Christ.

Au crépuscule, Verrès accompagné de sa cohorte et de Tertia se rendit sur le rivage où les tentes de toile, en gros coton écru, étaient montées en permanence. C'était son palais d'été. À quelque deux cents pas, les pirates disposaient sur la digue, face à la mer, de petites tiges de bambous d'environ deux pieds de hauteur à l'extrémité desquelles était lié un renflement cylindrique d'un demi-pied de circonférence. Ils les plantaient verticalement les unes à côté des autres. En arrière-plan, un disque de trois pieds de diamètre était maintenu, par deux montants, fixé sur un axe, à quatre pieds du sol.

Il était environ sept heures du soir.

Verrès, au comble de l'impatience, avait annoncé à sa suite un évènement prodigieux et espérait bien que la découverte d'Amilade serait à la hauteur de ses promesses. Il prit son porte-voix.

— Amilade, cesse de nous faire languir.

— Je dois attendre que la nuit soit bien noire.

— Mais c'est déjà fait. Et la lune n'est pas encore levée. C'est le moment.

— Encore quelques instants. Tu ne le regretteras pas. Ce n'est pas à toi que j'apprendrai que le meilleur de la jouissance est le moment qui la précède. Profite de ce temps que je prolonge.

Verrès marchait de long en large. Il retrouvait ses exaltations d'enfant devant toutes les formes de nouveautés et de découvertes du monde que son père lui avait prodiguées grâce à des maîtres esclaves achetés parmi les meilleurs lettrés de toute l'Asie Mineure.

Soudain, un crépitement retentit dans le dos de Verrès et une lueur intense parvint à ses yeux. Il se retourna pour voir une flamme rouge monter dans le ciel à vive allure et éclater à bonne distance en projetant tout autour d'elle des dizaines de fleurs lumineuses orange, jaunes et bleues. Tout cela ne dura que le temps d'une respiration et le noir tomba de nouveau. Mais, déjà, une autre flamme montait à l'assaut du ciel et des dizaines de fleurs de feu différentes allumaient les alentours. Et le phénomène s'accélérait. Bientôt, l'espace situé au-dessus d'Ortygie fut illuminé d'une centaine de points mouvants multicolores.

Pour parachever le spectacle, le grand disque situé en arrière-plan commença à crépiter et à tourner. À sa périphérie, des flammes orangées crachaient des gerbes d'étincelles. Il tournait de plus en plus vite, comme un soleil fou, et l'assistance figée sur place n'en croyait pas ses yeux.

La nuit avait repris ses droits. Verrès avait fait allumer des torches et offrait de son meilleur vin à Amilade.

– Tes Flores Ignis sont une véritable trouvaille. Comment fais-tu pour dénicher de telles nouveautés ?

– Je suis comme toi, gouverneur, je suis à l'affût de tout ce qui est beau. Et pour toi je dompterais les vagues les plus hautes pour aller au bout du monde.

Verrès appréciait la flatterie. Chez Amilade, cela allait jusqu'à la flagornerie mais ni l'un ni l'autre n'était dupe.

– Je suis preneur. Marché conclu. Il faut que tu apprennes à mes hommes à s'en servir. Je veux l'exclusivité. Tout ton stock est à moi. Gare à toi si j'apprends que tu en as vendu à Rome ! J'ai hâte de les présenter à mes amis. Tes pirates avec les meilleurs de mes esclaves monteront le spectacle pour les Calendes de septembre.

Le jour était donc venu. Verrès avait fait ajouter trois immenses tentes blanches ouvertes vers la jetée et le large, pour accueillir ses invités. Plus de deux cents, venus de toute la Sicile. Les familles les plus en vue étaient représentées. Des gradins de bois recouverts de velours bleu avaient été installés. Le préteur présidait sous une tente plus petite située au centre de l'espace. Il n'avait, par respect de la bienséance aristocratique, fait disposer que neuf lits sous l'auvent. Avec Pipa, Nicé et Tertia, les trois femmes qui étaient de toutes les fêtes, ils en occupaient quatre et avaient choisi pour les cinq autres le couple Marcellus, Cnéius et sa femme Tuliola, et le couple Philistos, Daphnis et sa femme Aristomaché, descendants de très riches commerçants athéniens, installés à Sélinonte, qui étaient accompagnés de leur fille aînée, Tullia. Celle-ci, âgée de vingt ans, était d'une grande beauté et connue pour son esprit de repartie et son goût pour les arts et les lettres. Malgré sa jeunesse, elle avait fondé dans sa petite ville un cercle de débats philosophiques où venaient régulièrement participer les esprits les plus distingués de l'île. Attirées par de telles qualités, plusieurs familles de la vieille aristocratie grecque intriguaient en coulisse pour tenter d'obtenir sa main. Mais Tullia manifestait une telle volonté d'indépendance et un caractère si bien trempé que ses parents différaient prudemment les négociations pour un futur mariage.

Verrès, de son côté, avait eu des informations précises sur cette famille de haute lignée grecque, par l'intermédiaire de Timarchide qui depuis le mois de mai accomplissait son travail de recensement méticuleux. Il avait jeté son dévolu sur la belle et ce n'était pas un hasard si elle se retrouvait avec lui au premier rang, sur un lit voisin du sien, alors que ses parents étaient relégués au deuxième rang au mépris des règles les plus élémentaires de la courtoisie. Avec sa fatuité habituelle, le préteur avait la conviction que, dès la nuit prochaine, Tullia serait dans son lit et qu'elle partagerait ses assauts amoureux avec les trois autres courtisanes qui l'entouraient.

Tullia était vêtue d'une superbe robe rose qui mettait en valeur des yeux d'un bleu foncé très intense. Son père qui avait un faible pour cette enfant si douée, la première et la seule fille d'une fratrie de six, lui avait redit avant de l'emmener pour cette soirée où le gouverneur en personne l'avait nommément invité :

— Tullia, mon amour de fille, tu as des yeux de Méditerranée en colère un soir d'orage.

— Mais, père, il n'y a pas de colère en moi. Seulement beaucoup de détermination.

— Tu vas en avoir besoin aujourd'hui plus que tu ne crois. Notre préteur est un cynique qui ne recule devant rien pour satisfaire ses appétits. Je n'aurai que peu de moyens pour te défendre au risque de mettre en péril ta mère et tes frères. Essaie de ne rien faire qui puisse lui donner le moindre argument pour justifier ses actes.

— Je n'ai pas peur. Je suis résolue à revenir avec vous à Sélinonte, pour vivre dans la joie de la famille et continuer mes études. Les amis de mon cercle m'ont prévenu des risques que j'encours. Mais je sais aussi que je ne pouvais pas décliner cette invitation sans risque. Je suis donc déterminée à l'affronter. Vraiment déterminée !

Pendant que les artificiers d'Amilade disposaient les Flores Ignis sur la jetée face à la mer, les premiers hors-d'œuvre étaient servis et chacun commençait à grignoter des amandes et des noisettes avec des morceaux de pain imprégnés d'huile d'olive.

Verrès avait aussitôt été captivé par son invitée qui, après l'avoir salué les yeux baissés, ne lui avait pas encore jeté un regard. Il avait remarqué sa chevelure brune savamment tressée et arrangée en chignon au-dessus de sa tête. Elle semblait absorbée par les lointains préparatifs de la fête et avait engagé, à mi-voix, la conversation avec Pipa, sa voisine de lit.

— Je suis impatiente de voir cette surprise que nous a réservée notre gouverneur. Je me réjouis de constater son désir de satisfaire ses administrés. Sacerdos, l'an dernier, a déjà été exemplaire, mais je crois que Verrès va le surpasser.

— Je crois qu'il a déjà commencé, lui répondit Pipa avec une mimique qui voulait exprimer à la fois l'amusement et le doute ironique. Sa gestion des affaires et les bontés qu'il a pour certains de nos concitoyens ou concitoyennes prouvent qu'il est animé des meilleures intentions. Mais il faut que tu saches qu'il commence toujours par se satisfaire lui-même. Alors, fais attention !

— De quoi dois-je avoir peur ?

— Tu risques de le savoir assez vite.

— Que risque-t-elle de savoir assez vite ? demanda brusquement Verrès qui avait tendu l'oreille.

— Elle risque de découvrir ta surprise dans l'heure qui vient. C'était l'objet de sa question, répondit Pipa, énigmatique.

Verrès en profita pour faire rapprocher son lit de celui de Tullia. Il étendit aussitôt sa main droite et la posa sur l'épaule de Tullia, glissant doucement vers son sein gauche avec la volonté évidente de manifester son droit de possession.

C'est alors que l'inattendu, l'incroyable se produisit.

Se retournant brusquement, Tullia lui asséna à toute volée un grand coup de sa cuiller sur le dos de la main. Puis, saisissant le couteau qui lui servait à découper le pain en petits quartiers, elle le pointa vers lui et, les yeux dans les yeux, calmement lui annonça :

— Ne me touche plus ou tes gardes n'auront pas le temps d'intervenir avant que je te tranche le cou.

Pipa, Nicé et Tertia semblaient tétanisées. Elles connaissaient trop bien les explosions de violence de leur amant et imaginaient déjà la suite. Derrière, les Marcellus étaient éberlués par l'audace de la jeune fille et s'apprêtaient à intervenir pour tenter d'utiliser leur notoriété pour calmer le gouverneur. Quant à Daphnis et Aristomaché, ils voyaient déjà leur enfant enchaînée et livrée aux violences de la soldatesque.

Mais Verrès ne bronchait pas. Il ne bougeait pas. Il ne sentait monter aucune colère en lui. Même pas un frémissement. Il ne pouvait se détourner. Son regard semblait fixé à jamais sur celui de Tullia. Il avait l'impression de se noyer, de s'engloutir, de se diluer dans cette mer sombre qui ne manifestait aucune frayeur, pas même une petite crainte. Il découvrait une sensation nouvelle, quelque chose de doux et de fort et d'apaisant aussi, quelque chose qu'il pourrait appeler le respect, un mot qui depuis bien longtemps n'avait plus cours officiel dans son vocabulaire de grand lettré.

Verrès se sentait défié. Cela l'étonnait mais lui faisait curieusement du bien. Cela l'inquiétait aussi. Il ne pouvait pas devant tous subir un tel affront. Il devait se ressaisir. Il devait sévir. Mais quel châtiment trouver qui fût à la fois exemplaire et pas trop agressif pour qu'une relation puisse continuer avec cette femme si désirable et si lointaine, si forte et si prometteuse.

Il s'entendit dire calmement :

— Tullia, tu te méprends. Il ne faut pas croire tout ce que l'on dit sur moi. Mon geste ne se voulait pas inconvenant et se serait arrêté là. Et il ne faut pas lever la main sur moi. Je suis le représentant de Rome.

La jeune femme avait posé le couteau. Elle était de nouveau allongée sur le côté et fixait toujours l'homme.

— Un représentant de Rome digne de cette charge doit éviter de telles familiarités. Je suis citoyenne romaine, comme mes parents, malgré la sonorité grecque de notre patronyme. Respecte-moi, Verrès, et nous deviendrons bons amis.

Verrès se taisait. Au plus profond de son être, une petite voix murmurait, douce comme un clapotis de source.

La nuit tombait. Le dîner s'était déroulé sans autre incident et les esclaves apportaient maintenant les desserts, des gâteaux aux figues à tremper dans le meilleur miel de la région de Catane et des grenades juteuses à souhait.

Verrès donna l'ordre d'allumer les fusées. La mise à feu déclencha des cris d'admiration dans l'assistance qui découvrait ce nouveau divertissement venu de l'Orient, et les fleurs éphémères de toutes couleurs embrasèrent le ciel de Syracuse pendant plus d'une heure.

Juste après que le dernier tourniquet orange se fut éteint, Verrès se leva et sans saluer ses hôtes se dirigea rapidement vers ses appartements.

Philistos serrait fortement sa fille dans ses bras. Il ne pouvait contenir son émotion. Il pleurait. Il ne trouvait pas ses mots.

— Comment as-tu réussi... cet homme est le diable... je ne veux plus que tu quittes notre demeure à Sélinonte... je vais t'envoyer chez des amis à Rome ou à Athènes... il faut te protéger... il va vouloir se venger pour cette humiliation...

— Mais, Père, il ne s'est rien passé de grave ! Je crois que nous le reverrons et je suis sûr maintenant qu'il me respectera.

Philistos ne répondit pas. Sa connaissance des hommes ne réveillait pas en lui beaucoup d'espoir concernant une éventuelle rédemption des canailles. Mais le danger était dissipé.

À cheval, escortés par leurs gardes, ils regagnèrent leur lointaine villa dans l'ouest de l'île, dès le lendemain.

Le destin est beau joueur

Verrès n'avait pas revu Tullia depuis les fameuses Méditrinales aux cours desquelles il avait subjugué l'assistance avec les Florès Ignis. Mais il ne se passait pas de jour sans qu'il ne pensât à elle. Lui qui, habituellement, décidait de tout sur un coup de tête ou sur un coup de sang, était incapable d'envisager une attitude digne pour tenter de revoir la belle Grecque sans perdre la face. S'il voulait obtenir quelque chose d'elle, il devait faire vite. En effet la fin de son mandat approchait. On venait de passer les Nones de novembre et il allait bientôt devoir préparer son retour à Rome. L'importance du butin accumulé nécessitait une organisation minutieuse pour pouvoir tout rapatrier. Malgré la compétence de sa cohorte il lui fallait tout coordonner.

En cette matinée du 7 novembre 73, Verrès était d'humeur ombrageuse. Il tournait en rond dans la grande salle du conseil sans réussir à rassembler ses idées. Sans doute avait-il un peu abusé des charmes de Tertia jusque tard dans la nuit, mais il n'avait pas trop bu et il ne s'expliquait pas sa confusion de l'esprit. Une brume épaisse noyait la totalité de l'Ortygie et, même dans les cours de son palais on ne voyait rien à quelques pas. Le soleil de midi allait probablement dissiper cette humidité laiteuse. Et peut-être mettre un peu d'ordre dans ses idées.

Lorsque Valérius, son huissier, le colosse gaulois blond, se présenta à la porte, il eut l'intuition que le destin pouvait se manifester. Sans doute celui-ci avait le droit d'intervenir à toute heure selon l'urgence mais il avait reçu l'ordre de ne déranger Verrès le matin que dans trois cas bien définis : situation très critique, très bonne nouvelle ou très mauvaise nouvelle. Car les fins de nuit d'orgie se prolongeaient généralement jusqu'aux alentours de midi.

– Verrès, le Sicilien Laetilius qui a en charge les services postaux dans toute la Sicile et entre l'île et le continent vient d'arriver. Il m'a remis un pli qui porte le sceau rouge du consul de Rome. J'ai pensé qu'il s'agissait d'une extrême urgence.

– Tu aurais pu le lire avant de me déranger, Valérius. Les consuls écrivent aussi beaucoup de bêtises et de choses insignifiantes.

– Sans doute, mais je ne sais pas lire et Laetilius est parti avant que je ne pense à lui demander ce service.

– Donne.

Un peu fébrile malgré sa réflexion à l'égard de ses pairs, Verrès lisait le parchemin.

« Par ordre du Consul M. Terentius Varro Lucullus, suite au décès de Q. Arrius nommé comme propréteur de Sicile pour l'année 72 de la République, et dans l'impossibilité légale de nommer un remplaçant, nous confirmons Verrès dans sa fonction pour toute la durée des années 72 et 71.

Fait à Rome en ce 23 octobre 73 au nom de la République romaine. »

Signé : M. Terentius Varro Lucullus

Il lui fallut relire trois fois la missive pour réaliser son bonheur. Ainsi, il venait d'apprendre que son successeur était décédé et que son mandat était donc renouvelé pour deux ans.

Cela lui ouvrait de grandes perspectives. Outre le système de pillage qu'il avait mis en place depuis et qui tournait à plein régime, il avait en Sicile des divertissements dont il appréciait la qualité. Et maintenant, il y avait Tullia. Un long répit lui était accordé et il espérait pouvoir le mettre à profit pour revoir cette femme qui l'obsédait.

Il convoqua sur-le-champ son intendant.

— Timarchide, nous sommes tous de service pour deux années supplémentaires. Tu dois faire passer le message dans toute l'île pour que nous puissions améliorer nos systèmes de prélèvement d'impôts. Mobilise Apronius et tous les dîmeurs pour qu'ils affinent le recensement des agriculteurs et des terres cultivables. Avec l'expérience acquise, ils vont faire des miracles. Je sens que le brouillard va se dissiper très vite, dehors et dans ma tête.

Un héritage à saisir

C'est en visitant les environs de Syracuse dans sa litière à huit porteurs que Verrès arriva dans la petite ville fortifiée de Bidis située à l'ouest de la capitale. Il fut reçu par les édiles locaux avec à leur tête le premier personnage de la cité, un certain Épicrate.

Celui-ci, au cours d'une précédente assemblée du conseil de la cité, avait soumis à l'approbation des magistrats l'héritage qu'une proche parente venait de lui léguer pour la somme de cinq cent mille sesterces. Un tel évènement excita aussitôt la jalousie de certains d'entre eux qui échafaudèrent un plan pour déposséder Épicrate.

Au cours du repas en présence de Verrès, Héloris, un notable qui convoitait la position du premier magistrat, aborda le sujet avec la certitude que le gouverneur ne manquerait pas de s'y intéresser.

— Notre ami Épicrate est vraiment chanceux. Il vient d'hériter d'une petite fortune qui vient s'ajouter à des biens déjà très importants. Personne ne peut plus désormais lui contester le titre d'homme le plus riche de Bidis.

Verrès dressa l'oreille. Toute évocation d'argent mettait aussitôt ses sens en alerte. Sur son territoire, il considérait qu'il devait prélever, presque rituellement, sa part. Benoîtement, il s'enquit du montant de cet héritage.

– De quelle somme l'heureux héritier va-t-il donc pouvoir disposer ?

Épicrate intervint, vaguement inquiet. Il connaissait la haine qu'Héloris entretenait à son égard. Il crut bon d'apporter quelques précisions.

– Cinq cent mille sesterces qui me reviennent sans autres démarches administratives et sans contestations possibles selon les lois siciliennes.

Verrès n'ajouta rien mais à la fin du repas il prit à part Héloris et lui suggéra une manœuvre pour déposséder Épicrate.

– Tu vas aller trouver les administrateurs de la palestre[1] de la ville et tu vas leur demander de déposer une action en justice pour réclamer l'héritage au profit de leur établissement public. Je m'occupe des témoins et du jugement. Je te charge de rassembler la somme de quatre-vingt mille sesterces pour couvrir les premiers frais de ma cohorte.

Deux semaines plus tard, Callicratos se présenta au domicile d'Épicrate. C'était un artisan fort réputé, spécialisé dans la ciselure sur métaux précieux. Épicrate lui avait souvent acheté des plats en argent merveilleusement décorés.

– Je suis porteur d'une information qui te concerne, lui dit Callicratos. J'étais hier avec deux amis à l'auberge des « Trois amandiers » pour négocier une commande de

---

1. La palestre est un édifice où l'on pratiquait la gymnastique chez les Grecs et les Romains.

phalères en bronze lorsque j'ai remarqué au fond de la salle Héloris et sept comparses en train de compter des sacs de sesterces. En tendant l'oreille, j'ai pu comprendre qu'ils parlaient de toi et de ton héritage. Et j'ai entendu précisément cela :

« Adieu le bel héritage. Le procès est déjà bouclé et Verrès saura nous récompenser. Demain je remets cet argent à Volcatius, le fondé de pouvoir du gouverneur. »

– Es-tu sûr de ce que tu me rapportes ?

– Par les dieux immortels, je vous le jure. Vous savez la grande estime que je vous porte. Vous devez agir avant que Verrès n'ait lancé ses chiens contre vous.

– Si tu dis vrai, il est déjà trop tard. Je te remercie, Callicratos. Je vais réfléchir et prendre conseil.

Épicrate prit la seule décision qui pouvait entraver la manœuvre de Verrès. Il s'enfuit de Sicile et alla se réfugier à Rhégium, de l'autre côté du détroit de Messine. Selon la loi, en son absence, nul ne pouvait ester en justice contre lui. Héloris et les sept autres accusateurs s'en trouvaient pour leurs frais. Ils avaient payé Verrès mais ne pouvaient plus rien obtenir. Ils poussèrent alors l'audace jusqu'à aller trouver Épicrate dans sa maison de Rhégium pour lui réclamer le remboursement des quatre-vingt mille sesterces contre la promesse de ne pas intenter d'action contre lui. Épicrate soumis à ce chantage odieux ne mâcha pas ses mots.

– Vous êtes des voleurs, des malandrins. Vous n'avez aucun respect des personnes et des lois. Héloris, tu es un envieux. Je sais que tu convoites ma fortune et encore plus ma place de premier magistrat de la cité. Vous profitez de la présence de Verrès qui est une canaille, pour tenter de me déposséder. Mais je résisterai et, bientôt, ce préteur corrompu ne sera plus là pour vous assister. Je pourrai de nouveau invoquer la loi pour m'assister

et vous confondre. Prenez garde. Si vous vous représentez
chez moi, je vous fais chasser comme des malpropres.

Toute la ville fut bientôt au courant de l'affaire.
Héloris et sa bande se plaignaient d'avoir été spoliés par
Volcatius et, dans un premier temps, Verrès fit comparaître celui-ci en jugement pour qu'il restituât les sesterces. Ce qui fut fait mais sans qu'aucune peine fût
prononcée pour les délits. En effet, d'une part Volcatius
pouvait être accusé d'avoir prélevé cet argent indûment
en proposant d'acheter les services du préteur et d'autre
part les plaignants avaient accepté de participer à une
machination au cours de laquelle l'autorité et surtout la
moralité de celui-ci seraient bafouées.

Évidemment, personne n'osait dire que cette farce
sinistre avait été montée à l'instigation de Verrès lui-
même.

Et, pour conclure ce déni total de justice, celui-ci se
devait, pour entretenir son image de grand prédateur,
d'ajouter une décision encore plus inique à cette affaire.
Après que l'argent eut été rendu, solennellement il se leva
et, à la stupéfaction de l'assistance, annonça un dernier
verdict.

– Pour compenser le préjudice fait à Héloris et à ses
amis, je leur donne en toute propriété la totalité de l'héritage et aussi la totalité des biens mobiliers et immobiliers
appartenant à Épicrate.

Puis, sans écouter les cris et les injures de la foule,
il se retira après avoir murmuré à l'oreille de Timarchide :

– Je te charge de prélever ma dîme sur tous ces
biens.

Désir

Verrès n'aimait pas parcourir le pays en hiver. Il était donc resté calfeutré dans son palais à étudier les suggestions de ses rabatteurs Tlépolème et Hiéron et à préparer ses vols et ses larcins pour le printemps prochain. La présence de ses compagnes le distrayait mais il pensait à Tullia et plus il y pensait plus il était décidé à la revoir.

Par ses informateurs, il avait tout appris sur sa famille, ses ancêtres, la richesse de ses parents. Il savait qu'à Sélinonte ils faisaient partie des notables les plus en vue, qu'ils habitaient une superbe propriété très proche des temples, dans le quartier riche. Sur des milliers de jugères ils cultivaient la vigne, l'olivier et le blé. Le père de Tullia, Daphnis Philistos, était un naturaliste connu pour ses nombreuses études sur les techniques de sélection des blés et sur les procédés de vinification. Il avait également écrit et publié un volume sur les différentes espèces d'oliviers dans lequel il comparait les rendements en huile et leur qualité classée en fonction de leur saveur plus ou moins acide. Il était aussi l'instigateur d'une société savante qui réunissait, deux fois l'an, tous les propriétaires viticulteurs et oléiculteurs pour écouter les observations de chacun susceptibles d'améliorer les productions.

Par Hiéron, son conseiller en art spécialisé dans les peintures murales et les mosaïques, il savait aussi que chaque mur des pièces de leur vaste demeure était décoré de compositions représentant les dieux et les héros dans leurs diverses activités et des évocations de chasse. Il était travaillé par l'envie d'aller leur rendre visite pour découvrir ces merveilles et savait qu'il lui suffisait de se présenter aux portes de leur demeure pour que rien ne lui fût refusé. Mais il n'arrivait pas à se décider. Il sentait qu'il ne devait pas, comme à son habitude, forcer les choses, jouer son rôle de tyran, imposer son désir par la violence.

Il voulait Tullia, mais il la voulait consentante.

Comment séduire une femme pour qu'elle vienne à soi par amour ? Cette question le plongeait dans la perplexité.

Il ne savait même plus s'il était séduisant tant cet aspect des relations féminines lui était étranger. Pourquoi séduire lorsqu'on obtient tout, sans contestation possible, par la violence ? Et pourquoi se priver de la violence qui apporte tant de piment à la vie ? Verrès était troublé. Il lui semblait ressentir des bouffées de sentiments très forts, très exaltants qui lui rappelaient ses seize ans lorsque, après avoir été revêtu de la toge prétexte, il était officiellement entré dans le clan des hommes et avait pu considérer les filles et les femmes autrement que comme sœurs ou comme mère.

Il décida de s'en confier à Volcatius, son fondé de pouvoir, qui était sans doute le plus intelligent de sa bande de hors-la-loi, lui seul, parce qu'il était chevalier, connaissait l'aristocratie et pouvait, en s'élevant un peu au-dessus des considérations mesquines de la plèbe, le comprendre et le conseiller.

— Volcatius, je me sens autre. Pour la première fois de ma vie, j'éprouve une passion que je domine mal parce que je ne veux pas qu'elle cesse. Et le plus étonnant est qu'il s'agit d'une femme que je connais à peine. C'est Tullia, la fille aînée de Daphnis Philistos, qui possède un grand domaine à Sélinonte. Pourtant notre rencontre s'est passée sous les plus mauvais auspices.

Verrès raconta alors son geste maladroit et la réplique vengeresse de Tullia.

— Me voilà promu comme confident et stratège d'Éros, s'exclama Volcatius. Tu as rencontré une femme de caractère. Mais compte tenu de ce que tu lui as dit et de sa réponse, on peut estimer que rien d'irréparable n'a été commis. Et que l'attrait de l'inconnu peut être un puissant stimulant aussi bien pour toi que pour elle. Voici quelques conseils. Sois patient. Patience et passion cheminent de concert dans le même sens. Tu dois être le patient de ton merveilleux mal. Manifeste ta sincérité : dis ce que tu es et montre que tu es autre. Ce sera un aveu de force et aussi de faiblesse qu'elle appréciera. Enfin, n'oublie jamais de la faire rire. Une femme qui rit n'est jamais loin de succomber.

— Mais comment oser la rencontrer après ce qui s'est passé ? Ma condition de gouverneur m'interdit des initiatives saugrenues. Il me faut trouver un prétexte pour aller à Sélinonte et la rencontrer.

— Les dieux viennent de t'en envoyer un, superbe, évident, incontournable. J'ai appris ce matin qu'un tremblement de terre s'était produit dans la région de Sélinonte. Il y a d'importants dégâts et une centaine de morts. La population affronte ce malheur avec courage. Je te suggère d'y aller tout de suite et de te manifester sans relâche : réconforter les blessés, encourager les gens à reconstruire leur demeure et leurs temples, proposer l'aide de Rome. Cela montrera un aspect de toi humain et compatissant. Chemin faisant, tu t'arrêteras dans la demeure des Philistos pour prendre de leurs nouvelles et tu verras Tullia.

Verrès applaudit.

— Tu es précieux, Volcatius. Je saurai m'en souvenir. Dis à Timarchide de me préparer un équipage et une escorte. Nous devons être demain à Sélinonte.

L'épicentre du séisme devait se trouver à plusieurs dizaines de milles dans les montagnes. Seule, la partie la plus ancienne de la ville avait été sérieusement touchée, là où certains immeubles atteignaient trois ou quatre étages. Et c'est aussi là que l'on avait sorti les victimes des décombres. En revanche, les villas dispersées dans la campagne avaient moins souffert.

Très solidaires, tous les Sélinontais travaillaient à débarrasser les gravats. Une noria de chariots attelés de bœufs les emmenait à l'extérieur où ils étaient déchargés dans une zone marécageuse que le conseil de la ville avait décidé de combler pour l'assainir.

L'arrivée de Verrès suscita un certain étonnement doublé d'inquiétude. Trop habitué à subir ses foucades, les Siciliens imaginaient toujours le pire lorsqu'il voyait apparaître l'étendard du gouverneur que le porte-enseigne brandissait dans le petit groupe d'éclaireurs qui annonçait sa proximité. Certains sentaient monter en eux une sourde révolte. La colère des dieux ne suffisait-elle pas pour ce jour ? Fallait-il encore subir de nouvelles vexations ou de nouvelles spoliations ? Venait-il comme un vautour, prélever sa part sur les cadavres ?

La surprise fut donc totale lorsqu'ils entendirent Verrès leur prodiguer paroles d'amitié et encouragements.

– Je suis venu vous témoigner ma peine devant ce coup des dieux et du destin. Je vois que votre courage et votre esprit d'équipe font merveille. Continuer à montrer que vous êtes dignes d'être romains. Pour vous aider, j'ai décidé d'allouer, sur le budget de l'État, une somme d'un million de sesterces pour la reconstruction de votre ville. Vous pourrez aussi disposer du gros matériel de levage qui se trouve dans mes entrepôts, dans l'île d'Ortygie.

Leur gouverneur avait-il changé à ce point ? Ou bien était-ce une nouvelle manœuvre, une nouvelle perfidie qui cachait un dessein très noir dont les modalités allaient bientôt poindre au grand jour ?

Mais Verrès continuait, toujours aussi affable et souriant.

– Vous pouvez transporter les blessés graves à Syracuse où je les ferai prendre en charge par les meilleurs médecins et chirurgiens de la ville. J'ai également fait acheminer un convoi de vivres et de vêtements que vous recevrez dans trois ou quatre jours.

Les gens se mirent à clamer leur joie et leurs remerciements. Les plus blasés n'osaient pas encore trop y croire. Les plus naïfs étaient déjà enthousiastes. Mais Verrès, sans en entendre plus, avait pris le chemin de la campagne. Maintenant qu'il avait satisfait à la demande de Volcatius, il était pressé de revoir Tullia.

En vue de la grande demeure, il fut rassuré. Elle n'avait apparemment subi aucun dommage. Seule une grande fissure de deux pieds de large traversait le terrain en zigzag sur plus d'un mille, à une centaine de pas de l'entrée principale.

L'intendant Iolatos les accueillit.

– Philistos est à la palestre pour décider, avec le conseil de la ville, des mesures de reconstruction qui s'imposent. Aristomaché est allé en ville avec lui pour diriger les soins aux blessés car elle connaît l'utilisation des plantes qui guérissent. Mais Tullia est là. Elle s'occupe de ses jeunes frères.

Le visage de Verrès s'illumina.

– Elle peut donc nous recevoir.

Iolatos hésitait. Il n'était pas habituel d'ouvrir une demeure à un étranger en l'absence des propriétaires. Et l'intendant avait, en l'absence de ses maîtres, la responsabilité totale des lieux et des personnes. Mais c'était Verrès, le propréteur ! Il avait tous les arguments et tous les moyens pour forcer l'entrée. Une sourde inquiétude l'envahit. Il cherchait comment éloigner, au moins pour quelques heures, ce personnage à la réputation sulfureuse.

– Elle est très occupée à préparer une réunion de son groupe de réflexion philosophique. Et nous avons des problèmes avec l'adduction d'eau. Le séisme a probablement détérioré les conduites. La faille que tu as vue en arrivant a sans doute contribué à cisailler les canalisations de plomb enterrées par là.

Iolatos s'attendait à la colère du gouverneur mais Verrès ne semblait pas être agacé par son attitude de refus. Avec une douceur inattendue il insista.

– Je ne veux pas m'installer chez vous. Mes hommes sont en train de dresser ma tente dans le camp de votre garnison. Je veux simplement saluer Tullia.

– Je vais la chercher.

Toujours aussi charmante, Tullia avait laissé flotter sa brune chevelure. Une tunique rouge très courte, serrée à la taille, dénudait ses cuisses aux trois quarts. Sans aucune gêne, elle plongea son regard dans celui de Verrès.

– Es-tu venu m'annoncer que tu allais participer à mon prochain cercle philosophique ?

Un peu décontenancé, le gouverneur se racla la gorge, détourna les yeux qui s'étaient fixés presque par réflexe sur les cuisses découvertes et répondit d'une voix un peu tendue :

– Je suis venu secourir les habitants de Sélinonte. Je craignais de vous retrouver sous les décombres. Grâce aux dieux, il n'en est rien. Je suis rassuré. Tu transmettras mon salut à tes parents.

Déjà, les cavaliers tournaient bride.

– Voici un aspect de Verrès que j'étais loin d'imaginer. Je te remercie de l'attention que tu nous portes.

Verrès sentit la chaleur envahir son visage. Tullia le provoquait mais avec une gentillesse inattendue. Il eut soudain une idée. À défaut d'un présent qu'il n'avait pas pensé à emporter, il pouvait inviter Tullia à chevaucher avec lui pour faire le tour de Sélinonte.

– Je vais inspecter le quartier des temples qui auraient souffert du séisme. Veux-tu m'accompagner ? Tu me servirais de guide.

Prise au dépourvu, Tullia n'eut pas le temps de trouver des arguments pour refuser cette invitation un peu incongrue. Elle se tourna vers l'intendant qui attendait à cinq pas, respectueux mais en alerte.

– Iolatos, fais-moi sceller Déméter. J'ai trouvé des visiteurs qui réclament une visite commentée.

Verrès et Tullia chevauchaient de front. Alors qu'ils arrivaient au grand forum situé sur le vaste plateau qui surplombait la mer, elle engagea la conversation.

– Tu fais un beau métier, Verrès. C'est difficile de s'occuper des autres et d'organiser la vie de la cité pour que chacun y trouve sa place dans la justice et la solidarité. J'ai beaucoup d'estime pour ta fonction.

Verrès était surpris. Il ne s'attendait pas à une telle réflexion. Il considérait les femmes comme des êtres inférieurs sauf sa mère qu'il avait vénérée mais qui avait préféré mourir plutôt que de l'aider à passer les angoissantes années de l'adolescence, sa fille qu'il avait dû livrer à un gendre et Chélido qui se mourait quelque part en Italie, à Rome ou à Naples et dont il était sans nouvelles. Toutes les autres étaient des esclaves ou des prostituées ou les femmes des autres, soumises à son bon vouloir parce qu'il était le plus fort.

Celle-là lui tenait tête, physiquement et intellectuellement. Cela le perturbait mais il aimait cette présence forte. Les hommes qu'il considérait comme ses égaux lui semblaient souvent des larves parce qu'ils avaient peur de lui. Cette femme si frêle, ne manifestait au contraire aucune crainte. Elle était de sa trempe. Il l'estimait pour cela.

– Pour ma fonction ? Et pour moi ?

– Là, c'est différent. Tu ne fais pas ton métier comme il se devrait. Tu commets beaucoup d'injustice.

– Comment peux-tu te permettre de dire cela ? Connais-tu le droit ?

– Je l'ai étudié avec mes maîtres. Et je continue à étudier les principes de la politique.

Verrès la contemplait. De profil, elle avait la grâce des déesses grecques statuées par Praxitèle. Le soleil qui déclinait réveillait des reflets mordorés dans sa chevelure. Une femme hors du commun qui croisait sa route.

– Que veux-tu faire de toutes ces études ? Tu ne peux pas t'engager dans la carrière des honneurs !

– Tu sais que c'est impossible pour une femme. Mais je peux me réaliser à travers les autres en les aidant. Vainqueurs ou vaincus, les hommes ont besoin des femmes. Elles ne ressentent pas le besoin d'être à la tribune. Les harangues des prétoires les concernent peu. Nous parlons de la vie et de la mort avec tout notre corps. Nous fabriquons de l'être avec notre chair et notre sang et nous donnons la vie. Ce rôle vaut toutes vos grandes envolées rhétoriques. Pourquoi es-tu toujours dans le déni, Verrès. Toute la population se plaint de toi. Pourquoi te crois-tu obligé de voler tes sujets ? Depuis que tu es ici, la dîme a été prélevée selon des règles que tu as imposées et qui bafouent les lois de Hiéron que tous les préteurs ont respectées jusqu'à maintenant depuis bientôt cent cinquante ans.

– Je ne vole personne.

– Mais si, tu voles tout le monde. Depuis notre rencontre, je me suis renseignée. Dernièrement tu as dépossédé de tous ses biens Épicrate de Bidis, en déni de nos lois qui interdisent tout jugement en l'absence de la personne concernée.

– Qui t'a dit cela.

– En Sicile, tout le monde sait tout. Tu ne peux rien dissimuler. Chaque brin d'herbe est une oreille malicieuse qui livre au vent tous les potins de l'île.

Verrès sentait l'exaspération le gagner. Il n'était pas venu ici pour s'entendre sermonner par une donzelle de vingt ans sa cadette. Il se contint en se souvenant des recommandations de Volcatius.

– Tullia, je suis gouverneur de Sicile et je n'ai aucune leçon à recevoir de mes sujets. J'agis pour leur bien, selon la justice.

– Si tu ne veux pas entendre ce que j'ai à te dire, je vais retourner travailler mon discours sur Socrate et son élève Platon. Je dois exposer leur conception de l'existence lors de notre prochaine réunion le jour des Ides de...

– Reste encore un peu. Ta présence m'apaise et me fait réfléchir. Mais n'abuse pas de ta jeunesse pour me provoquer.

Ils arrivaient devant l'emplacement des temples gigantesques que les Grecs avaient édifiés quatre siècles auparavant en arrivant comme colons sur la terre de Sicile.

À l'extrémité nord de la façade opposée, un échafaudage complexe avait été dressé et une équipe de maçons s'affairait à remettre en place une pierre d'angle disjointe et déplacée par le séisme. Elle était restée en porte à faux au-dessus du vide et menaçait de choir sur les passants. À l'aide de solides cordages et d'un ingénieux système de palans et de poulies, le contremaître avait réussi à lier l'énorme bloc et à le désenclaver. Il se balançait légèrement dans le vide, juste au-dessus du sentier qui faisait le tour du temple.

Le groupe de cavaliers emmené par Verrès et Tullia venait juste d'emprunter ce chemin. Verrès s'arrêta un instant pour examiner la manœuvre en cours.

— Nos ingénieurs sont d'une rare habileté. Depuis que je suis enfant je me demande comment ils procèdent pour déplacer des charges qui pèsent plus de cent fois le poids d'un homme.

— Ils utilisent leur intelligence pour décrypter les lois de la nature plutôt que pour faire la guerre ou commettre quelques exactions à des fins personnelles.

— La guerre est parfois indispensable lorsque la raison ne parvient pas à faire aboutir des négociations.

La pierre descendait lentement en se rapprochant de l'emplacement où elle allait venir se caler. Verrès fit repartir son cheval. Il avança de deux pas en ramenant son regard vers le sol. Tullia n'était pas encore repartie. Alertée par une étrange prémonition, elle continuait d'observer la manœuvre. Elle vit alors le bloc de calcaire commencer à s'incliner vers le bas puis, brutalement, la corde lâcha et il chuta, libre de toutes entraves, entraîné par son énorme pesanteur, à la rencontre du cavalier qui continuait paisiblement de progresser lentement le long des colonnes du temple.

D'un violent coup de cravache porté sur la croupe du cheval, Tullia provoqua un bond de l'animal tandis que l'énorme pierre d'angle venait s'écraser juste à l'emplacement où Verrès s'était trouvé immobile.

Sous l'impulsion de son cavalier, le cheval fit volte-face et stoppa contre l'obstacle. Verrès était pâle et muet.

Tullia venait de lui sauver la vie. Il se ressaisit.

— Amenez-moi tous les ouvriers du chantier et leur responsable. Faites dresser autant de croix qu'il y a d'hommes.

— Mais Verrès, c'est un accident, essaya-t-elle de plaider.

— Il n'y a jamais d'accident quand il s'agit d'un gouverneur, *a fortiori* quand ce gouverneur est aussi détesté que tu le dis. Maintenant tu dois me laisser faire mon métier.

— Verrès... Je te demande leur grâce.

— Rentre chez toi, Tullia. Je vais réfléchir. Tu m'as sauvé la vie. Mais, pour l'heure, je dois survivre. Simplement survivre. Et ces hommes doivent mourir.

3.

Comme un vautour

Confortablement installé dans son palais et désormais assuré de rester plus de deux ans en Sicile, Verrès avait caressé un nouveau projet. Certain de pouvoir amasser une fortune considérable, il avait remis en chantier une enquête commencée en Bithynie il y a bien longtemps et qui n'avait jamais pu aboutir car elle nécessitait de parcourir la Sicile en quête de statues rares.

Ce matin, il avait convoqué Timarchide pour lui demander de concentrer ses efforts sur cette recherche. Il lui montra un parchemin en mauvais état sur lequel celui-ci put lire difficilement un petit texte écrit en grec à l'encre noire :

« Rassemble les sept déesses en marbre marquées de la clé pour l'univers, une clé dans un cercle. Elles se trouvent dans une grande île dont le nombril est un volcan qui crache en permanence la colère des dieux. Rassemble-les sur la plate-forme, à l'extrémité du forum, là où le grand temple contemple la mer en direction de Carthage. Chacune a son emplacement creusé dans la roche. Celle qui a l'index pointé sera le dos à la mer. Alors, la plate-forme basculera et à cent pieds du doigt tu creuseras. Dans la tombe du pharaon tu trouveras l'anneau d'or. Par ton mérite, il t'apportera protection et fortune pour l'éternité. »

Verrès n'avait aucune idée de la portée de ce texte mais il était à l'affût de ce genre d'énigmes qui laissaient entrevoir la découverte de pouvoirs secrets. Sous les six lignes, un dessin tout aussi mystérieux représentait une clé inscrite dans un cercle.

— Je te demande d'utiliser la cohorte pour repérer ces huit statues. Je suis certain qu'elles sont ici.

— Mais, tu ne sais pas de quelles statues il s'agit. Quelle déesse est représentée ? Il y en a des milliers ici et la population est de plus en plus réticente à nous laisser visiter demeures et jardins.

— Ne discute pas mes ordres, Timarchide. Nous trouverons. Nous avons du temps. Lance tous nos limiers sur cette affaire. En Sicile la déesse la plus honorée est Déméter. Commençons par elle.

— J'exécuterai ton ordre, Verrès. Mais je ne comprends pas ce que tu attends de ces éventuelles trouvailles.

— Je sais qu'un secret est toujours bon à connaître. Récemment, j'ai repensé à ce parchemin. Ce n'est peut-être pas un hasard.

Un crime exemplaire

L'affaire Sopater parvint aux oreilles de Verrès alors qu'il était en inspection dans l'ouest de l'île.

Sopater, riche citoyen de la ville d'Halycie, très estimé pour son honnêteté, vivait de l'exploitation de son domaine où il cultivait les oliviers et la vigne sur les terres

rouges si fertiles situées à une trentaine de milles de Lilybée.

Accusé par des envieux d'un crime capital, il avait
pu facilement prouver son innocence devant le préteur
C. Sacerdos qui avait précédé Verrès dans l'île.

L'affaire semblait classée.

Mais les ennemis de Sopater n'avaient pas désarmé.
Ayant remarqué avec quelle partialité le nouveau gouverneur rendait la justice, ils tentèrent une nouvelle accusation.

Sopater était convaincu que personne n'oserait revenir sur une chose jugée et que, dans tous les cas, les
arguments utilisés déjà pour sa défense devaient obtenir
les mêmes résultats et aboutir à sa relaxe.

Il connaissait mal la perfidie de Verrès qui avait
compris qu'il pouvait monnayer grassement tout jugement.

Sopater fut donc convoqué au tribunal de Syracuse,
ce qui l'obligeait à traverser l'île avec ses défenseurs et
ses amis. Une façon de commencer à le déstabiliser. Usant
du sens très vif de l'hospitalité des Siciliens, il s'installa
chez un oncle qui fabriquait du *garum* non loin de la
capitale et prépara, de nouveau, sa défense. Les charges
qui pesaient sur lui étaient les mêmes que celles qui
avaient été réduites à néant par le jugement précédent.
Son défenseur, Q. Minucius, chevalier romain de premier
ordre, lui assurait donc qu'ils obtiendraient de nouveau
un non-lieu.

Cependant, quelques jours avant le procès, Timarchide, l'intendant général de la cohorte infernale de
Verrès, se présenta au domicile de Sopater pour l'entretenir de son procès.

— Je suis fondé de pouvoir du gouverneur et j'ai eu
connaissance de ton affaire. Celui-ci m'a chargé d'une

mission auprès de toi pour t'éviter les tracas de la procédure.

– Mais je ne suis pas du tout tracassé. Le préteur C. Sacerdos en a déjà jugé. Je suis innocent du crime dont on m'accuse. Je vais donc me présenter, en toute sérénité devant mes juges.

Timarchide leva une main pour l'interrompre et son visage se déforma dans un sourire cauteleux.

– Tu n'as pas bien compris ce que je veux dire. Les choses peuvent parfois se compliquer. Les gens sont si méchants ! Il se trouve que la partie adverse propose de l'argent pour convaincre la justice. Évidemment ce genre de transaction est défendu mais il faut compter avec la faiblesse des hommes.

Sopater s'emporta.

– C'est scandaleux. Le propréteur ne peut pas tremper dans ce genre de manœuvres. Il est le représentant de la loi. Il ne va pas ouvertement la bafouer.

– Qui parle de bafouer ouvertement la loi ? Il s'agit de simples arrangements. L'argent n'a pas d'odeur, personne ne peut le suivre à la trace. En fait, la question est ailleurs. Je suis venu te voir pour choisir avec qui l'arrangement devait se faire.

Dans son indignation, Sopater ne comprit pas tout de suite l'allusion.

– Je ne vois pas de quoi tu parles. Un jugement ne s'achète pas. Si mes adversaires tentent de le faire, je les ferai condamner pour cela.

Timarchide le regardait sans cesser de sourire.

– Je vais t'éclairer. Verrès est bien intentionné à ton égard. Il préférerait donc recevoir de l'argent pour ton salut plutôt que pour la satisfaction de tes ennemis. Autrement dit, il te donne la préférence, il accepte que tu achètes son jugement.

– Mais c'est une infamie !

– Oh ! Tout de suite les grands mots. Mais sois tranquille je ne lui rapporterai pas tes excès. Dis-moi plutôt ce que tu décides.

Sopater était hors de lui.

– Je ne décide rien. D'ailleurs je suis dans une situation financière exécrable du fait d'une mauvaise récolte d'olives et des taxes supplémentaires dont Verrès nous a déjà gratifié. Je vais prendre conseil auprès de Q. Minucius, mon avocat, et de mes amis.

Timarchide se dirigeait déjà vers la sortie.

– Ne tarde pas trop. Je connais bien mon maître. Il est très versatile. Un rien peut l'influencer et le faire changer d'idée. N'oublie pas que tes ennemis semblent tenaces à vouloir ta perte.

Après quelques jours, Sopater se rendit dans une des ailes du palais que Timarchide occupait depuis que Verrès s'y était installé. L'affranchi le reçut aussitôt avec une grande courtoisie.

– Je suis sûr que tes amis ont été de bon conseil. Ton visage est apaisé, c'est que tu as pris la bonne décision.

– Je n'ai pas le choix. C'est un déni de justice, mais je dois en passer par là. Je suis surtout venu pour négocier la somme que tu demandes. Tu sais que mes affaires vont mal. Ma richesse s'est envolée. Combien veux-tu ?

– Je prends sur moi de ne demander que cent cinquante mille sesterces. Et je risque gros car habituellement, Verrès demande beaucoup plus.

– Mais c'est une somme exorbitante ! Je ne peux pas payer. Il faudrait que je vende une partie de mes terres.

Sopater se prit la tête dans ses mains. Il semblait écrasé par un sort funeste. Il ne voyait pas d'issue à ce piège qui lui était tendu par le magistrat suprême.

– Allons, nous ne voulons pas la ruine de nos administrés. Combien me proposes-tu ?

Sopater en bégayait d'émotion.

– Je, je, je... ne sais pas. Peu... peut-être... cinquante mille je pourrai les trouver.

– Ah !non. C'est vraiment trop peu. Allons, fais un effort. Tu pourrais emprunter. Tu as beaucoup d'amis, tous ceux qui te défendent.

– Mais je ne pourrai pas rembourser. Et mes biens reviendraient à mon créditeur. Je suis perdu.

– Peut-être as-tu caché quelques belles statues grecques que tu pourrais offrir à Verrès. C'est un grand amateur d'art. Il apprécie particulièrement les représentations de Déméter en marbre blanc. Cela pourrait le rendre indulgent.

– Non. Je ne possède aucune œuvre d'art.

Timarchide était de la même race que Verrès. Il jouissait de faire le mal. Le spectacle de cet homme désemparé, aux abois, le comblait.

– Écoute, Sopater. Je ne devrais pas mais je vais te faire un grand cadeau. Je prends en compte tes difficultés. Tu me donnes quatre-vingt mille sesterces et l'affaire est entendue. C'est mon dernier prix.

Sopater s'était levé. Il lui semblait avoir vieilli de dix ans en quelques instants. Il franchit les portes du palais et quitta l'île sans s'en apercevoir. Il se retrouva dans Syracuse, hébété. Quatre-vingt mille sesterces s'entrechoquaient dans sa tête en un bruit infernal. Mais il fallait payer.

L'accusé comme ses amis croyaient l'affaire réglée après la remise de la somme exigée. Mais, le jour du jugement, ils durent déchanter. Verrès s'arrangea pour que l'affaire ne se terminât pas le jour même mais fut renvoyée au lendemain.

Dans la soirée, Timarchide était de nouveau chez Sopater.

— Je suis bien ennuyé par ton affaire, sais-tu ? Il nous arrive une drôle d'histoire. Tes adversaires sont tellement acharnés contre toi qu'ils ont promis de verser le triple de ce que tu nous as donné. Tu comprendras que nous hésitons devant une telle proposition. Non pas que nous soyons très avides d'argent mais il s'agit de sommes importantes dont la plus grande partie ira à l'État.

Sopater n'en crut pas ses oreilles. Il devint rouge d'indignation contenue.

— Mais vous êtes ignobles ! Ce chantage ne finira donc jamais ? Cette surenchère peut continuer indéfiniment d'autant plus que je ne peux pas vérifier vos dires. Et comment peux-tu avoir l'impudence de dire que cela ira alimenter les caisses de Rome ?

— Mettrais-tu en doute la parole de ton gouverneur ? C'est grave, Sopater, de douter de celui qui est l'incarnation même de la justice. Je ferai semblant de ne rien avoir entendu, encore une fois. Mais tu dois te décider vite.

Or Sopater ne pouvait en tolérer plus. Il explosa :

— Je te voue aux Gémonies, toi, tes comparses et ton maître qui n'est qu'un vautour assoiffé d'or et de sang. Je ne veux plus te voir chez moi. Je ne paierai pas un as de plus. Va dire à Verrès qu'il doit juger dans l'équité et que, s'il le faut j'en référerai à Rome. J'ai déjà gagné ce procès sous la préture de Sacerdos et je devrai maintenant monter les enchères d'une bande de scélérats qui remettent en cause la chose jugée !

Timarchide s'était levé, l'air amusé, très patelin.

— Comme tu veux mais tu prends de gros risques. Je ne garantis plus rien. Tu es à la merci d'un coup de sang du gouverneur. J'étais seulement venu pour te rendre service et t'éviter le pire.

– J'assumerai le pire s'il le faut. Maintenant, sors de ma maison.

Durant les jours suivants, Sopater tint conseil auprès de ses défenseurs et de ses amis. Il fut convenu d'attendre sereinement le procès. De l'avis général, il était impossible que, devant les mêmes hommes de la circonscription judiciaire de Syracuse qui avaient débouté les accusateurs de Sopater du temps de la préture de Sacerdos, un jugement contraire soit rendu. Ils connaissaient tous les membres de ce conseil, hommes nobles et honnêtes, et aucun d'entre eux ne se rendrait coupable d'un tel déni de justice.

C'était sans compter avec cette terrible réalité : le conseil n'avait que voix consultative et ne participait donc pas de la décision du préteur, seul pour juger et seul pour porter la sentence.

Le jour venu, Sopater se présentait de nouveau devant ses juges. Verrès avait décidé d'isoler le prévenu.

Il commença par inviter Petilius, un chevalier romain, à s'occuper d'une affaire de droit civil dont il avait la charge.

– Le jugement de ce jour ne présente aucune difficulté. Je connais vos avis et j'en tiendrai le plus grand compte. Toi, Petilius, je sais que tu es juge, ce matin même, dans le différend territorial qui oppose Cornelius Sisenna à Caïus Marcellus. Je tiens à ce que tu y ailles. Et je ne retiens aucun de ceux qui, parmi vous, souhaitez être assesseurs dans ce procès.

Rassurés, Petilius et ses amis quittèrent donc la salle d'audience.

Persuadé que l'affaire de Sopater serait retirée de l'ordre du jour, Q. Minucius, l'avocat de Sopater, s'apprêtait également à quitter les lieux lorsque le préteur l'interpella.

– Que fais-tu ? C'est à toi de parler. Je dois maintenant t'entendre sur l'affaire Sopater.

– Devant quels juges dois-je parler ?

– Devant moi, du moins si je te parais capable de juger ce misérable dont je ne sais s'il est grec ou sicilien.

L'avocat essaya de ne pas envenimer les choses.

– Tu es capable de juger, mais je désire vivement la présence du conseil qui vient de se retirer. C'est lui qui a examiné l'affaire l'an dernier, il en connaît les moindres détails, sa présence est un gage pour que la justice soit rendue en toute équité.

– Je t'ordonne de parler. Ces citoyens ne peuvent pas être présents. Ils ont d'autres affaires à traiter.

– Par Hercule, je le sais bien puisque c'est toi qui viens de demander à Petilius et à ses amis de sortir. Dans ces conditions je te déclare que celui-ci m'a également demandé d'être présent dans son conseil. Je te salut, propréteur ! Je n'assurerai pas la défense de Sopater et tu ne pourras pas juger.

Et Q. Minucius quitta la salle sous les hurlements de Verrès.

– Reviens. Tu seras poursuivi pour abandon de charge. Je te ferai mettre aux fers. Je te ferai rayer du barreau. Tu n'auras plus le droit d'exercer en tant que juge. Je te ferai donner les verges et condamné à l'indignité et à l'exil. D'ailleurs tous les Grecs devraient être exterminés. C'est de la racaille. Cela nous permettrait de donner des terres à nos vétérans. Il faut vider la Sicile et la repeupler avec des citoyens romains. Des vrais, des purs, digne de la grande lignée traditionnelle latine...

Verrès éructait. Il postillonnait sa haine. Il vomissait son mépris. Tout son corps tremblait convulsivement. Et soudain, sans transition, il fit silence et sombra dans une grande prostration. La tête penchée en avant, le regard vers le sol, il pesait confusément les conséquences des différentes attitudes possibles. S'il rappelait son conseil, devant le public, après les tumultes précédents, il ne pourrait faire autrement que de prononcer un acquittement. Mais s'il cassait le jugement rendu par Sacerdos comme ses pouvoirs l'y autorisaient, il s'attirerait à jamais la haine du public.

C'est dans cet état d'irrésolution qu'il était le plus dangereux. Car la décision qu'il allait prendre était totalement imprévisible.

Timarchide, son agent dévoyé, venait le conseiller à voix basse l'incitant à prendre rapidement une décision. De son banc, Sopater seul contre tous, avec comme juges improvisés la cohorte infernale, le suppliait.

– Sois clément, Verrès. Rappelle ton conseil pour pouvoir instruire calmement mon affaire. Ta colère t'égare. Tu dois reprendre tes esprits.

Mais Verrès n'entendait rien. Il fit entrer trois témoins qui firent une courte déposition. Aucun interrogatoire. Aucune question de la défense puisqu'elle était absente. Un signe à l'huissier qui, aussitôt, prononça la formule :

– Les débats sont clos.

Après un court conciliabule avec son scribe, son médecin et son haruspice qui figuraient les juges dirigés par Timarchide, il prononça une incroyable sentence : condamnation à recevoir soixante coups de verge sur le forum. Exécution immédiate.

Tandis que les licteurs traînaient le malheureux vers la place publique pour lui administrer son châtiment, le peuple pouvait l'entendre crier son indignation.

– Je te maudis, Verrès. Tu es deux fois infâme. Pour m'avoir demandé d'acheter mon acquittement et avoir ainsi réclamé de l'argent pour une chose déjà jugée, et pour m'avoir condamné alors que tu as reçu cet argent.

Tu n'as même pas l'honneur des brigands. Tu n'as pas de parole. Pas de fierté. Pas de dignité.

Le forum était plein d'une foule en colère mais la garde en armes faisait cercle autour des licteurs. Personne n'osait faire plus que de tenir des propos désobligeants tout en prenant bien soin de ne pas être repéré par d'éventuels délateurs.

Sopater avait rapidement été dépouillé de ses vêtements. Nu, les mains liées appuyées sur un gros pieu fiché dans le sol, il devait courber le dos pour recevoir les soixante coups. Deux licteurs placés de chaque côté du malheureux frappaient alternativement en cadence, sans se presser pour faire durer la peine. Il résista, debout malgré la douleur cuisante. Mais il sentait peu à peu ses forces diminuer. Il perdait conscience. Puis, accablé de coups, il s'évanouit et s'écroula.

Défections

L'affaire Sopater avait fait grand bruit. Rien ne pouvait justifier cette sentence et un tel déni de justice déclenchait des réactions hostiles à Verrès même parmi ses proches. La situation devint encore plus tendue lorsque, pour se disculper d'une accusation mensongère, Verrès livra le nom de son propre gendre, Spurius, comme étant l'auteur des propos qui lui étaient reprochés.

Celui-ci demanda aussitôt aux deux légats du gouverneur, Sergius Censorinus et Julius Calvinus, de le rejoindre dans sa villa. Il s'était lié d'amitié avec eux depuis son arrivée à Syracuse et connaissait leur point de vue très critique concernant les abus de pouvoir de leur chef.

Spurius était très courroucé.

– Ton père a dépassé les bornes, Julia. Il vient de m'accuser publiquement de vol. Je ne peux évidemment pas me laisser couvrir d'ignominie par une homme qui bafoue la loi chaque jour. Je me suis tu jusqu'à maintenant par respect pour ta famille, mais je t'annonce que dès demain j'irai déposer devant les juges et rétablir la vérité. En même temps je prendrai congé de lui. Je ne peux plus lui servir de caution morale

— Ne peux-tu attendre quelques jours, Spurius. Tu connais le caractère emporté de mon père. Il peut revenir sur ses accusations. Nous sommes si bien en Sicile. Tu sais que je suis enceinte. J'aurais tant aimé que notre enfant voie le jour ici.

— Je sais que je vais t'imposer un voyage long et pénible peu compatible avec ton état. Mais ma décision est prise.

— Ton mari a raison, Julia. Et nous allons faire la même démarche. En tant que légats il nous devient inacceptable de fermer les yeux sur ses comportements. Nous engageons notre propre responsabilité pour chacune de ses décisions puisqu'en son absence ou sur sa délégation nous sommes investis des mêmes pouvoirs que lui. Rome peut nous demander des comptes et cela risque de gravement compromettre notre carrière.

— Je pourrais peut-être intervenir auprès de mon père. Vous savez qu'il m'écoute, parfois. Il s'agit sans doute d'un malentendu.

— Non, Julia. Ton père a donné mon nom parce qu'il pensait que je prendrais ce vol à mon compte par esprit de famille. Je vais de ce pas lui signifier mon congé.

Les trois hommes furent immédiatement introduits dans le bureau du gouverneur. Verrès était assis sur sa chaise curule, à distance de son grand bureau de chêne ciré.

— Nous venons t'annoncer l'imminence de notre départ, lui dit Spurius.

– Vous aussi, Sergius et Julius, mes deux légats préférés, vous voulez me quitter. Je peux comprendre l'accès d'humeur de mon gendre suite à ce petit différend concernant un vol qu'il ne veut pas reconnaître, mais pour vous, il s'agit d'une désertion.

Spurius était hors de lui.

– Comment peux-tu parler ainsi ! Tous les témoins sont unanimes. Tu es le voleur désigné et je ne couvrirai en aucun cas ce larcin. Je pars avec Julia dès demain et je te demande de ne plus me considérer comme membre de ta famille.

– Tu oublies que ma fille me donnera d'ici peu un petit-fils ou une petite-fille sur lesquels j'aurai des droits.

– J'en référerai aux juges s'il le faut, mais personne ne peut m'obliger à rester auprès de toi en Sicile. Adieu, Verrès.

– Et vous, mes légats, quels sont vos arguments ?

– Tout le peuple de Sicile gronde. Certains ont déjà décidé d'aller à Rome pour déposer plainte contre toi. Ils font campagne pour rameuter leurs concitoyens. Dans un an, ils seront légion et les preuves seront tellement accablantes que tu seras condamné. Nous ne voulons pas être inculpés de concussion avec toi, Verrès. C'est pourquoi nous te proposons un marché. Tu nous laisses partir et nous ne témoignerons pas contre toi.

Verrès s'était dressé pour exprimer sa violence.

– Vous êtes les rats qui quittent le navire en perdition. Mais Verrès n'est pas en perdition et il vous montrera de quoi il est capable. Partez, je ne vous connais plus. Je vous retire immédiatement vos laissez-passer. Rentrez à Rome comme vous le pourrez. Vous n'êtes plus sous ma protection. Sortez.

4.

Là-bas

Pendant l'été 72, Chélido fut prise de crises de toux violentes suivies de crachements de sang abondants. Elle dépérit en quelques semaines et fit parvenir un courrier à Verrès le suppliant de venir l'aider dans ses derniers moments.

Verrès avait beaucoup aimé Chélido. Il décida de se rendre à son chevet et utilisa, pour aller plus vite, les services d'une des trirèmes de sa flotte de combat. Il demanda à Timarchide de l'accompagner pour l'aider dans les formalités des funérailles. Il mouilla à Naples où elle avait été transportée pour se rapprocher de ce qui lui restait de famille. Une vieille tante et une sœur actrice dans une troupe de mimes qui se produisait en Campanie.

Il la trouva dans une somptueuse villa au bord de la mer. Elle était installée au premier étage, le lit face à l'horizon. Une vue superbe sur toute la baie de Naples avec l'île de Capri dans le lointain. Elle n'avait plus la force de se lever et toussait presque sans arrêt, par quintes qui duraient une éternité au cours desquelles du sang apparaissait aux commissures de ses lèvres avant qu'elle ne rejette un liquide spumeux rosâtre.

Dans les moments d'accalmie ils purent se parler. La mort n'effrayait pas Chélido.

— Je t'ai suivi là-bas en rêve. Dommage pour la Sicile, nous aurions pu avoir de grands moments, comme à Rome.

Verrès la contemplait avec gravité. Il sentait qu'il allait perdre un des rares êtres humains qui avait eu une réelle influence sur le cours de sa vie. Lui qui défendait la pureté de la lignée aristocratique, il avait choisi de vivre avec cette femme du peuple et c'est elle qui lui apparaissait, au crépuscule de sa vie, comme nimbée d'une réelle noblesse. Il avait pourtant tenté de s'en servir comme d'un jouet pour se moquer de tout, pour hurler à la face du monde son mal de vivre. Il en avait fait, dans une parodie qu'il voulait digne des farces de Plaute, un auxiliaire de justice, quand il avait été nommé préteur. Mais elle avait déjoué ses pièges.

Comme si elle lisait dans ses pensées, elle lui murmura :

— Je t'ai bien étonné avec mes verdicts. Mes jugements étaient souvent meilleurs que les tiens. Tellement que les plaignants préféraient souvent que ce soit moi qui les prononce. J'aurai pu faire encore mieux en Sicile. Peut-être t'éviter de continuer à t'égarer.

— Pourquoi dis-tu cela ?

— Je sais tout. Depuis dix-huit mois je suis informée très régulièrement. Grâce à toi j'ai une belle fortune que j'ai fait fructifier. Je suis très riche. Cela m'a permis de me faire servir et d'atténuer les souffrances de la maladie. Et j'ai pu aussi avoir des informateurs permanents auprès de toi.

— Tu ne m'as jamais écrit.

– Je ne voulais pas t'encombrer, t'importuner. Et puis je maîtrise mal ce moyen d'expression. Je suis une conteuse. Je n'ai pas eu comme toi d'esclaves lettrés pour m'apprendre la rhétorique.

– Petite Chélido[1], petit oiseau, tu n'as pas eu la force de franchir d'un coup d'aile le détroit de Messine ? Il ne fait pourtant guère plus de deux milles.

– J'étais dans tes pensées parfois mais j'ai eu peu d'influence. Je constate que tu as encore fait beaucoup de bêtises. Il court sur toi des histoires terribles, horribles même. Je sais que tu devras payer pour cela. Et je ne serai plus là pour te donner la main.

Il eut soudain une idée de gosse. Une de ces idées qui, dans son enfance de petit prince trop gâté, le faisait trépigner de rage lorsqu'il constatait qu'elle ne se réalisait pas.

– Et si tu guérissais. Tout pourrait être comme avant. Je t'emmène là-bas...

– Mais auparavant tu chasses ton harem et tu renvoies la plupart des malfrats de ta cohorte.

Il se taisait. Il pensait soudain à Tullia, la seule femme de Sicile qui lui avait résisté. L'évidence crevait les yeux. Il avait besoin d'une vraie femme, d'une vraie compagne, d'une aventurière surdouée qu'il pourrait aimer. Mais il était tellement engagé dans ses rôles de tyran cynique. Il en avait tant fait dans la provocation. Comment pourrait-il revenir en arrière, s'amender, présenter un autre visage, offrir aux autres cette métamorphose, la face cachée de Verrès ?

– Si je peux, de là-bas, de cet autre monde qui m'attend, je te viendrai en aide. Fais faire quelques sacrifices pour moi. Pour la bienséance. Pas des bœufs, des

---

1. Chélido veut dire « hirondelle » en grec.

brebis suffiront ou même quelques poulets. Tout dépend si tu veux faire riche. Nous en avons les moyens !

– Je n'ai pas fait venir mon haruspice, il est trop laid.

Chélido eut la force de sourire faiblement.

– Tu as bien fait. Il est vraiment laid. Même morte, je crois qu'il m'aurait fait peur avec son grand couteau. Et puis, ni toi ni moi ne croyons en ces simagrées. Tout reste mystère à propos de l'au-delà !

– Oui. Tout reste mystère !

Elle avait fermé les yeux. Verrès s'approcha.

– Chélido... Chélido ?

Elle entrouvrit les paupières. Il eut l'impression qu'elle lui adressait très discrètement un dernier clin d'œil et poussa un grand soupir avant de s'immobiliser.

Verrès s'approcha, lui fit un long baiser sur les lèvres pour recueillir son dernier soupir et réclama les servantes. Les jeunes esclaves assistaient Chélido depuis plus d'une année. Elles étaient toutes en pleurs.

– Vite, il faut l'appeler.

Ils se mirent en chœur à clamer son nom, plusieurs fois, à très haute voix. Selon la coutume, il fallait s'assurer qu'elle était bien morte, que ce n'était pas juste une léthargie passagère. Il cria.

– Faites monter les musiciens. Qu'ils jouent dans ses oreilles.

Des joueurs de flûtes et de trompettes montèrent les escaliers quatre à quatre et se mirent à faire sonner leurs instruments de plus en plus fort très près du visage de Chélido. Mais elle resta impassible.

Verrès leva les deux mains.

– Assez, sortez tous.

Il était juste midi au cadran solaire du jardin. Une chaleur lourde plombait Naples et sa rade. C'était le 13 juillet 72.

Il ferma les yeux et les lèvres de sa compagne.

Le silence se fit. Il avait besoin d'habiter ce silence avec sa morte. Pour un court moment. Il lui prit la main. Il lui caressa le front. La chaleur n'avait pas encore quitté son corps. Tout était presque comme avant quand il la contemplait lorsqu'elle dormait. Il sentit qu'il pleurait. Mais ce n'était pas une faiblesse passagère. Peut-être un dernier témoignage d'amour. Le monde des vivants était presque aussi mystérieux que le monde des morts.

Il sortit de la chambre.

En bas Timarchide attendait avec la cohorte des esclaves. Tout était prêt pour s'occuper du corps.

— Veille à ce qu'elle soit très belle, Timarchide. Je reviens dans deux heures.

Chélido fut lavée, parfumée. Son corps fut enduit des huiles les plus précieuses. La myrrhe, le romarin, l'essence de rose et de jasmin mêlèrent leurs senteurs. On l'habilla d'une robe de soie rouge qu'elle affectionnait revêtir quand Verrès, par provocation, l'emmenait parmi les aristocrates. Son visage fut fardé comme elle aimait. Discrètement.

— Avec cette robe, ils sont obligés de voir mes cheveux noirs un peu crépus et mon teint basané. J'aime bien les inquiéter, disait-elle. J'ai l'air d'une esclave numide métisse !

On n'oublia pas de lui mettre une pièce d'un sesterce dans la bouche pour payer Charon qui transportait les morts sur l'Achéron. L'entrée aux pays des ombres était à ce prix.

Son corps fut exposé au rez-de-chaussée, dans le vestibule, les pieds tournés vers le dehors comme il se doit. La vieille tante et sa sœur passèrent en fin d'après-midi. Les pleureuses étaient déjà là et avaient entamé leurs lamentations.

Verrès avait prévu d'organiser le cortège funèbre dès la nuit venue sans attendre. Il avait fait les choses dans les règles comme s'il se fut agi d'un membre d'une *gens* connue. Mais il n'avait invité personne. Cette morte n'appartenait qu'à lui.

Il avait refusé de se couvrir la tête de cendres. Il trouvait cela grotesque et pensait que les pleureuses suffisaient pour donner le spectacle de l'affliction.

Il avait revêtu une toge blanche immaculée, sans les bandes rouges de sa fonction. Le blanc, le blanc pur était la couleur du deuil et cela lui plaisait.

Quatre esclaves portaient le lit. Vingt autres entouraient le cortège, torches à la main. Huit musiciens jouaient en force. Verrès avait demandé qu'il y eût du bruit pour éloigner les mauvais esprits peut-être et aussi les mauvais souvenirs. La musique n'était pas belle mais elle n'est jamais belle au cours des enterrements. Il était au milieu du cortège avec Timarchide, derrière la morte. Sa sœur lui avait donné la main et la vieille tante se lamentait comme une pleureuse professionnelle. Il avait conscience que ce rituel était très conventionnel mais la vie romaine n'était-elle pas que conventions. C'est pour cela qu'il enchaînait les pirouettes et se comportait comme un malotru sans cesser cependant de revendiquer les privilèges de sa caste. Parce que depuis l'enfance il étouffait enfermé dans un cercle où tout était réglementé, dans cette société rigide de bienséance apparente où chacun observait l'autre pour lui porter, dès que possible, le coup fatal qui libérerait une place sur le chemin des honneurs. Il avait cependant joué le jeu et gravi tous les échelons mais en renâclant et avec une répugnance qui s'intensifiait avec le temps. Et maintenant il était au bout. Il devait lui arriver quelque chose.

Sur sa droite, un personnage attira son attention et le sortit de ses réflexions. C'était l'histrion. Le mime qui appartenait aussi à la tradition. C'était un homme qui, pour la circonstance, s'était déguisé en femme. Il était habillé d'une robe très légère rose pâle, s'était coiffé d'une courte perruque noire et tentait d'imiter la voix et les intonations de la morte, comme il se devait. Évidemment il n'y arrivait pas. Verrès eut une bouffée de colère vite réprimée. L'homme faisait son métier. On ne pouvait lui en vouloir d'être mauvais. Il ne connaissait pas Chélido et elle était connue. Comment aurait-il pu l'imiter ?

Le cortège était maintenant dans la campagne et s'approchait du bûcher. Verrès se sentit soulagé. Il lui restait à accomplir un geste très symbolique. Le plus beau peut-être. Un geste d'espoir. Puisqu'il allait déclencher la destruction de ce corps qu'il avait aimé, il devait espérer que Chélido allait exister ailleurs.

Les esclaves avaient déposé le cadavre sur le bûcher et les servantes venaient y jeter les bijoux et les objets personnels de la défunte. On avait également disposé des mets préparés le jour même, ceux que Chélido préférait. Elle était prête pour le voyage.

Il lui restait deux choses à accomplir avant l'ignition.

Il sortit d'une petite poche de sa toge une magnifique bague en or supportant une aigue-marine et la glissa sur l'annulaire droit de la morte. Il la lui avait offerte quand il était tombé amoureux d'elle. Il revoyait la scène. Il avait dû faire un emprunt à son père pour en payer le prix exorbitant à un marchand persan qui lui avait assuré qu'elle avait été portée par une princesse égyptienne. La maladie avait tellement amaigri Chélido qu'elle ne pouvait plus la porter. Il l'avait conservée pour elle. Elle en aurait besoin au royaume des ombres.

Puis il s'avança vers le cortège qui attendait en silence. Timarchide lui tendit une torche qu'il brandit à bout de bras.

Auparavant, il voulait dire un mot comme c'était l'usage, faire l'éloge de la défunte. Mais il n'avait pas d'assistance. Un discours de circonstance aurait été déplacé. Et seul Timarchide aurait pu peut-être le comprendre. Il chercha ses mots, étonné d'être saisi par une émotion qui lui semblait remonter de son enfance. Il revit sa mère morte alors qu'il n'avait que huit ans. Il sentit resurgir son immense désespoir.

– Chélido, tu m'as donné le meilleur de ta vie. Ce fut aussi le meilleur de la mienne. Essaie de me faire parvenir un peu de la paix qui désormais t'habite.

Il s'approcha à reculons du bûcher et l'alluma sans regarder la morte.

Une fois les cendres et les restes d'os recueillis dans une urne en marbre bleu, Verrès confia le reste des opérations à Timarchide.

Dans un ultime témoignage d'amour, il avait décidé de déposer l'urne funéraire dans la propre tombe de sa famille située à la sortie de Rome.

5.

Démon et merveilles

Dès leur retour d'Italie, Verrès relança Timarchide qui n'avait pas encore débusqué de statue pourvue de la mystérieuse clé.

– Je crois tenir une piste. Il faut que tu te rendes chez Héraclius qui habite une superbe villa à la sortie de Syracuse sur la voie qui conduit à Gela. Selon Tlépolème qui est allé fouiner par là, une surprise t'attend.

Verrès connaissait de réputation cette somptueuse demeure et les collections d'art qu'elle abritait. Une visite s'imposait.

En pénétrant dans le vestibule il s'arrêta, envoûté. Entre chaque paire de colonnes du péristyle, une statue de marbre blanc, six de chaque côté et à l'extrémité, dominant une petite fontaine, une splendide représentation de la déesse Déméter en marbre blanc. Le drapé parfaitement stylisé dévoilait le seul sein gauche dont le galbe sensuel déclencha en lui un trouble incontrôlable. Il était en quête de cette statue depuis des années. Contournant le socle, il chercha aussitôt à retrouver le signe mystérieux, la clé inscrite dans un cercle dessiné sur son vieux parchemin. Une voix insistante en lui murmurait qu'il était sur le point d'aboutir.

— Elle est de la main du meilleur élève de Praxitèle. Peut-être une fidèle copie d'un original envoyé en Égypte, au pharaon, précisa Héraclius. Doucement, pour ne pas déranger la contemplation de Verrès, il ajouta :

— C'est un chef-d'œuvre, le clou de ma collection. Je l'ai négocié à Athènes lors de mon voyage au printemps dernier. Elle m'a coûté une petite fortune, cinquante mille sesterces. Mais elle me procure une telle joie que je ne la vendrai jamais de mon vivant, même pour deux fois ce prix.

Pendant ce temps, Verrès avait repéré le signe gravé discrètement dans un repli du drapé à l'arrière du chef-d'œuvre. Son cœur s'était mis à battre sur un rythme endiablé. Il se tourna vers son hôte. Il lui souriait soudain, de son sourire carnassier, les yeux traversés par une onde tumultueuse, une déferlante de violence et de concupiscence. Il n'était pas venu pour rien. Ses espions avaient fait un bon travail de repérage.

— Marché conclu. Je te l'achète pour un sesterce.

Vaguement inquiet, Héraclius fit semblant de se laisser prendre au jeu.

— Je vois que notre nouveau gouverneur est à la fois esthète et taquin. Je me ferai un honneur et un plaisir, lors de mon prochain voyage en Grèce, dans le courant du mois de mai, de négocier pour lui un autre chef-d'œuvre de même facture, au meilleur prix.

Verrès s'était alors adressé au sbire qui le suivait à la tête d'une petite troupe armée et de huit esclaves :

— Tu es témoin, Timarchide. Il me l'a vendue pour un sesterce. La générosité des Siciliens m'étonne chaque jour un peu plus, c'est pourquoi je ne marchanderai pas. Tu peux emporter l'objet et tu chargeras, en prime, les douze autres statues car Déméter serait bien seule sans ses compagnes.

Héraclius était resté interdit devant le péristyle. Avant qu'il ait pu esquisser un geste, Déméter fut arrimée sur un chariot à l'extérieur de la villa. Il croyait encore en une mauvaise farce du gouverneur qui voulait éprouver son caractère.

— Que signifie ceci, Verrès ? Si tu souhaites contempler ma statue à loisir dans tes jardins, je te la prête pour la durée de ton séjour parmi nous. Il n'est pas nécessaire de déployer ta force armée.

Mais Verrès s'avançait fouillant dans sa bourse.

— Qui a parlé ici de prêt ou, encore pire, de location. Sache, mon ami que je ne loue ni n'emprunte jamais. Je prends beaucoup et je donne peu. Souvent je prends sans rien donner. Qui me résiste encourt le pire. C'est le privilège des nobles. Voici un sesterce, Héraclius et nous sommes quittes. Je te ferai parvenir une quittance.

Il tendit la main vers Héraclius. Entre son pouce et son index une pièce d'argent.

— Et surtout, Héraclius, surtout ne me fais pas l'affront de me refuser cette pièce.

Celui-ci avait blêmi. Au fond de lui, un désir de meurtre. Il prit la pièce, garda le poing fermé dessus et l'enfouit dans une poche de sa toge sans mot dire en se détournant.

Mais Verrès lui fit face, de nouveau.

— Ah ! oui. Pour les registres, je te ferai un reçu de deux cent mille sesterces.

Au bon plaisir

Après cette première trouvaille, Verrès n'eut de cesse de découvrir d'autres statues de Déméter. Il était maintenant persuadé que le vieux parchemin disait vrai. Il y en avait certainement encore six éparpillées dans l'île, cette île dont « le nombril est un volcan qui crache » et qui ne pouvait être que la Sicile.

Une nouvelle piste lui fut indiquée par Hiéron, l'acolyte de Tlépolème, qui avait pour mission de faire le recensement des œuvres d'art entre Messine et Panorme. Chez Sthénius qui habitait Thermes, une impressionnante collection l'attendait.

Verrès aimait beaucoup cette ville située sur la côte nord de la Sicile. Lorsqu'il avait affaire à Messine, cité qui lui était entièrement dévouée, au lieu de regagner directement son palais de Syracuse en empruntant la voie qui longeait la côte ionienne vers le sud de l'île, il lui arrivait souvent de s'accorder un détour par cette riche localité et pour des séjours de durée variable.

Dès son arrivée en Sicile, il s'était lié d'amitié avec ce notable de Thermes nommé Sthénius. Grand amateur d'art, celui-ci s'était fait construire, pour pouvoir héberger ses collections, une immense et luxueuse villa sur un promontoire rocheux qui dominait la mer Tyrrhénienne. Son habitation regorgeait de merveilles en provenance de tout le bassin méditerranéen.

Sthénius avait commencé à développer cette passion pendant son adolescence passée en Asie. Il collectionnait les statues, les peintures, les pièces d'orfèvrerie et il ouvrait ce véritable musée particulier aux habitants de sa ville. En effet, son plus grand plaisir était d'inviter ses concitoyens et de les initier à découvrir les différents styles des différentes époques, les créations originales de chaque sculpteur ou de chaque orfèvre.

Dès sa première visite, Verrès avait apprécié avec une gourmandise suspecte.

— Mon cher Sthénius, tu es certainement le meilleur connaisseur d'art de Sicile. Nulle part ni à Rome, ni en

Italie je n'ai vu une telle profusion d'objets précieux et d'œuvres de qualité. Sais-tu que je pourrais être jaloux de toi ? Tes collections sont très supérieures aux miennes.

Le maître des lieux avait adopté une attitude modeste.

– Je ne suis qu'un amateur. Un amateur éclairé sans doute mais je reste un amateur et mes nombreuses occupations en Sicile ne me permettent plus de parcourir les mers en quête de nouveaux objets. Je te remercie de t'intéresser à cela. Malgré notre prestigieux passé, les colons grecs et leurs descendants s'intéressent peu à la culture et à l'art. Rares sont ceux qui peuvent les apprécier à leur juste valeur. C'est pourquoi je t'invite chez moi selon ton gré. Accepte d'être mon hôte permanent.

Cette offre n'était pas tombée dans l'oreille d'un sourd. Verrès avait pris ses quartiers chez Sthénius et celui-ci tirait une certaine fierté de pouvoir se prévaloir de cette hospitalité.

Durant les premiers mois de l'année 73, Verrès avait comblé son hôte de compliments et avait donc chargé Hiéron, son homme de main, de s'attarder chez le célèbre collectionneur et de relever la liste de toutes les pièces précieuses de la villa. Intrigué par ce manège, celui-ci avait décidé de profiter de la prochaine venue de Verrès pour lui demander quelques explications.

Le moment était venu. Le gouverneur, alléché par les révélations de Hiéron, s'était de nouveau précipité à Thermes chez Sthénius qui lui posa la question sur le mode amusé.

– J'ai l'impression que tu fais un inventaire de mes collections. Si j'osais, je te nommerais grand intendant de mon musée personnel.

Verrès qui n'avait pas encore eu le temps de vérifier si certaines statues portaient bien la marque mystérieuse décida de frapper un grand coup.

– Tu ne crois pas si bien dire. J'en ai fait établir une liste exhaustive et, dans quelques jours, je ferai enlever tous les objets qui sont répertoriés. Je serai occupé pour une affaire importante à Lilybée, mais mon fidèle Timarchide se chargera de cette saisie.

Sthénius était stupéfait. Il crut à une plaisanterie.

– Une saisie ? Mais pourquoi saisirais-tu ces biens qui sont ma propriété depuis des années ? Je n'ai commis aucun délit et de plus, tu en profites quand tu veux puisque tu es mon hôte.

Une lueur inquiétante enflamma le regard de Verrès. Il sentait la profonde jouissance du pouvoir le transfigurer. Avec son cynisme habituel il annonça :

– Je saisis parce que c'est mon devoir de gouverneur de vérifier qu'il n'y ait pas de trafic illégal d'œuvres d'art sur mon territoire. Je saisis parce que je ne peux plus me passer de toutes ces merveilles qui seront beaucoup mieux à leur place dans mon palais de Syracuse. Je saisis parce que c'est mon rôle de redistribuer les richesses selon les mérites des habitants de cette province. Je saisis parce que tel est mon bon plaisir. Et j'en fais établir une liste pour que l'opération soit totalement légale.

Sthénius en resta abasourdi. Sans un mot il sortit et se dirigea à travers le parc planté de grands pins vers le belvédère qu'il avait fait aménager sur l'extrême pointe rocheuse de la propriété. L'eau d'un superbe bleu outremer laissait apparaître plus loin, à deux ou trois milles de la côte, une longue bande plus claire, vert émeraude, qui traduisait la présence d'un haut fond sableux. Le vent soufflait fort et la mer commençait à devenir mauvaise. Des creux de trois à quatre mètres entre les courtes lames frangées d'écume devaient rendre la navigation aléatoire. À l'ouest, à la hauteur de Panorme, un lourd céréalier cherchait difficilement à regagner l'abri du port.

Sthénius était perplexe. Il connaissait tous les racontars qui se colportaient à travers l'île, à propos du nouveau gouverneur, depuis son arrivée. Indulgent, il avait fait la sourde oreille. L'exercice du pouvoir n'est pas chose aisée et chacun sait que les informations, en passant de l'un à l'autre, deviennent vite des rumeurs calomnieuses. Mais il devait désormais envisager l'avenir différemment. Verrès était en train de lui faire la démonstration de ses talents pervers. Dès lors, une attitude à la fois ferme et conciliante s'imposait.

Sthénius décida de ne pas réagir à la provocation du gouverneur. De retour dans la villa il retrouva son hôte qui l'attendait en compagnie de Timarchide.

– Je te présente mon intendant, Timarchide, dit Verrès. Demain, un convoi de chariots viendra sous ses ordres. Nous sommes entre gens de bonne compagnie. Je suis sûr que tu sauras te montrer à la hauteur de la situation.

– N'aie aucune crainte, Verrès. J'ai bien compris que tu désirais m'emprunter mes collections et je souhaite qu'elles puissent te servir à embellir ton palais et à rehausser ton prestige lors des réceptions officielles. Je recommande à ta vigilance ma vaisselle en airain de Délos et de Corinthe ainsi que toute mon argenterie. La liste que tu as pris soin de faire établir me servira lors du changement de gouverneur à récupérer mon bien, dans quelques mois.

Verrès déambulait de long en large en réfléchissant. Ce n'était pas dans ses habitudes de faire le moindre compromis. Dans cette affaire, il était clair pour lui que tous les biens qu'il allait transférer à Syracuse étaient désormais sa propriété. Mais il avait d'autres projets concernant la ville de Thermes et Sthénius, en tant que magistrat faisant partie du duumvir, pouvait encore lui être très utile.

– Je vois que tu as du bon sens. J'accepte donc de continuer à être ton hôte. Le mieux est de faire comme s'il ne s'était rien passé chez toi. Je te demande seulement de ne plus faire venir tes concitoyens pour ces leçons d'histoire de l'art dont tu raffoles. Mais tu peux venir donner tes cours à Syracuse. Je t'invite bien volontiers dans mon palais, termina Verrès dans un grand rire.

Sthénius commençait à surmonter le profond dégoût que lui inspirait ce dangereux personnage. Il n'ajouta rien. Devant un préteur, chaque citoyen devait s'incliner et accepter en silence

Mais, Sthénius était bien décidé à se venger.

Les deux dernières statues

La moisson avait été excellente. Digne des attentes de Verrès. Il avait été chanceux. Parmi les très nombreuses statues saisies, il avait découvert cinq représentations de Déméter en marbre blanc, du même style que celle trouvée chez Héraclius à Syracuse, avec le signe, la clé dans le cercle, chaque fois gravé à l'arrière de l'œuvre, dans un pli du drapé. L'une d'elles, la plus belle, avait l'index droit pointé à l'horizontale selon la description du parchemin.

Verrès était au comble de l'excitation. Il ne lui restait que deux statues à trouver. Mais la tâche pouvait se révéler particulièrement difficile. Aucun indice ne permettait de les localiser et la Sicile était vaste. Cependant, Timarchide avait eu une idée.

– As-tu remarqué que les lieux publics de la ville de Thermes sont décorés à l'aide de statues du même style que celles que nous avons empruntées à Sthénius ? Il est possible qu'elles aient la même origine. Maintenant que nous avons repéré le signe mystérieux, je vais faire faire une inspection discrète.

Verrès ne cacha pas son impatience.

– Je veux les résultats dans trois jours.

Plutôt mourir

À quelque temps de là, Verrès passa de nouveau à Thermes et vint s'installer dans la villa de son hôte habituel. Celui-ci ne manifesta aucun signe d'étonnement et l'accueillit comme à l'accoutumée. Au cours du repas du soir le préteur interpella Sthénius :

– J'ai remarqué que votre forum ainsi que les allées qui mènent à la palestre et votre basilique étaient décorés de superbes statues de marbre et d'airain dont certaines remontent à plus de trois siècles...

– Elles sont chargées d'histoire, l'interrompit son hôte. Ces représentations des dieux de notre patrie, la Grèce, étaient les attributs de la ville d'Himère qui, il y a quatre siècles, resplendissait comme une des plus luxueuses et des mieux dotées en œuvres d'art, de la Sicile. Il n'en reste que ruines à quelques milles d'ici, en bordure de mer et le long du fleuve du même nom. Cette cité grecque fut mise à sac et totalement rasée par les Carthaginois en l'année 345. Après avoir fui leur région dévastée, les Himériens qui n'avaient pas été massacrés ou réduits en esclavage revinrent au pays et fondèrent la ville de Thermes où nous sommes. Mais les barbares de Carthage avaient tout pillé. Ce fut donc grâce à l'équité de P. Scipion l'Africain que nous eûmes la joie de retrouver nos statues après qu'il eut pris et détruit Carthage, notre ennemie de toujours. En effet, au lieu de s'attribuer comme prise de guerre pour ces jardins de Rome ou ses villas de province, toutes ces merveilles, ce grand général eut la noblesse de restituer à la Sicile tout ce que les Carthaginois avaient emmené par-delà la mer. C'est ainsi que nous avons récupéré ces œuvres d'art uniques et notamment une représentation symbolique de la ville d'Himère sous les traits d'une très belle femme, la représentation du poète Stésichore sous l'aspect d'un vieillard un livre à la main et celle d'une chèvre dont le réalisme était criant de vérité. Comme tu le vois, ce patrimoine est très précieux pour les habitants de cette cité qui en connaissent tous l'histoire.

– Tu parles avec autant de passion des beautés de ta ville que de tes chefs-d'œuvre. Tu es vraiment l'homme de la situation puisque tu sièges au sénat et comme magistrat. Tu vas donc convaincre tes compères de m'attribuer les plus belles pièces.

En entendant ces propos, Sthénius sentit une sourde colère l'envahir. Il se contint, mais son débit rapide et sa voix plus aiguë trahissaient sa profonde désapprobation.

– Tu ne peux pas demander ça au citoyen élu que je suis, en charge des finances de sa ville. Je n'ai rien dit lorsque, pour ton plaisir, tu m'as pris les joyaux de mes collections. Mais je m'opposerai de toutes mes forces au pillage de ma ville et je te jure que je ne bougerai pas le petit doigt pour te faciliter les choses, tout gouverneur que tu sois.

Verrès était bien décidé à imposer sa demande. D'autant plus qu'il savait, depuis quelques jours, que deux statues de Déméter portant la marque de la clé dans le cercle se trouvaient parmi les œuvres appartenant à la ville

– Tu refuses d'obéir à ton préteur ?

– Mon préteur ne peut me demander de commettre des actes iniques, des actes qui sont contraires au droit et à la morale.

– Mais tu m'accuses d'être un gouverneur perverti ?

– Non. Je dis que jamais je n'inciterai mes concitoyens à enlever de leurs rues et de leurs places les statues
et les monuments de leurs ancêtres pas plus que les
dépouilles de leurs ennemis jurés, ces Carthaginois odieux
vaincus par Scipion. Je préférerai les inviter à quitter leur
ville une nouvelle fois pour ne pas assister à ce désastre,
ce serait plus honorable. Et plutôt mourir que de se soumettre.

Verrès s'était levé, déconcerté. Il ne s'attendait pas
à cette réaction. Le pillage de sa villa n'ayant entraîné
aucune protestation, il pensait trouver en Sthénius un
collaborateur respectueux sinon empressé. Dévastatrice,
sa colère montait. Il se leva et hurla :

– Tu ne seras plus jamais mon hôte, Sthénius, et tu
risques de le regretter amèrement. Je vais trouver un autre
hébergement chez des citoyens plus complaisants et je ne
manquerai pas une occasion de te nuire pour te punir
d'une telle audace.

Timarchide, son âme damnée, lui trouva aussitôt une
solution de repli parfaitement adaptée à ces circonstances
imprévues.

– Je vais t'emmener chez des habitants de Thermes
qui seront peut-être moins regardants et qui présentent
une qualité que tu apprécieras : ils sont ennemis jurés de
Sthénius dont ils convoitent la fortune. Il s'agit d'Agathinus et de Dorotheus. J'ajoute, et cela ne devrait pas te
déplaire, que la fille du premier, d'une éclatante beauté,
est l'épouse du second. Elle s'appelle Callidama.

– Je vais donc me faire inviter chez ce Dorotheus,
conclut Verrès.

Dès le lendemain, l'affaire alla bon train. Callidama
avait passé la nuit dans la couche du gouverneur. La grâce
de ses traits et ses talents amoureux avaient convaincu
Verrès que les statues d'airain pouvaient peut-être passer
au second plan. De leur côté, le père et le mari bafoué

cherchaient, sous les exhortations pressantes du préteur, un moyen de traîner Sthénius en justice pour un grave forfait. Toute accusation serait immédiatement recevable car leur seule affirmation servirait de preuves ! Le jour même, Sthénius était assigné pour faux en écriture publique, crime capital puni de mort par la loi Cornélia.

Mais comme magistrat de Thermes Sthénius connaissait parfaitement les lois. Il réclama que lui soit appliqué le statut particulier de cette cité. L'affaire pour laquelle il était accusé ne relevait pas, en effet, de la compétence directe de Verrès, mais de celle du tribunal de Thermes. Mais le préteur n'en avait cure. Il n'était plus à un déni de justice près et il déclara que le lendemain, à la neuvième heure, c'est lui qui connaîtrait l'affaire et il ne dissimula pas que le verdict était prêt : Sthénius connaîtrait les verges !

Par chance pour celui-ci, Callidama avait quelque propension à l'indiscrétion et au bavardage. Les confidences recueillies sur l'oreiller se répandirent à travers la cité et Sthénius, dans la nuit, se sauva vers Messine. Bien que la mauvaise saison fût bien entamée et que les risques de la navigation fussent devenus majeurs, il partit se réfugier à Rome par voie de mer.

Le matin à la neuvième heure, Verrès dut constater l'absence de son accusé. Fou de rage, il le fit quérir par un groupe d'esclaves de Vénus qui fouillèrent la maison, parcoururent les terres et domaines de celui-ci. Mais le coupable désigné d'avance resta introuvable pendant que son juge l'attendait jusque tard dans la nuit.

Le lendemain, Verrès décida d'en finir. Il intima l'ordre à Agathinus de porter son accusation. Mais celui-ci hésitait, sachant qu'il risquait, dès le changement de gouverneur, dans quelques mois[1], d'être accusé de faux témoignage. Le préteur s'impatientait.

---

1. Les gouverneurs de Province changeaient chaque année. Évi-

– Je ne te demande même pas une véritable accusation. Tu peux présenter les choses sous forme d'une question.

Agathinus consentit donc à formuler la plainte.

– Juges, je viens mettre un doute dans vos esprits et vous proposer d'en débattre. Sous la préture de Sacerdos, durant l'année passée, Sthénius a peut-être commis un faux en écriture publique. Je ne l'ai pas moi-même constaté mais des témoins dignes de foi m'ont rapporté les faits.

– Voilà qui est fait, trancha immédiatement Verrès. Je constate donc que Sthénius semble avoir commis un faux en écriture publique. Pour ce motif, je le condamne à verser la somme de cinq cent mille sesterces. Cet amende est immédiatement recouvrable et je mets en vente ses biens si elle ne m'est pas versée séance tenante.

Aussitôt, les amis de Sthénius vinrent apporter la somme réclamée pour arrêter l'action de justice. Mais Verrès qui ne décolérait pas du fait de l'absence de son condamné lança un nouvel appel à délation.

– Citoyens de Thermes, si quelqu'un parmi vous désire accuser Sthénius, absent, d'un crime entraînant la peine capitale, je déclare cette dénonciation recevable. Toi, Agathinus dont je sais que tu as de nombreux griefs à formuler contre lui, je t'invite expressément à le faire sans aucune crainte.

Mais Agathinus ne voulut pas commettre un tel faux témoignage. Il s'avança et toute l'assemblée put clairement l'entendre.

– À toi Verrès, propréteur de Sicile, je déclare que je refuse d'accuser faussement Sthénius d'un crime qui risque de lui valoir la peine capitale. J'ai eu des différends

---

demment, Agathinus ne pouvait pas savoir que Verrès resterait encore un ans du fait du décès de son successeur nommé.

avec lui, mais aucun n'est assez grave pour mettre sa vie en péril.

Le procès allait tourner à la confusion de Verrès et la foule commençait à devenir menaçante et à gronder des slogans hostiles. La garde personnelle du gouverneur avait resserré les rangs devant le prétoire.

Soudain un homme malingre s'approcha de l'estrade. Il était vêtu d'une tunique sale presque noire et tenait un chapeau rond à la main. Ses sandales étaient poussiéreuses et ses pieds maculés de terre. Dans un mauvais latin, il déclara :

– Je m'appelle Pacilius et je veux accuser Sthénius si on me le permet.

– Je te le permets, déclara sur-le-champ le préteur qui voyait en cet homme l'incarnation de la providence. Dépose immédiatement, je t'écoute.

– J'ai à me plaindre de lui.

– Mais de quoi te plains-tu ?

– Je me plains, c'est tout, répéta l'homme.

La foule qui avait fait silence pour entendre cet intervenant de dernière minute recommença de murmurer. Mais Verrès ne laissa pas le temps à sa colère de monter d'un cran. Il savait qu'il fallait toujours se méfier des mouvements de masse. Il trancha en quelques mots avant de lever la séance.

– Je déclare donc que le nom de Sthénius est de nouveau déféré devant la justice et je proclame par un édit en date de ce jour qu'il devra se trouver devant le tribunal de Syracuse le 27 novembre.

L'anneau d'or

Le pillage des œuvres d'art qui décoraient le forum et les voies principales de Thermes avait permis à Verrès de mettre la main sur deux nouvelles statues en marbre blanc de Déméter. Il possédait désormais les sept statues marquées du signe mystérieux. Il les avait fait installer en cercle, à l'extrémité de son palais, sur un terrain en sur-plomb sur la mer, en direction de Carthage, calées tant bien que mal dans les irrégularités de la roche. La plate-forme n'avait pas bougé. Il avait fait creuser à cent pieds de l'index mais il n'avait rien trouvé.

Tous les matins il venait s'installer au centre de ce cercle pour méditer en contemplant la mer et s'en trouvait apaisé pour quelques heures. Était-ce la seule beauté de ces sculptures ou une autre vertu secrète qui s'en déga-geait ? Cependant, toujours avide de pouvoir, il attendait plus.

Il avait fait sonder le marbre par des spécialistes qui n'avaient pu mettre en évidence aucune cavité. Tullia consultée avait été tout aussi énigmatique que le message du parchemin tout en lui laissant un espoir.

– Tu attends trop du monde extérieur, Verrès. Tout est en toi. Cherche et tu trouveras. Cependant, concer-nant le secret dont seraient dépositaires les sept statues, je crois que tu ne t'es pas conformé aux indications du parchemin. Le palais est orienté en direction de Carthage mais ce n'est pas un temple. Tu devrais plutôt chercher du côté d'Agrigente. Nos temples grecs y sont les plus majestueux de la Sicile et, sur le plateau qui domine la mer, il est possible que tu trouves une plate-forme plus adaptée.

Concernant le retour vers lui-même, le début de cette petite tirade le renvoyait à certaines répliques du rituel des Socii de Prométhée. Par moments, une sorte de paix venait en lui. Il n'avait plus autant d'assurance quand il prononçait ses sentences. Malgré ses procédés souvent iniques, malgré sa propension à satisfaire son avidité, malgré ses interprétations souvent scandaleuses de la loi, Verrès semblait changer.

Quant au mystère du parchemin, la suggestion de Tullia venait de ranimer l'espoir. Il convoqua aussitôt Timarchide.

— Prépare un convoi pour transporter les sept statues à Agrigente. Rassemble cinquante esclaves équipés pour creuser et niveler le sol. Tullia vient de me faire une suggestion lumineuse.

Verrès avait du mal à contenir son impatience mais il avait un bon pressentiment. Après avoir arpenté tout le plateau où se dressaient les grands temples grecs d'Agrigente, il avait acquis la conviction que le parchemin ne pouvait désigner que cet espace situé devant le temple de Jupiter Olympien.

Sous la houlette de Timarchide, une cinquantaine d'hommes sondait le plateau rocheux à l'aide de bêches et de petites pioches. Depuis deux jours, ils travaillaient avec méthode, déployés en quinconce selon deux lignes parallèles espacées de cinq pas. En accumulant la terre dans les moindres anfractuosités, le vent avait nivelé le terrain. Il fallait mettre la pierre à nu pour tenter de repérer et de dégager les emplacements des statues.

Ce fut au matin du troisième jour qu'un grand esclave noir attira l'attention de Timarchide sur deux espaces circulaires réguliers, proches l'un de l'autre, qui semblaient avoir été creusés. De fines rainures striaient le roc et suggéraient l'utilisation d'un burin.

Aussitôt alerté, Verrès avait pris la direction des travaux.

— Nous y sommes. Il faut suivre l'arc de cercle qu'ébauchent ces deux petites cavités. Il doit y en avoir encore cinq à peu près identiques. Déblayez toute la terre, balayez. Apportez les statues. Deux d'entre elles doivent s'emboîter là.

En fin de matinée, sept cavités de forme et de profondeur légèrement différentes étaient dégagées. Et les socles des sept statues y trouvèrent place avec exactitude. Celle dont l'index était à l'horizontale fut orientée le dos à la mer. La plate-forme qui les supportait émit alors un grincement sourd, comme un gémissement venu des entrailles de la terre et l'ensemble, mû par un mécanisme souterrain, prit une légère inclinaison de quelques degrés.

Verrès exultait.

– Timarchide, nous sommes dans la configuration exacte décrite par le parchemin. Tout y est. Je n'avais pas imaginé un tel montage, une telle précision. Nos anciens nous ont, dans leur sagesse, réservé bien des surprises. Apporte la cordelette de cinquante pas que j'ai fait préparer et attache-la à l'index. Nous touchons au but.

La cordelette tendue dans la bonne direction désigna un point précis, mais sur un gros rocher légèrement incurvé qui affleurait le sol.

Verrès en fut tout dépité.

– C'est impossible. On ne peut creuser à cet endroit. L'anneau ne peut pas se trouver là ! Nous avons fait une erreur.

Timarchide réfléchissait. En observant avec attention la plate-forme, il s'aperçut qu'elle ne formait pas un plan régulier mais qu'elle semblait constituée de deux plans d'inégale importance et d'inclinaisons différentes. Il se remémora alors le récent tremblement de terre.

– Verrès, je crois avoir la solution. Regarde bien. La plate-forme a dû se briser pendant le séisme. Et l'index de Déméter n'est plus dans la bonne direction ? Creusons dans les environs de ce rocher. Creusons partout où nous trouvons de la terre. Nous finirons par mettre la main sur cet anneau magique.

C'est à cinq pas en direction de l'est qu'ils trouvèrent, à quatre pieds de profondeur, une étrange boîte en airain enveloppée dans plusieurs tissus de lin et déposée dans un sarcophage en bois de sycomore. Elle avait la forme d'une pyramide régulière dont les sommets et les arêtes étaient ornés de pierres précieuses. Nulle trace de corrosion. Un mécanisme simple permettait l'ouverture d'une des faces. À l'intérieur, Verrès trouva l'anneau d'or qu'il passa immédiatement au majeur de sa main gauche.

Le gouverneur impitoyable avait maintenant l'air d'un adolescent surpris par un évènement qui le dépassait. Il regardait son doigt, incrédule.

— Que vas-tu faire maintenant ? lui demanda Timarchide.

Verrès le regardait sans répondre, fixant l'anneau. Puis après quelques instants il parut désireux de prendre l'évènement avec quelque distance.

— Je vais le garder ainsi, dit-il avec un sourire qui se voulait ironique, et attendre ses bienfaits.

Timarchide hocha la tête.

— Je souhaite qu'il te protège de ceux qui souhaitent se venger de toi et qu'il te conserve longtemps en vie.

Tout à son bonheur, Verrès n'entendit pas cette dernière phrase. Il chevauchait déjà pour rejoindre Tullia dans la demeure de ses parents.

Règles de droit

Heureux d'avoir trouvé enfin l'anneau d'or, Verrès avait déjà oublié Sthénius, son hôte généreux qu'il avait contraint à être le pourvoyeur de la majorité des statues de Déméter.

Mais Sthénius n'était pas resté inactif. Pendant que s'était déroulée la pantomime, véritable farce grotesque, simulacre de justice, qui était censé le condamner, il avait navigué sur un bateau céréalier et, malgré une forte houle et des vents peu favorables, avait débarqué à Pouzolles d'où il avait gagné la capitale par la voie Appienne. Arrivé à Rome, il s'était empressé d'en référer à ses nombreux amis qui jugeaient l'attitude de Verrès déplorable mais conservaient une certaine réserve due à leur solidarité de classe.

Alertés par le père de Verrès, les deux consuls en charge pour l'année 72, Cn. Lentulus et L. Gellius, portèrent aussitôt l'affaire devant le sénat tout en essayant d'épargner le propréteur de Sicile.

Le 28 octobre la question proposée au débat fut simple : il fallait décider si la règle de droit, applicable à Rome, qui précisait qu'on ne pouvait pas accuser un absent de crimes entraînant la peine capitale, restait valable dans les provinces administrées par un propréteur. Le consul en exercice voulait ainsi ne pas trop attirer l'attention sur le gouverneur de Sicile. En faisant porter le vote sur une question de droit pur, il espérait éviter des explications embarrassantes sur les exactions de Verrès dont tout Rome commençait à faire des gorges chaudes.

Ce fut peine perdue. César qui aimait parfois s'illustrer par des rappels à la loi et à la morale porta le débat sur un autre terrain.

— En tant que consul en exercice, dit-il en s'adressant à Gellius, tu es certainement au courant de la présence, dans nos murs, d'un citoyen sicilien nommé Sthénius. Il a bravé la fureur des flots d'octobre pour venir nous demander justice. Pourrais-tu me préciser s'il y a un lien entre la question de droit que tu viens de soumettre à notre sagacité et les récriminations de ce Sthénius ?

Gellius sentit le danger. César, avec ses méthodes insidieuses pour faire éclater les scandales, était craint comme la peste. Il tenta encore de détourner la question.

– J'ai posé une question de droit pour que la justice soit rendue de la même façon à Rome et dans les provinces. Bien sûr, quelques cas litigieux nous ont été rapportés. Ils justifient donc que nous précisions les choses en prenant un sénatus-consulte[1].

– J'ai parfaitement compris sur quelle loi nous avions à débattre, répondit César, mais je repose ma question plus directement concernant Sthénius : ce citoyen sicilien aurait-il eu à subir quelques... disons, vexations de la part de Verrès.

– Il est possible que Verrès ait rendu la justice de façon un peu personnelle. Mais tout va rentrer dans l'ordre si nous adoptons cette loi.

– Lucius Gellius, si Verrès a enfreint la loi, il devra en rendre compte. Voilà bientôt deux années qu'il administre notre plus ancienne et plus belle province et les vents portent à Rome des accusations de plus en plus nombreuses, toutes très graves, sur ses méfaits. Nous avons à la porte du sénat un témoin qui a eu à subir ces infamies. Pères Conscrits, ne serait-il pas temps d'intervenir ? Du fait de la mort accidentelle de son successeur nommé, Verrès vient d'être reconduit pour une troisième année à la tête de la Sicile. Ne serait-il pas aussi urgent de prendre un sénatus-consulte pour le destituer et nommer à sa place un préteur plus intègre ?

Dans l'assistance, un vieil homme éploré écoutait avec une douloureuse attention. Entouré de quelques fidèles, le père de Verrès, un vieillard chenu aux longs cheveux blancs, cherchait désespérément à éviter le pire. Il demanda la parole.

– Pères Conscrits, je vous demande de ne rien faire dans l'urgence. Je crois savoir que ce Sthénius a beaucoup exagéré les faits qu'il reproche à mon fils. Comme beau-

---

1. Décision votée par le sénat, qui devient une loi.

coup de Siciliens aisés, il est jaloux de la fortune de notre famille. Nous ne pouvons rien faire sans une commission d'enquête. Et je demande à tous ceux qui m'approuvent de prendre la parole pour exposer leur point de vue...

César l'interrompit.

– Voilà le père qui vole au secours du fils. C'est touchant mais pas forcément convaincant. Nous devons sans délai décider qu'aucun citoyen absent ne peut être l'objet d'une accusation méritant la peine capitale aussi bien en province qu'à Rome. Si Verrès a émis un jugement contraire à ces dispositions, celui-ci ne pourra pas être ratifié. Mais pour éviter que de tels faits ne se reproduisent, nous devons annuler la troisième année de propréture pour Verrès.

Les membres du Sénat commençaient à s'agiter sur leurs bancs. De petits groupes se formaient pour bavarder à voix basse. Très peu d'entre eux admettaient que les décisions d'un de leurs pairs puissent être remises en question. La plèbe aurait beau jeu d'en tirer argument pour réclamer un partage des pouvoirs et notamment du pouvoir judiciaire. Le consul dut rappeler l'assemblée à l'ordre.

– Que chacun reprenne sa place. Je donne la parole dans l'ordre de préséance[1].

Il fallut clore la séance avant que tous les orateurs aient pu s'exprimer. Le vote fut renvoyé au lendemain. Les amis du père de Verrès, en occupant ainsi la tribune avaient gagné un répit qu'ils entendaient mettre à profit pour trouver une parade. Dès le lendemain des messages furent rédigés, dont une longue lettre de son père, et envoyés à Syracuse pour convaincre Verrès de se plier aux exigences du sénat. Chacun voulait se convaincre

---

1. Du plus âgé au plus jeune.

qu'il ne continuerait pas ses pratiques qui jetaient l'opprobre sur tout le parti des Optimates.

Le sénat finit par adopter la loi proposée mais la
proposition de César fut rejetée.

Mort en son absence

Lorsque Verrès lut la missive de son père, il éclata
d'un rire sardonique en s'adressant à Timarchide.

– Voilà que mon vieux père s'en mêle. Il ose même
qualifier mon attitude de « folie furieuse ». C'est insensé.
Il n'y a plus de respect des parents pour leurs enfants.

Toujours très pragmatique et attentif à atténuer les
excès de son maître, l'affranchi demanda aussitôt :

– Mais que te disent tes amis ?

– Ils m'invitent à la modération. Mais tu les connais.
Tu sais à quel point ils sont lâches. Je dois leur donner
l'exemple et ne pas faillir dans la direction que j'ai prise :
rendre une justice adaptable à chaque cas, une justice à
dimensions variables, une justice dont nous soyons les
seuls maîtres. Une justice dont nous ne devons avoir
aucun compte à rendre.

– Sans doute, acquiesça Timarchide, mais tu devrais
le manifester moins bruyamment. Tu devrais agir selon
tes impulsions mais de façon moins ostentatoire.

– J'aime t'entendre parler ainsi. Tu es vraiment celui
qui me connaît le mieux et tu sais bien que je t'ai donné
ce poste d'intendant à tout faire pour que tu interviennes
quand je me laisse aller. Mon plaisir c'est de franchir
toutes les limites. Je ne peux jouir que dans l'extrême,
dans l'invraisemblable, dans l'inouï, dans l'inconcevable.
Tu n'es pas mon garde-fou mais tu dois me protéger
contre ces minables raisonnables et raisonneurs, contre
ces indigents de la passion, qui veulent me ramener dans

les limites étroites de la bienséance et du respect de la loi. Mon père l'a bien compris qui m'a vu, pour son inconsolable chagrin, grandir dans ces dispositions : ma seule ambition est d'alimenter ce qu'il appelle ma folie furieuse de désirs insensés à assouvir d'urgence. Grâce à toi, tout m'est possible car tu balaies devant moi toutes les oppositions et je n'ai pas à gaspiller mon énergie dans ces vaines besognes de nettoyage.

Timarchide souriait.

– Oui, je sais un peu qui tu es. Et j'aime agir dans l'ombre à ton service. Nos plaisirs sont complémentaires. Mais il faut revenir à notre affaire. Que fais-tu pour Sthénius ?

– Je ne tiendrai aucun compte de l'avis du sénat. Ce sont des mous qui vont nous laisser dévorer par la plèbe. Je jugerai Sthénius.

Le matin du quatrième jour des Calendes de décembre, Sthénius fut cité à comparaître de nouveau devant le tribunal. Le Sicilien, malgré les témoignages qui se voulaient rassurants du père de Verrès, était resté, par prudence, à Rome, sous la protection des ses amis. M. Pacilius, l'accusateur, fut alors appelé à la barre. Il était également absent. Verrès fut un instant déstabilisé. Il lui paraissait difficile de condamner un prévenu absent et pour lequel l'accusateur ne se manifestait pas. L'assistance murmurait, s'attendait à un non-lieu. Mais Timarchide veillait. Il vint au secours de son maître et engagea avec lui un aparté subtil tandis que le légionnaire en charge de l'ordre se préparait à faire évacuer la salle en cas de manifestation trop hostile.

– Tu ne peux plus te déjuger, tu dois rester dans l'esprit de tes interventions précédentes. Et d'ailleurs tu n'as encore rien reçu du sénat qui t'interdise de juger un absent en l'absence d'accusation.

– Je ne juge donc personne pour une faute qui n'existe pas ! Si nous continuons dans ce sens, je vais bientôt juger des morts pour des crimes commis avant leur naissance. Mais ce n'est pas pour me déplaire !

Il se tourna alors vers un des membres de sa cohorte, un certain C. Claudius à qui il ordonna de porter une accusation quelconque.

Puis se levant, radieux de pouvoir exprimer tout le mal qu'il portait en lui.

– Je déclare l'accusation de C. Claudius recevable en lieu et place de celle de M. Pacilius et je condamne Sthénius à mourir sous les verges. Gardes, faites évacuer la salle.

Malgré ses hurlements, la foule fut expulsée sans ménagements et les énormes portes en bois bardées de bronze de la basilique[1] furent refermées violemment.

Verrès paraissait ravi du bon tour qu'il venait de jouer. Il avait assouvi un caprice en réduisant la justice à une mascarade digne des farces de Plaute. Mais pour Timarchide qui veillait au moindre détail, il manquait un acte à la pièce.

– Tu dois maintenant mettre les registres en accord avec ton verdict.

– Que veux-tu dire ? Mon greffier a déjà inscrit la condamnation de Sthénius. Il est bien dommage que je ne puisse pas le mettre à mort en son absence !

Timarchide sourit.

– Seuls les dieux pourraient te conférer un tel pouvoir. Mais en attendant que tu passes cet accord improbable avec Hadès, tu dois corriger le registre et inscrire que Sthénius a été accusé et condamné en sa présence.

---

1. Les basiliques romaines servaient à de multiples usages dont celui de tribunal. Elles se trouvaient toujours à proximité du forum.

– Mais oui. C'est d'ailleurs exactement ce qui s'est passé. Greffier, gratte le parchemin et précise que le prévenu était bien physiquement présent pour entendre son accusateur.

Les nuages noirs

Pendant que Verrès mettait méticuleusement en place un système d'exploitation de sa province, Rome entrait dans une nouvelle crise. De nombreux nuages noirs menaçants s'accumulaient sur l'Urbs. Les provinces conquises tentaient de chasser l'envahisseur romain. Il devenait urgent d'agir. Le sénat s'était donc réuni pour débattre et prendre les décisions qui s'imposaient.

En ce 15 décembre 72, la plupart des Pères Conscrits écoutaient les orateurs inscrits par ordre d'ancienneté.

Jules César avait la parole. Avec brio, il traça une description claire et détaillée de la situation.

– Pères conscrits, après une courte période de demi-tranquillité suite à la mort de Sylla, Rome est engagée de nouveau, sur plusieurs fronts, dans des combats qui mobilisent ses forces.

« À l'intérieur de nos frontières, Spartacus, cet esclave gladiateur rebelle, a réussi à rassembler et à organiser une horde de plus de cent mille gueux qui défient nos légions. Même si certains de nos consuls ont failli et ont été destitués pour cela, nous ne devons pas prendre à la légère le défi lancé par ces révoltés. Nous devons rapidement tout mettre en œuvre pour écraser cette rébellion qui pourrait réveiller les révoltes serviles qui couvent toujours en Sicile depuis plus de soixante ans. Vous avez tous entendu les témoignages de ces quatre vétérans relâchés par Spartacus à la fin du mois d'octobre. Ils étaient les rescapés d'un monstrueux combat de gladiateurs où le rebelle a fait s'entre-tuer quatre cents de nos légionnaires prisonniers. Pour ce crime contre Rome, tous ces gueux méritent la mort. Il faut réaffirmer que les esclaves font partie de notre organisation sociale et militaire. Les vaincus sont asservis. C'est la loi de la guerre. Ils ne sont délivrés de ce joug que par l'affranchissement. Nous devons être impitoyables pour faire respecter ces pratiques.

« Hors de nos frontières, la situation se dégrade chaque jour. En Espagne, Sertorius, notre légat, nous a trahis. En s'appuyant sur la noblesse locale, il a constitué un vrai pouvoir dissident qui conteste le pouvoir consulaire et se veut donc indépendant de Rome. Notre grand général, Metellus Pius, malgré sa grande expérience a été tenu en échec. Il a fallu dépêcher là-bas notre plus vaillant imperator, Cnéius Pompée, pour tenter de rétablir le pouvoir légitime de Rome. Mais celui-ci n'a pas la tâche facile car son adversaire, bien que renégat, est un valeureux guerrier.

« En Asie Mineure, Mithridate continue de nous provoquer par des escarmouches incessantes. C'est un tacticien habile et un fin politicien. Il menace et parfois massacre les nombreux citoyens romains implantés dans les colonies de ces régions conquises, et cherche de nouvelles alliances contre nous dans tout le bassin méditerranéen. J'ai appris que Sertorius lui-même lui avait proposé un accord pour envahir Rome et s'y faire nommer dictateur. Lucullus, brillant imperator, mène contre lui une guerre sans merci qui épuise son armée. Mais son commandement est arrivé à expiration et, contre l'ordre du sénat, il refuse de rentrer à Rome suscitant des prises de position contradictoires au sein de notre assemblée.

« Enfin les pirates sont à nos portes. Profitant de notre faiblesse sur mer, ils ont réussi à créer un véritable royaume maritime capable de faire régner la terreur sur de nombreux ports italiens et de mettre en péril l'approvisionnement de Rome en blé. On a vu récemment leurs navires relâcher dans le port d'Ostie et piller la ville sans qu'aucune intervention armée vienne entraver leur audace.

« Nous allons devoir porter la guerre sur tous ces fronts. Nous allons devoir mobiliser, équiper et entraîner de nouvelles légions. Je demande donc au sénat de voter une attribution de crédit dans ce sens.

Crassus avait alors demandé la parole.

– Pères Conscrits, je propose de financer à mes frais quatre légions dont je prendrai le commandement pour aller écraser Spartacus qui menace Rome dans ses fondements depuis bientôt deux années. Nous ne pouvons laisser ces hors-la-loi menacer les vies de nos femmes et nos enfants. Nous n'avons pas affaire à des êtres humains mais à des animaux enragés qu'il faut exterminer comme on se débarrasse de la vermine. J'en appelle au patriotisme de tous. J'en appelle aux jeunes praticiens pour qu'ils chevauchent à mes côtés et qu'ils découvrent le sens du service de la patrie. J'ouvre un bureau de recrutement sur-le-champ de Mars dès cet après-midi et je précise que les soldes seront doublées pendant la durée de cette campagne. J'ajoute, car je connais les calomnies dont je suis l'objet, que je donne aujourd'hui la preuve que l'argent peut être au service d'une noble cause. Je suis riche, il est vrai, mais je n'hésite pas à engager des sommes énormes pour le bien et la sécurité de tous. Je vous demande, le moment venu, de vous en souvenir.

La crucifixion de Gavius

Six mois avaient passé. Messine se réveillait après la sieste. La chaleur de juillet commençait à baisser. Il était cinq heures de l'après-midi. Une foule de plus en plus dense se dirigeait vers les thermes pour se rafraîchir et se délasser. Mais le bruit se répandit à la vitesse d'une flèche dans toute la ville de Messine : un homme s'était évadé des latomies[1] de Syracuse où il avait été mis aux fers par Verrès. Installé en plein centre de la cité, il clamait, en même temps que son innocence, sa qualité de citoyen romain. Intrigués, de nombreux Mamertins oublièrent les délices des piscines chaudes et froides pour se rendre aux nouvelles.

Informé, un des duumvirs de la ville se hâta également vers le forum pour tenter d'en savoir plus sur cette étrange affaire.

Au centre d'un attroupement d'une cinquantaine de citoyens se tenait un homme de haute taille et de forte stature, dont le front proéminent et le crâne dégarni émergeaient du groupe.

C. Marcus Pontillius l'entendit vociférer alors qu'il s'approchait.

— Moi, Gavius, je me plaindrai devant le sénat s'il le faut. Je prendrai un avocat pour accuser Verrès d'infamie. Je le traînerai devant un tribunal. Moi, citoyen romain de Compsa dans le Samnium, j'ai été arrêté, sans aucun motif, alors que je négociais l'achat de plateaux en argent ciselé sur le marché de Syracuse.

— Tu n'es peut-être pas au courant de tout, citoyen. Ici, tu n'es pas à Rome. Tu devrais parler plus doucement.

Celui qui venait de parler, presque à voix basse, était un vieillard édenté aux longs cheveux blancs tombant sur les épaules. Il s'appuyait sur un grand bâton sculpté et se tenait un peu voûté.

— Pourquoi parler à voix basse ? Je suis un citoyen libre. Ma parole est libre. Le gouverneur est envoyé par

---

1. Carrières de calcaire où travaillaient les prisonniers.

Rome pour faire respecter la loi et non pas pour la bafouer.

— Oui, mais le gouverneur est tout-puissant et tu es loin de Rome. Tu es à Messine. Et Verrès règne sur Messine.

— Messine est la première province annexée par Rome. La loi romaine doit s'y appliquer en totalité. Cette règle ne comporte aucune exception.

— Tu as sûrement raison, citoyen, mais Verrès a choisi de l'appliquer autrement, à sa façon.

— C'est bien ce que je dénonce et je clame haut et fort que je me dresserai devant lui, à Rome, dès qu'il y rentrera à la fin de son mandat.

À la vue du magistrat, la plupart des hommes présents s'éclipsèrent fendant la foule qui commençait à s'agglutiner sur la place dans l'espoir d'un évènement exceptionnel. Le vieillard eut encore le temps de murmurer à l'intention de Gavius :

— Sauve-toi vite. Les autorités sont déjà au courant. Tu parles trop. Sauve-toi avant que Verrès n'apprenne que tu t'es échappé des latomies. Il ne laisse jamais traîner de témoins derrière lui.

— Le gouverneur de Sicile n'a aucun droit sur la vie d'un citoyen romain.

— Détrompe-toi. Ici, le droit, c'est Verrès.

Avec ces mots, Marcus Pontillius entrait alors en scène. Drapé dans sa toge blanche immaculée, il considérait avec commisération ce rebelle qui ne risquait rien moins que sa vie en étalant ainsi, en public, ses revendications de justice.

— Qui es-tu pour soutenir une telle ineptie ?

— Je suis Marcus Pontillius, le troisième magistrat de la ville.

— Et tu oses me donner tort. Tu oses affirmer que l'on peut mettre dans les chaînes et garder dans un lieu aussi sordide que les latomies de Syracuse un citoyen romain.

— Je ne suis pas obligé de croire ce que tu clames sur le forum. Pour le moment je voudrais que tu cesses de troubler l'ordre public. Et je vais être obligé de te faire enfermer.

Le forum était maintenant plein. Les gens restaient silencieux. Ils n'avaient pas tout entendu mais la plupart avaient compris et se gardaient bien de prendre parti.

Gavius sentit soudain la peur lui crisper les entrailles. Il ne comprenait plus ce qui lui arrivait. Être enfermé à nouveau sans pouvoir s'expliquer. Il était tellement assuré de son bon droit qu'il avait eu envie de partager la joie de son évasion avec les autres citoyens romains. Mais il commençait à percevoir qu'il s'était peut-être mis dans une situation dangereuse. Plus habitué aux spéculations somme toute assez simples du commerce, son cerveau ne réagissait pas très vite à des incitations plus subtiles. Pour lui, le droit, c'était le droit et il ne pouvait pas y avoir d'exception. En tant que citoyen romain, on lui avait appris qu'il avait une véritable immunité dans tous les lieux du monde où la seule évocation de Rome déclenchait l'admiration et l'envie. Et soudain, en Sicile où il était venu pour faire de bonnes affaires, il venait de perdre tous ses repères.

— Je ne trouble pas l'ordre public en exposant mon opinion sur le forum qui est le lieu où toute parole est autorisée.

— Ici, ta parole est soumise au bon vouloir de Verrès. Je te demande de t'y conformer et je ne veux plus t'entendre raconter tes inventions. Le mieux pour toi serait que tu quittes la ville ce soir même et j'oublierai que je t'ai vu. Je te parle en ami.

Gavius comprit qu'il courait un grave péril. À pas rapides il s'éloigna vers le port. Il avait pris la décision de s'embarquer le plus vite possible pour passer le détroit.

Une fois à Rhégium qu'il apercevait à quelques milles, sur la côte italienne, il pourrait recouvrer ses esprits.

Il n'eut pas de difficultés à trouver un pêcheur pour le déposer sur l'autre rive. Gavius avait sur lui l'argent qu'il avait réussi à dissimuler lors de son arrestation. Il avait certes dépensé quelques centaines de sesterces pour acheter ses gardiens, mais il lui en restait suffisamment pour payer ses frais de route jusqu'à Compsa où l'attendaient sa femme, ses enfants et un commerce florissant. Le départ était prévu pour le lendemain après-midi

Pour fêter sa bonne fortune, Gavius invita les marins présents à l'une des tavernes du port, à l'enseigne de « La sirène de Bacchus », où ils arrosèrent copieusement l'évènement. Le vin rouge de Sicile, fort en alcool, coula à flots et l'incorrigible bavard, rapidement éméché, recommença à vitupérer contre les exactions de Verrès.

Mais le gouverneur avait des oreilles vigilantes dans les coins les plus reculés. Vers onze heures du soir, une cohorte de soldats vint le chercher pour le mettre en lieu sûr dans la prison de la ville.

Le lendemain, à la première heure, il comparaissait devant un trio de magistrats présidé par Marcus Pontillius.

– Tu prétends être citoyen romain, dit-il d'une voix devenue dure.

Gavius, dégrisé, n'en menait pas large. Pour rien au monde il ne voulait retourner dans les latomies. Il comprit qu'il fallait adopter un profil bas.

– Oui, messieurs les juges. Je suis un citoyen du Samnium. J'habite la ville de Compsa avec ma famille. Au sud du Samnium, à la limite de la Lucanie. J'y suis honorablement connu comme commerçant.

– Tu prétends avoir été indûment emprisonné sur ordre de Verrès et tu es venu hurler à l'injustice dans notre ville. Une première fois sur le forum et une deuxième fois sur le port, dans une taverne pour ivrognes, durant la nuit.

Gavius eut une lueur d'intelligence. Il rebondit sur les derniers propos de Pontillius.

— C'est-à-dire... c'était le vin. Je ne savais plus très bien ce que je disais. Je ne me souviens d'ailleurs plus du tout de ce que j'ai dit.

— Mais hier après-midi, ce n'était pas le vin ?

— Mais si. Je sortais d'une taverne où j'avais mangé des saucisses avec du vin très fort. Il est très bon votre vin en Sicile mais les Italiens n'y sont pas habitués. Ça a dû me détraquer la tête.

Gavius avait compris que simuler l'ivrognerie pourrait peut-être lui épargner bien des ennuis.

— Alors tu nous as raconté des histoires ?

— J'ai beaucoup exagéré. J'avais un peu contesté le prix des plateaux sur le marché, à Syracuse. J'avais dit que ce n'était peut-être pas de l'argent pur. Alors les soldats m'ont emmené, mais je me suis arrangé avec eux et ils m'ont libéré.

— Tu n'as donc pas été en prison.

— Non... enfin si, mais pas longtemps. Mais je n'en veux pas au gouverneur, il n'a fait que son travail pour faire respecter la loi.

— Je vois que tu es revenu à de meilleurs sentiments. Tu pourras d'ailleurs t'en expliquer car Verrès sera ce soir dans nos murs. Il arrive d'une tournée d'inspection sur la côte nord. Je te laisse en liberté mais ne quitte pas la ville et je t'interdis de fréquenter les tavernes.

Gavius se sentait piégé. Il ne souhaitait plus rencontrer le personnage qui retenait dans ses geôles des milliers de personnes innocentes et, parmi elles, il avait pu le constater durant ses deux mois de détention, de nombreux citoyens romains. Du moins il ne voulait plus le voir sur le sol de Sicile. Il avait compris que son salut résidait dans la fuite.

À l'heure convenue, soulagé, il sauta dans la barque du pêcheur. Mais dès qu'il fut à une vingtaine de pas du rivage, son excitation le reprit. Se croyant définitivement sauvé, il se dressa et hurla de nouveau sa haine et ses projets de vengeance.

– Verrès, je t'ai bien roulé. Tu vas entendre parler de moi. Je suis citoyen romain. Et je ne suis pas le seul. Il y en a des centaines dans tes prisons. Je vais te dénoncer à Rome.

Le pêcheur tentait vainement de le faire taire.

– Méfie-toi ils peuvent encore nous obliger à faire demi-tour. Je serai obligé d'obéir. Sinon je ne pourrais plus revenir chez moi.

– Laisse-moi me défouler. Je parle à la mer.

– Parfois la mer aussi a des oreilles.

Une heure plus tard, Gavius se retrouvait directement confronté à Verrès. Sa dernière fanfaronnade l'avait perdu. Un lumbus[1] de l'escadre de Messine n'avait pas tardé à les rattraper avant même qu'ils n'eussent franchi la moitié de la passe.

Verrès semblait tout miel. Sa voix était douce, conciliante mais un peu trop vibrante. Pour qui le connaissait, il était au bord de l'explosion. Il avait fait dresser une estrade sur le forum, un tribunal improvisé, et il toisait Gavius, à ses pieds.

– Dis-moi, Gavius on me dit que tu aurais à te plaindre de moi ? Si tel est le cas et que j'ai pu commettre une

_____

1. Navire très léger, à rames, utilisé dans les combats pour harceler les unités plus lourdes.

injustice, je suis prêt à réparer. Tu sais, je ne suis pas informé de tout ce qui se passe dans l'île. La Sicile est grande et parfois mes collaborateurs sont trop zélés. Raconte-moi tes mésaventures.

— Gouverneur, je viens de passer deux mois, les fers au pied, dans les latomies de Syracuse, sans jugement, alors que je suis citoyen romain.

— Mais tu as dû commettre quelque délit ?

— Non. Des gardes m'ont interpellé alors que je discutais la qualité de plats en argent que je voulais acheter pour mon commerce dans le Samnium.

— Oui. On m'a dit que tu étais de Compsa. Je connais cette ville dans les montagnes. Un très bel endroit. Mais dis-moi, douterais-tu de la qualité des ces plats ?

Gavius n'osait plus répondre. Il sentait que Verrès lui préparait un coup fourré. Il préférait attendre.

Le visage du propréteur était soudainement devenu très rouge, presque violet. Sa voix devint très aiguë.

— Tu ne réponds plus. Tu ne sais pas que tous ces objets sortent de mes ateliers, tu entends, de mes ateliers. Et tu oses mettre en doute leur qualité ?

— Non, non je n'ai pas dit ça. C'était pour faire baisser les prix, pour marchander.

Verrès maintenant hurlait. Il s'était levé et gesticulait en marchant à grands pas d'un bout à l'autre de la salle. Ses yeux étincelaient. Des lueurs cruelles traversaient son regard égaré.

— Depuis quand discute-t-on mes prix ? Et puisque tu discutes mes prix, moi je discute ta nationalité. Citoyen romain. Ils sont tous citoyen romain dès qu'ils ont peur. Citoyen romain ! Pourquoi pas sénateur ou consul. Hein ? Tu es peut-être le consul en exercice. Il faudrait peut-être que je déroule un tapis rouge sous tes pieds. Voudrais-tu prendre ma place sur cette chaise ? Juger à ma place ? Administrer à ma place ? D'où tiens-tu cette arrogance ?

Verrès s'étranglait. Timarchide qui s'était approché en profita pour lui susurrer à l'oreille qu'il serait habile d'accuser Gavius d'être un espion de la bande de Spartacus, venu préparer l'arrivée de la horde d'esclaves révoltés.

Verrès avait repris son souffle. Il était plus calme mais bien déterminé à montrer que, sur son territoire, il était le maître absolu.

– Licteurs, ordonna-t-il, déshabillez-le. Je le veux nu et repentant avant que justice ne passe.

Gaius essaya de placer un dernier mot.

– Je peux prouver que je suis citoyen romain du municipe de Compsa. J'ai servi sous les ordres de L. Raecius, un très brillant chevalier qui vit aujourd'hui à Panorme. Il vous confirmera mes propos. Je devais lui rendre visite lorsque j'ai été écroué. Je vous supplie de requérir son témoignage.

Verrès s'était assis. Il agitait frénétiquement ses deux mains devant la poitrine, une lueur mauvaise dans les yeux.

– Je vais te dire qui tu es, Gavius. Tu es un espion de Spartacus. Tu es venu en Sicile préparer le terrain pour sa venue. Tu es venu réactiver les guerres serviles. Tu es venu mettre le désordre dans cette belle île. Tu es venu rallumer les incendies de la révolte. Tu es un traître à Rome. Tu mérites les verges et la mort. Licteurs, accomplissez.

Aussitôt deux gardes jetèrent le condamné à genoux et le frappèrent en cadence à l'aide des verges. Gavius restait stoïque sous les coups qui déchiraient sa chair. Il tentait de montrer qu'il était un Romain vaillant capable de supporter la souffrance. Son dos lacéré n'était plus,

bientôt, qu'une plaie sanguinolente. Et il continuait à
murmurer, en ritournelle, pour seule défense :

– Je suis citoyen romain. Je ne dois pas recevoir les
verges. Je suis citoyen romain. Faites venir le chevalier
Raecius... Je suis citoyen romain.

Verrès contemplait la scène avec délectation. Il
éprouvait toujours un vrai plaisir sadique à faire torturer.
Parmi tous ses pouvoirs, celui de voir un être humain
souffrir sous les coups et mourir lentement dans des souffrances de plus en plus horribles était son préféré.

– Licteurs, accélérez le rythme. Je veux que vous
frappiez tous les six, ensemble.

La cadence devint infernale. Gavius tomba à plat
ventre dans la poussière. Les coups pleuvaient sur tout le
corps. Certains atteignaient la tête dont le cuir chevelu
éclatait.

Une profonde jubilation perverse se lisait sur le
visage de Verrès. Il se leva.

– Assez ! Préparez la croix. Nous allons la dresser
face à la mer, à côté du port, sur le rivage. Je veux que
ce traître se sente mourir en voyant l'Italie qu'il invoque
comme sa patrie. Je veux qu'il puisse appeler pour le
délivrer tous ses compères de Compsa. Je veux qu'il serve
en pâture aux corbeaux qui emmèneront là-bas des bouts
de sa dépouille, en souvenir.

Gavius, à moitié inconscient, venait de comprendre
quel sort lui était réservé. Traîné par les sbires du gouverneur, il eut la force de jeter un dernier appel :

– Pas la croix, pas la croix, je suis citoyen romain...

Lorsqu'il fut installé sur le poteau de torture, pantin
sanglant ficelé sur des madriers dégoulinants de goudron,
les bras luxés en arrière, la respiration courte à la limite
de l'asphyxie, il dut encore subir les sarcasmes odieux de
son bourreau.

– Tous mes vœux t'accompagnent dans le royaume des morts, citoyen romain. Tu n'auras pas de sépulture. Je vais jeter ton cadavre à la mer et j'espère déguster bientôt les poissons qui se seront repus de tes chairs.

Gavius n'entendit pas les dernières insultes. Il ne sut jamais que son corps mort serait profané. Il avait, pour la paix de son âme, perdu conscience.

Les pirates

L'affaire Gavius n'était pas prévue au programme de Verrès qui s'était rendu à Messine d'urgence pour inspecter le détroit. Il y a trois jours, un individu borgne et édenté, d'une saleté repoussante, à la tête enturbannée de rouge, s'était présenté aux portes du palais de Syracuse porteur d'un message de chef des pirates qui se faisait appelé « amiral Amilade ». Sur le parchemin, un message court mais explicite.

« À Verrès, Grand Gouverneur romain, salut !
Spartacus m'a donné deux mille talents d'avance pour le transporter en Sicile avec sa troupe. Si tu me donnes les deux mille talents qui restent à payer, j'oublierai de venir le chercher. »

Verrès en jubila d'aise. Il allait pouvoir marquer des points auprès du sénat, à Rome. Tenu au courant très régulièrement des mouvements des troupes de Spartacus, il savait depuis peu que celui-ci avait jeté son dévolu sur la Sicile où il restait, depuis plusieurs dizaines d'années, des foyers de révoltes serviles. Cette bonne vieille crapule d'Amilade lui offrait, sur un plateau d'argent, l'occasion de s'illustrer dans cette affaire, sans gros efforts.

Il dicta aussitôt à son scribe :

« À Amilade, Grand Navigateur, salut !
Spartacus doit rester en Italie. Je t'attends demain soir au coucher du soleil, à l'extrémité de la jetée nord du port de Syracuse, au lieu habituel. Tu auras tes deux mille talents. »

Tandis que Gavius agonisait à quelques dizaines de pas, Verrès scrutait le rivage de l'Italie à peine distant d'un peu plus de deux milles. Dans les lueurs du couchant, il pouvait distinguer une troupe nombreuse avec des chariots et des chevaux dans le petit port de Scyle. Mais sur la mer aucun navire, pas le moindre esquif. On eût cru qu'un ordre mystérieux avait interdit le détroit pour ce soir. Ce désert de la mer n'était pas familier et Verrès s'en trouva intrigué. On pouvait tout attendre d'un pirate ! Quel coup tordu lui avait réservé son vieux complice ? Il interrogea Timarchide qui déambulait à ses côtés.

– Que penses-tu ? La horde de Spartacus est bien là, mais nulle trace des pirates. Pourtant Amilade m'avait dit qu'il viendrait à Messine me saluer et faire ripaille avec une dizaine de ses navires. J'ai tout préparé ? J'espère qu'il ne va pas me faire faux bond !

– La nuit n'est pas encore tombée.

– Ne trouves-tu pas inquiétante cette absence de navigation dans le détroit ?

– C'est peut-être Amilade qui a imposé la consigne.

– Pour quoi faire ?

– Pour s'amuser, pour prouver son pouvoir ou pour nous étonner par un spectacle digne de ta grandeur de gouverneur. Tu sais bien que c'est un partenaire loyal. Comme tous les vrais brigands, il n'a qu'une parole... qu'il ne respecte, il est vrai, qu'avec les puissants.

– Parce qu'il a peur !

– Je crois qu'ils arrivent. Tu vas être étonné.

Portés par un courant dont ils maîtrisaient parfaitement les moindres caprices, plus d'une centaine de navires de guerre illuminés par des milliers de torches venaient de franchir le cap nord de la baie de Rhégium. Verrès les attendait plutôt en provenance du nord-ouest venant des criques de la côte proche de Messine où ils avaient pris leurs quartiers, sûrs de l'impunité par les accords pris avec Verrès.

– Amilade a voulu faire un dernier plaisir à Spartacus, la bonne surprise offerte au condamné.

La flotte avait fière allure. Elle naviguait comme à la parade au milieu du détroit, à moins d'un mille de chaque côte. Sur l'autre rive une multitude de petits pantins s'agitaient frénétiquement.

Mille petites flammes ballottées par les flots se dirigeaient maintenant vers la côte italienne. Verrès eut un haut-le-cœur.

– Il nous trahit. Il va vers eux. S'il fait ça, je le ferai mettre en croix au centre du forum de Messine.

– Tu n'auras pas ce plaisir. Regarde.

Arrivées à quelques encablures de la côte italienne, les embarcations pirates avaient amorcé un trajet inverse. Après un demi-cercle presque parfait, elles pointaient maintenant vers Messine.

Le vent avait porté jusque sur la côte sicilienne des bribes de voix. La horde de Spartacus semblait figée. Amilade avait choisi son camp. Celui du plus fort et du plus payant. Fidèle à la promesse faite à Verrès, il venait d'abandonner la horde de Spartacus à son triste sort. Dans le camp de toile installé sur la jetée du port de Messine, les ripailles durèrent jusqu'à l'aube. Le gouverneur n'était jamais avare sur le vin. Les deux compères d'occasion sombrèrent ensemble dans l'ivresse, incapables d'honorer les courtisanes qui leur faisaient escorte.

Le candélabre d'or

Délivré de la menace de Spartacus, Verrès, de retour à Syracuse, passait beaucoup de temps avec Tullia. Chaque jour le rapprochait de son départ de l'île, dans quelques mois. Il allait regagner Rome avec son énorme butin et surtout les sept statues en marbre de Déméter et l'anneau d'or dont il attendait toujours quelque révélation.

– Tu ne dois pas tout attendre de cet anneau, lui disait Tullia. Les puissances divines nous apprennent que notre destin est entre nos mains.

– Le parchemin est pourtant explicite : « ... il t'apportera protection et fortune ».

– Tu oublies la première partie, Verrès. Il est écrit : « Par ton mérite... »

Il ne répondit pas.

La visite d'Antiochus allait lui fournir une période de divertissements et l'occasion d'un ultime méfait.

Ce matin-là, un superbe navire de guerre de type syrien, un grand quinquérème, entrait dans le port nord de Syracuse escorté par une escadre de dix trirèmes où s'entassait une petite armée.

Le prince de Syrie, Antiochus, avait décidé de visiter la Sicile sur le chemin du retour. Après un séjour de presque deux années à Rome où il était venu, en compagnie de son frère, débattre de l'épineux problème de l'héritage du royaume d'Égypte dont ils se prévalaient de par leur mère Séléné, il avait décidé de s'accorder quelques mois de tourisme dans le bassin méditerranéen. Les négociations n'étaient pas terminées du fait des difficultés intérieures et extérieures qui s'accumulaient contre Rome. Le Sénat avait donc proposé aux deux princes de différer ces entretiens et de revenir dès que possible lorsque les guerres engagées seraient gagnées.

Prévenu de l'arrivée d'Antiochus, Verrès avait accéléré les derniers travaux d'embellissement de son palais, l'ancienne demeure du roi Hiéron. Tout y était fastueux et bien digne d'un souverain. D'ailleurs, le propréteur se considérait comme un roi doublé d'un despote. Il s'apprêtait à recevoir son hôte avec splendeur.

En ce début d'automne 71, la Sicile fleurissait encore de tout son éclat. Les jardins particuliers et les parcs publics exhalaient mille parfums subtils où dominaient les roses.

Verrès, tout miel, attendait son hôte au sommet d'une estrade qu'il avait fait dresser le long du quai. La construction en bois tapissée de pourpre et d'or était surmontée d'un daïs de velours blanc qui protégeait du soleil brûlant. Vêtu d'une toge immaculée à bande rouge, le préteur avait fait poser sur sa tête une couronne de lauriers ciselée dans l'or le plus pur et rehaussée d'un énorme diamant. Familier des coutumes orientales qu'il avait connues durant plusieurs années dans sa prime jeunesse, il voulait d'emblée faire une forte impression sur ce prince qui venait aussi en ambassadeur de son pays. De plus, il subodorait que celui-ci transportait avec lui une extraordinaire réserve d'objets précieux de toutes sortes et ses appétits de collectionneur et de pilleur de merveilles s'en trouvaient très excités.

Lorsque Antiochus se présenta au bas de l'édifice, Timarchide lui fit signe de monter les douze marches qui conduisaient à la plate-forme où Verrès restait assis. Le prince hésitait. La Syrie n'était pas une province romaine. Rome devait donc la respecter comme un royaume autonome et aucune préséance ne devait être accordée à un propréteur romain. Il était donc intrigué par l'attitude de son hôte.

Verrès avait compris la réticence d'Antiochus. Il ne voulait pas créer un incident diplomatique avant d'avoir approché les collections du jeune souverain. Il se leva et lui tendit les bras.

– Bienvenue à toi, Antiochus, grand prince de Syrie, futur héritier du royaume d'Égypte. Je t'invite à grimper jusqu'à ce promontoire pour embrasser une vue unique sur mon port de Syracuse.

Le prince se détendait. Il avait mal interprété les intentions du Romain. Celui-ci voulait seulement lui faire admirer sa ville et il semblait avoir un avis favorable concernant la requête déposée au Sénat concernant l'Égypte. Dans l'attente d'une décision, toutes les voix étaient bonnes à prendre. Il grimpa rapidement et tomba dans les bras tendus.

– Merci de cet accueil. Mon bonheur est immense de découvrir cette île légendaire dont j'ai tant entendu parler. Évoquer la Sicile, c'est faire naître les images d'un pays fastueux où tout est donné en abondance. Seuls nos pays d'Orient peuvent peut-être rivaliser avec ses richesses, ajouta-t-il en riant.

– J'ai eu la chance d'en connaître un bon nombre et je suis un grand amateur de votre art de vivre. Mais je dois me préoccuper de t'installer dignement. J'ai choisi Quintus Minucius, le président du duumvir de la cité, pour t'héberger dans sa luxueuse villa qui surplombe la mer Ionienne à trois milles de Syracuse. Une aile de la maison a spécialement été aménagée pour toi et ta suite. Timarchide, mon intendant, va s'occuper du déchargement de tes effets. Il est à ton service avec une armée d'esclaves.

Antiochus contemplait le palais de Hiéron qui se détachait sur le fond de mer bleu intense. De nouveau un doute traversait son esprit. S'il avait accueilli un ambassadeur de Rome en Syrie, nul doute qu'il l'aurait installé directement dans son palais princier. Mais Verrès s'empressait, de nouveau.

– Je ne pouvais pas te recevoir dans mes murs. Je me suis lancé dans de grands travaux que Sacerdos, le gouverneur précédent, avait différés. Les appartements prévus pour les hôtes de marque comme toi sont en réfection. Tu seras beaucoup mieux chez Q. Minucius. Je te laisse le temps de prendre tes aises et je t'invite pour un repas et une grande fête demain soir.

La fête fut fastueuse. Verrès avait du goût et savait dépenser pour créer des ambiances inoubliables. Lorsque l'argent public sert de fortune personnelle, la générosité peut sembler naturelle.

La clémence du temps autorisait d'installer la réception en plein air, au bord de l'eau, en contrebas du palais. Plusieurs tentes avaient été dressées. Au centre, celle, du gouverneur était ronde. Le soir apportait une nuance de fraîcheur maritime.

Quelques jours plus tard Antiochus invita Verrès. Il ne voulait pas être en reste et, à la manière des Orientaux, était bien décidé à éblouir son hôte. Il étala toutes ses richesses, son argenterie finement ciselée, de magnifiques coupes en or rehaussées de diamants, des vases incrustés et une cuiller à vin dotée d'un manche en or, unique en son genre car évidée dans une grande pierre précieuse.

Verrès était véritablement bouleversé. Il avait pris dans ses mains, examiné, palpé chaque objet et son hôte était charmé d'avoir affaire à un tel connaisseur. Mais celui-ci n'avait pas encore compris quel être pervers il avait devant lui.

De retour vers son palais, le préteur se confia à Timarchide.

– Il me faut tout. Je veux tout lui rafler. Le détrousser, le dépouiller. Ce petit prince prétentieux ne mérite pas de posséder de tels trésors. Je te confie comme première mission de tout lui emprunter. Invente ce qui te passe par la tête. Je sais que je peux te faire confiance.

– Je peux certainement obtenir ce que tu demandes. Mais tu dois éviter un incident diplomatique majeur. Nous sommes déjà en guerre contre Mithridate. Le sénat verrait d'un très mauvais œil que la Syrie devienne son alliée du fait des passions esthétiques de son gouverneur de Sicile.

– J'aime ton bon sens, Timarchide, mais j'en prends le risque. Je crois que ces petits roitelets que nous ménageons sont trop orgueilleux pour se plaindre d'être dépouillés. Ils veulent toujours se montrer plus riches qu'ils ne sont et il fermera les yeux sur ce petit larcin. Il me méprisera peut-être, mais je n'en ai cure ! Tu sais bien que mon amour de la beauté transcende tous les mépris de mes concitoyens, *a fortiori* ceux de petits barbares.

Quelques jours plus tard, les merveilles d'Antiochus étaient entre les mains de Verrès, y compris la fameuse cuiller à vin. Timarchide avait simplement avancé que, du fait de leur rareté et de leur splendeur, son maître souhaitait faire examiner toutes ses pièces par les orfèvres experts qui étaient à son service dans ses ateliers. Flatté et sans méfiance, le prince avait donc accédé à cette demande.

Timarchide, en furetant dans la maison de Quintus Minucius où résidait Antiochus, avait réussi à soudoyer un de ses ministres. Celui-ci, nommé Golathos, lui avait appris, après quelques verres de vin, quelques sesterces et l'adresse d'une taverne réputée pour l'art de ses prostituées, qu'une pièce encore beaucoup plus extraordinaire se trouvait emballée à l'abri des regards.

– Il s'agit d'un candélabre très précieux d'une incroyable richesse d'exécution, tout rehaussé de pierreries, qui est destiné à décorer le Capitole. Je n'ai pas pu le voir mais, selon Golathos, c'est un chef-d'œuvre de plus de sept pieds de haut.

— Timarchide, il me faut ce candélabre.

— Ce sera très difficile. Les deux princes devaient le déposer dans le Capitole, à Rome, mais celui-ci est encore en reconstruction depuis l'incendie qui l'a détruit[1]. Ils ont donc décidé de ne dévoiler leur offrande à Jupiter que lorsqu'elle pourrait être admirée par tous, dans les meilleures conditions. Ils en réservent la primeur au peuple de Rome.

— Mais je suis plus à même d'apprécier l'art que le peuple de Rome. Timarchide, j'ai confiance en tes talents, cours chez Antiochus et ne reviens pas sans ce candélabre.

L'intendant de Verrès était habile et Antiochus bien naïf.

Le jour même, le propréteur pouvait contempler à loisir, à l'abri des regards indiscrets, la splendide pièce d'orfèvrerie coulée en bronze massif et polie avec art. Il resta plus de deux heures à en examiner les moindres détails, à en compter les pierres précieuses, à en détailler les arabesques et les incrustations, à en caresser les volutes, à en évaluer l'harmonie. Lorsqu'il ressortit de la pièce où il avait confiné ce qu'il considérait déjà comme sa dernière acquisition, il était au comble du bonheur. Timarchide, qui prévoyait la suite, l'attendait dans le bureau où il gérait les affaires de l'État.

— Sais-tu que ni Chélido, ni Pipa, ni Tertia ni aucune des mes courtisanes les plus expertes ne m'ont fait connaître de telles jouissances ? Ce candélabre est désormais ma propriété. Je le reçois comme un cadeau digne de mon rang. Qu'en penses-tu ?

---

1. La Capitole fut incendié pendant la guerre civile en 83 sous Sylla.

L'intendant se détourna, un peu gêné.

— Je ne puis décider à ta place mais cependant je dois te mettre en garde. Il ne s'agit plus des objets personnels du prince mais d'un cadeau destiné au peuple de Rome, un hommage officiel à Jupiter Capitolin. En te l'appropriant tu déclenches un véritable incident diplomatique. Antiochus recevra cela comme un camouflet et tu sais, pour les avoir longuement fréquentés, que les princes orientaux n'aiment pas perdre la face. Quant au Sénat, il devra réagir car le Syrien ne manquera pas de demander son arbitrage.

Verrès écoutait dans un état de surexcitation maladif.

— J'aime ces situations, Timarchide. J'aime les faire plier à mes désirs. Tous. Tous, tu entends. Surtout ceux qui se croient puissants et qui n'ont plus le courage d'exercer leur pouvoir. J'aime les voir protester pour la forme et finalement s'incliner. Tout se passera bien. N'aie aucune crainte.

— Que dois-je faire ?

— Laissons le temps faire son œuvre. Il amollit toujours les plus fermes volontés.

Quelques jours plus tard, Antiochus intrigué de ne pas voir revenir son candélabre le fit réclamer au palais. Après avoir renvoyé plusieurs émissaires du prince sous des motifs fallacieux, Verrès finit par solliciter avec insistance que ce chef-d'œuvre soit considéré comme un cadeau de la Syrie à Rome. Il reçut alors la réponse qu'il attendait pour déclencher sa fureur.

« Antiochus au gouverneur de la Sicile, salut ! »
Le candélabre qui fait l'objet de ma réclamation et que tu as eu le loisir d'admirer pendant plusieurs jours dans ton palais a déjà été attribué en cadeau au peuple romain et en offrande à Jupiter Capitolin par le royaume de Syrie. Je ne puis

donc le laisser entre tes mains. Veux-tu me faire l'amitié de me le rapporter dans la journée et de participer à notre dîner. Antiochus. »

– Timarchide, écris ! Je veux voir disparaître ce roitelet de ma vue. Il doit quitter sans délai les côtes de Sicile ou je le fais couler par ma flotte. Voyons, quel argument pouvons-nous trouver ?

– Les pirates t'ont beaucoup servi d'alibi de toutes sortes.

– C'est très bien, les pirates. Écris.

« Verrès, propréteur de Sicile par la volonté du peuple romain, au prince de Syrie. Salut.

Les pirates qui dévastent souvent nos côtes sont signalés aux abords de Syracuse. J'ai alerté mes navires de combat et l'armée se tient prête à repousser une incursion dans nos ports. Cependant, compte tenu des forces en présence, je ne puis garantir ta protection. Je t'ordonne donc de quitter dans la journée le port de Syracuse. Tu seras plus en sécurité en haute mer, cap à l'est. Verrès. »

Antiochus venait enfin de comprendre. Il s'était fait duper comme un enfant. Avec une escorte de quelques centaines d'hommes, il ne pouvait engager aucune action de force. Le candélabre était perdu sans compter les centaines d'objets personnels en or et en argent. Il venait de se faire humilier par un simple fonctionnaire de l'État romain. Mais il ne lèverait pas l'ancre avant un dernier éclat. Pour l'honneur.

Entouré de ses ministres et de sa garde rapprochée, il se rendit au forum. La nouvelle s'était répandue que le prince allait faire une déclaration et il eut de la peine à se frayer un passage pour atteindre la tribune. Lorsqu'il prit la parole, il avait des larmes dans les yeux et sa voix vibrait d'indignation.

— Amis romains de Syracuse et vous tous Siciliens, je vous prends à témoin comme je prends les dieux à témoin. Je quitte votre cité l'âme en peine et la colère au cœur. Verrès, votre gouverneur, me chasse. Comme si j'étais un homme indésirable sur ces terres romaines, un misérable qui relèverait d'un châtiment par les verges. Il prétexte une attaque imminente des pirates et il se préoccuperait de ma sécurité. Mais c'est un argument de mauvaise foi. Je puis assurer moi-même ma sécurité. La vérité est ailleurs. Et je suis contraint de vous la dire pour que vous puissiez en rendre compte à Rome. En vérité, Verrès m'a volé. Verrès est un voleur de grand chemin. Il détrousse sans vergogne, même ses amis et ses alliés. Je ne réclamerais pas les centaines d'objets personnels de grande valeur qu'il m'a « empruntés » et que je n'ai jamais revus. Je les lui laisse. Ma fortune me permet une certaine prodigalité. En revanche je ne puis accepter qu'il m'ait dérobé un candélabre d'immense valeur que je destinais en cadeau au peuple romain et que je devais placer dans le Capitole en hommage à Jupiter. Il s'agit d'un souvenir durable d'alliance et d'amitié entre nos deux peuples. Et c'est vous tous qui êtes volés dans cette affaire. C'est un outrage fait à Jupiter. Je vous demande d'être mes interprètes devant le sénat, à Rome, pour dénoncer l'infamie de cet homme et le faire condamner...

Verrès qui venait d'arriver sur le forum n'entendit que les derniers mots. Il était blême.

— Antiochus, tu as moins d'une heure pour appareiller avant que je ne lance mes troupes à l'assaut de tes trirèmes. Oui, je te chasse. Oui, je t'expulse de ce territoire où toi et les tiens êtes à jamais indésirables. Tu as eu l'audace de venir me défier sur les terres de Rome mais

je suis assez magnanime pour te laisser repartir en vie.
Dépêche-toi. N'abuse pas de ma patience.

En milieu d'après-midi, les navires syriens n'étaient
plus que de petits points sur l'horizon. Verrès était
retourné contempler son candélabre et Timarchide médi-
tait sur la cupidité humaine.

6.

De l'autre côté de lui-même

Verrès revoyait souvent Tullia et son esprit ne cessait d'être occupé par elle. La jeune femme exerçait sur lui une attraction qu'il ne parvenait pas à maîtriser. Non seulement elle était belle, vive et clairvoyante, mais sa franchise brutale, la désinvolture dont elle faisait preuve à son égard, provoquaient en lui le besoin impérieux de la séduire. Plus remarquable encore, dans le désir de lui plaire, il se sentait obligé de modifier son comportement. Voué au mal, il laissait monter en lui l'envie d'être meilleur et de le montrer dans ses actes. De plus en plus, il tenait compte de ses remarques. Il lui arrivait même de revenir sur des décisions hâtives, sur des jugements trop cruels, sur des verdicts trop lourds.

Alors qu'il était d'habitude si sûr de lui, il se sentait en face d'elle comme paralysé par l'émotion. Il n'osait rien sinon pour se montrer attentif, prévenant et la combler de présents de toutes sortes.

Il conversait longuement avec elle en l'écoutant avec une sorte de dévotion. Et, peu à peu, il perdait de sa superbe. Il craignait qu'une maladresse, un geste mal interprété n'entraînât une rebuffade qui l'aurait disqualifié à jamais.

Que pouvait-elle bien penser de lui ? Elle tolérait sa présence et y prenait apparemment quelque plaisir. Cela laissait supposer qu'il ne lui était pas indifférent. Mais pour quelles raisons ? Dans le but de le transformer, de le racheter ? Ou d'éprouver la sensation excitante de le soumettre, lui, le gouverneur orgueilleux, si puissant ? Mais cela pouvait être aussi la possibilité entrevue, le désir de faire naître un autre Verrès, un homme de bien, ou au contraire une attirance inconsciente pour les forces du mal qu'elle aurait vu scintiller en lui avec l'éclat du diamant noir ?

Dans cet état d'incertitude, il se sentait devenir un personnage inconsistant. Cela ne pouvait se prolonger. Bientôt, il quitterait la Sicile et il ne pouvait imaginer de partir sur un échec, emportant avec lui la brûlure d'un refus. Il ne pouvait plus attendre sans se perdre.

Un jour qu'assise sur une terrasse elle regardait l'horizon marin, il se tenait derrière elle, en attente d'un signe. Sans s'en apercevoir, comme par mégarde, il retrouva le geste de leur première rencontre. Il mit doucement sa main sur son épaule, figé dans une immobilité où il lui sembla jouer une part décisive de sa vie.

Il ne pouvait évaluer le temps. Il ne fit rien. Il ne dit rien. Il était suspendu à sa décision. Elle ne le repoussait pas. Elle ne l'encourageait pas davantage. Tous deux restaient immobiles, le regard dans le lointain.

Et puis, comme si cela ne signifiait rien, d'un geste naturel, elle posa sa main droite sur la sienne et la serra.

Verrès sentit alors un grand désordre le saisir qui submergea sa raison. Il resta muet un long moment. Et lentement, gravement, il murmura :

– Tullia, je t'aime. Je ne sais plus qui je suis. Je suis au-delà du bien, au-delà du mal. Et je sais que je t'aime. Veux-tu partager ma vie, veux-tu m'épouser ?

Cette dernière phrase, il ne l'avait pas voulue. Elle était venue avec force du fond de lui-même. Et soudain, elle exprimait ce qu'il souhaitait le plus au monde.

Tullia tourna la tête vers le personnage qui, par ses ambiguïtés mêmes, l'avait fascinée.

– Je ne veux pas être indigne de ce que tu ressens en te faisant attendre. Ma réponse est oui.

Elle approcha son visage de leurs mains serrées.

– Mais à une condition, je veux être la seule femme de ta vie et sans partage.

Il va accepter, pensa Tullia. Son désir était si violent qu'il aurait promis n'importe quoi. Mais pouvait-elle imaginer réellement, de sa part, une conversion plus profonde, un amour solide et la volonté de changer de vie ? Ne risquait-elle pas le pire en s'abandonnant à son goût de l'aventure, de l'immodéré ?

– Je te le promets, dit Verrès.

Le mariage célébré dans le palais de l'Ortygie fut presque clandestin et ignoré de tous. Tullia savait qu'elle allait quitter son pays définitivement. Elle savait qu'elle engageait sa vie sur un chemin difficile avec un homme dont on pouvait encore craindre le pire. Mais, par-delà ses excès, Verrès le débauché, le cynique, le cruel exerçait une étrange fascination sur elle, une forme de défi qu'elle entendait relever tant elle avait confiance en sa jeunesse et en ses pouvoirs.

La fuite

Un début d'insurrection larvée parcourut la Sicile dès les premiers jours de décembre. Trois années de tyrannie avaient exaspéré le peuple et l'imminence du départ de Verrès redonnait quelque espoir qui réactivait les foyers de rébellion.

Metellus, son successeur, avait déjà fait savoir, par des émissaires envoyés de Rome, avant son arrivée officielle, qu'il appliquerait les lois Hiéron, celles qui avaient toujours régi les rapports de Rome et de la Sicile. Il avait compris qu'il devait se démarquer nettement de son prédécesseur. Mais la question de la culpabilité de Verrès restait entière et le procès qui devait être instruit dans la capitale ne suffisait pas à calmer les esprits. Pour beaucoup, le gouverneur méritait la mort mais on pensait qu'à Rome l'aristocratie serait fatalement indulgente vis-à-vis d'un de ses pairs.

Aussi, certains parmi les plus ardents opposants au nouveau régime fiscal, avaient créé un groupe d'autodéfense armé qu'ils avaient appelé « Notre Sicile » et qui comptait déjà plus de quatre cents membres répartis, pour la plupart, dans les grandes villes et dans les campagnes. Très actifs, les militants de cette faction cherchaient à entraîner tout le peuple avec eux. C'est pourquoi ils multipliaient les petites fêtes à la fois pour sonder l'opinion et pour inciter la majorité à se soulever contre Verrès.

À Syracuse, la situation était particulièrement préoccupante. De nombreuses petites bandes fortement armées campaient dans les environs de la cité avec le secret espoir de pouvoir organiser un guet-apens si le gouverneur sortait de son palais. De fait, Verrès était véritablement assiégé dans sa résidence de l'île d'Ortygie et sa garnison forte de cinq cents hommes ne suffirait pas à contenir une émeute populaire.

Ce matin du 2 décembre, une foule armée de bâtons ferrés et de frondes s'était massée devant le petit pont qui reliait l'Ortygie à la Sicile. La foule scandait le nom de Verrès et l'affublait des qualificatifs les plus injurieux.

L'accès du pont était solidement barricadé et gardé par une cohorte de vingt légionnaires mais, en face d'eux, plus de mille personnes vociféraient, en grec, langue qu'aucun soldat ne comprenait. Les pierres pleuvaient et les grands boucliers rectangulaires suffisaient à peine pour les protéger.

Timarchide, reçu par Verrès, ne lui cacha pas sa profonde inquiétude.

— La foule gronde et je ne sais pas combien de temps nous pourrons la retenir, dit-il à Verrès.

— Fais charger avec des javelots. Une fois que nous aurons embroché les vingt premiers les autres se tiendront cois.

— Verrès, la situation est très grave. Tout affrontement se finirait en déroute et peut-être en massacre. Je n'ai que cinq cents légionnaires et ils sont plus du double. Chaque jour leur nombre va croissant. Ils sont armés et commencent à s'organiser. Nous devons fuir par la mer et rejoindre Messine où la population nous est encore favorable.

— Fuir ? Mais je suis gouverneur de Sicile. Un gouverneur ne peut pas fuir. Ce serait lâche et contraire à tous mes devoirs.

— Alors prépare-toi à mourir.

— Tu es sûr que nous ne pouvons pas négocier une accalmie ?

— J'ai essayé. Je leur ai même promis des indemnités, des remboursements. Mais ils ne croient plus personne. On a trop menti et triché, Verrès.

— Et si j'y allais ?

– Il prendrait cela comme une ultime provocation. Je te le déconseille. Il n'est même pas sûr que nous puissions assurer ta protection.

– Que proposes-tu ?

– Tout est prêt. J'ai fait affréter plusieurs navires, les plus rapides. Nous allons nous embarquer derrière la jetée, à l'extrémité sud d'Ortygie. Lorsqu'ils nous verront, il sera trop tard. Personne ne pourra nous rejoindre en mer. Nous irons jusqu'au port de Xiphonia au nord, où nous attendent trois trirèmes de ta flotte avec les plus fidèles de tes marins et Cléomène à leur tête. De là nous gagnerons Messine plus ou moins rapidement selon la force du courant du détroit. Mais nous serons hors d'atteinte.

– Ils vont piller le palais !

– Il ne reste plus beaucoup d'objets d'art. Tu as presque tout vidé, Verrès. En revanche, les entrepôts de Messine sont pleins. Et la garnison demeure sur place. Une fois qu'ils découvriront ta fuite, leur colère faiblira. C'est à toi qu'ils en veulent, pas à tes légionnaires.

– Ils m'en veulent vraiment, dis-tu ?

– Ça ne devrait pas t'étonner ! Nous avons beaucoup profité de la situation.

– Un peu, oui. Tullia me répète cela chaque jour. Pourtant, je leur ai évité le pire. L'île est restée en paix. Spartacus aurait commis bien plus de dégâts.

– Sans doute, mais les Siciliens auraient peut-être préféré négocier avec Spartacus.

Tullia s'était discrètement approchée. Elle avait entendu leur conversation mais sa voix ne trahissait aucune crainte.

– Je crois qu'il serait sage de suivre le conseil de Timarchide. Je ne crains pas pour ma vie mais si tu veux racheter la tienne il vaut mieux te donner encore quelques années.

Verrès n'avait pas encore réalisé les changements qui intervenaient dans sa vie. Et l'influence de plus en plus importante de sa femme. Il la regardait, muet et songeur. Elle continuait de la même voix tranquille.

— Tu ne vas pas risquer de répéter le drame de Lampsaque[1] à l'époque où tu étais le questeur de Cn. Dolabella.

— Tu connais donc l'histoire de Philodamus ?

— Mais oui, je sais que tu as voulu déshonorer sa fille et je sais que les citoyens de toute la ville ont failli te faire rôtir dans ta maison. Aujourd'hui, c'est tout un peuple qui t'en veut. S'ils allument le feu, l'incendie risque de s'étendre à toute l'île. Il faut partir. Mais je crois que tu reviendras car tu restes sur ta faim. Les statues ne t'ont pas tout livré.

Verrès la regarda avec surprise.

— Tu lis donc dans mes pensées. Oui, il faudra retourner en Sicile. Car nous sommes passés à côté du secret des statues.

Il enleva l'anneau d'or de son doigt et en montra l'intérieur à Tullia.

— Regarde, un chiffre a été gravé : le chiffre 3. Et un triangle. J'ai beaucoup réfléchi à la signification de l'un et de l'autre. Et je suis arrivé à la conclusion qu'il y a deux autres anneaux à découvrir. Pas davantage. Les trois angles du triangle indiquent une limitation. Le chiffre trois et non le quatre ou le cinq. L'anneau marqué 1 doit couronner la recherche et permettre, sans doute, de trouver un fabuleux trésor. Sa quête sera longue, difficile. Autrement dit « méritée ». « Par son mérite », dit le parchemin. Je sais maintenant que je n'avais rien compris. Le mérite doit porter ses fruits après la découverte du

---

1. Lampsaque est une grande ville de la province d'Asie Mineure où Verrès a commis de nombreuses exactions dans le passé.

premier anneau. J'ai cru le but atteint et je n'ai pas cherché à aller plus loin. Nous devrons retourner à Agrigente et regarder, réfléchir, creuser. Le triangle est peut-être une indication précieuse, une sorte de plan dont l'un des centres serait le point décisif. Tu as raison, Tullia. Partons. L'anneau d'or nous protégera.

— Et il nous ramènera peut-être en Sicile, dit Tullia avec un sourire mystérieux.

Mais le retour en Sicile n'était pas à l'ordre du jour. Il fallait rejoindre Rome. L'embarquement était proche. La manœuvre se déroula comme prévu par Timarchide. Dès le lendemain soir, bénéficiant d'un vent favorable, Verrès et une cohorte d'une centaine de personnes de sa suite étaient en sécurité à Messine.

Huit jours plus tard, le gouverneur arrivait à Rome où il commençait à préparer son procès.

TROISIÈME PARTIE

Le procès

1.

Préliminaires

Depuis que Cicéron est rentré de Sicile, Hortensius se démène pour repousser le début du procès. Avec habileté, il a élaboré un calendrier qui devrait permettre à Verrès d'être jugé par des personnalités beaucoup plus favorables que celles qui ont été désignées.

Certes, il a subi un premier échec en janvier puisqu'il n'a pu obtenir que l'accusation fût soutenue par Caecilius auquel Cicéron a été préféré. Les choses auraient été plus faciles avec lui qui était tout acquis à la cause de Verrès et même payé pour l'être. Mais, peu après, Hortensius avait obtenu une première victoire. Dès le lendemain de la nomination de Cicéron, il a fait déposer par un accusateur quasiment inconnu, C. Publius Continius, une autre demande de procès contre un certain propréteur de Grèce, P. Valérius Pisco, poursuivi pour concussion comme Verrès. L'accusateur, n'ayant demandé que cent huit jours pour son enquête contre cent dix jours demandés par Cicéron, le procès, selon la loi, devra avoir lieu avant celui de Verrès. Il s'agissait, à l'évidence, d'une affaire montée de toutes pièces.

Une fois le procès entamé, il apparaît très vite que la procédure dure sans raison valable : la mauvaise volonté des deux parties est manifeste. Cicéron est dans une grande impatience mais n'a aucun moyen de faire avancer les débats.

Hortensius s'est assuré les services de deux autres avocats, L. Cornélius Sisenna qui connaît bien la Sicile pour y avoir résidé et un jeune avocat qui débute dans la carrière, P. Cornélius Scipio Nasica dont il apprécie la méthode et l'esprit logique dans la construction de ses plaidoiries. À ce dernier, il explique sa stratégie qui bénéficie des heureux résultats obtenus lors des élections de juin.

– Mon cher Cornélius, la chance nous sourit. Les dieux sont avec nous. Les élections qui viennent de se dérouler sont pleines de promesses pour notre futur procès. Quintus Caecilius Metellus vient d'être élu consul avec moi pour l'année prochaine et le frère de Quintus, Marcus Caecilius Metellus, a été nommé préteur urbain. Il présidera donc la cour de justice.

– Mais, ces sénateurs ne prendront leurs fonctions qu'en janvier prochain.

– Certainement mais nous allons nous employer à faire durer le procès jusque-là.

– Comment espères-tu t'y prendre ?

– En utilisant habilement les nombreuses fêtes à venir d'ici à la fin de l'année. Le peuple ne peut pas s'en passer. Elles marquent donc de nombreuses interruptions dans la procédure. Ainsi le 18e jour des Calendes de septembre nous avons les Fêtes Votives, puis les Fêtes des Romains jusqu'à la mi-septembre, puis les Fêtes des Victoires durant les derniers jours d'octobre, enfin les Fêtes dédiées au Peuple au mois de novembre sans compter les

Fêtes des vendanges. Nous allons faire en sorte que le procès traîne en longueur et ne puisse aboutir avant la fin décembre. Cela a un autre avantage : les Siciliens n'en peuvent déjà plus d'attendre. La plupart vivent à Rome, chez des amis, et du travail les attend dans leur île. Bon nombre de témoins feront donc défection. Enfin, le peuple rassasié de jeux sera moins avide de condamnation. Après avoir vu égorger des dizaines de gladiateurs et massacrer des troupeaux de bêtes féroces, ils auront moins envie de voir condamner à mort un aristocrate.

— Ton habileté à manœuvrer n'a d'égale que ton éloquence, Hortensius. Je suis fier d'être ton élève.

— J'espère que tu seras aussi brillant que notre futur adversaire, Marcus Tullius Cicéron qui fut aussi mon élève. Écoute-le pendant ses plaidoiries et profite de tout. Nous avons affaire à forte partie et c'est pourquoi je cherche à mettre toutes les chances de notre côté.

Pour l'Histoire

Suite à son invitation, Cicéron se rend chez son ami Atticus. La maison que celui-ci habite depuis qu'il en a hérité de son oncle Q. Cécilius est baptisée Tamphilane. Elle est érigée sur le Quirinal. Il s'agit d'une demeure de dimensions modestes agrémentée d'un très grand jardin toujours bien entretenu malgré l'absence de son propriétaire qui vit à Athènes depuis l'an 88[1].

Titus Pomponius Atticus est un sage.

Né dans une famille très fortunée, élevé par un père amoureux des belles lettres et des arts, éduqué par les meilleurs maîtres de la rhétorique, il s'est toujours tenu à

---

1. Les années 90 à 80 ont été ensanglantées par la guerre civile et Atticus s'est refusé à prendre parti.

distance de la politique et a même réussi l'exploit d'entretenir des amitiés solides et sincères dans tous les partis. Il est vrai que sa générosité et son absence de susceptibilité ont largement contribué à lui conserver les faveurs de tous.

Depuis l'année 88, Atticus vit à Athènes où il a transféré et où il fait fructifier la quasi-totalité de sa fortune pour éviter d'avoir à prendre parti dans une guerre civile effroyable qui a vu périr des centaines de milliers de citoyens italiens et romains de toutes conditions. Mais, par un réseau d'informateurs très organisé, il se tient au courant de tout ce qui se passe à Rome et revient par période se ressourcer dans l'ambiance de la Ville, pour retrouver ses racines. Attiré par l'enjeu du futur procès de Verrès, il est rentré depuis le mois de mai et n'a pas encore pu rencontrer son ami Cicéron qui était en Sicile lorsqu'il avait abordé à Brindes.

Il y a une dizaine de jours, il a reçu un courrier de son ami fidèle.

– Je sais par la rumeur que tu es dans nos murs. Je ne supporte pas de rester plus longtemps sans parler avec toi. Tu sais combien ton éloignement me pèse. Fais-moi savoir quand nous pourrons nous rencontrer. Je dois me confier à toi concernant ce procès où je me suis investi corps et âme. J'ai besoin de tes conseils toujours si judicieux. À bientôt. Marcus.

Il répondit dans la journée.

– Cet éloignement est également une souffrance pour moi. Peux tu venir dans deux jours, pour la cena. Si tu n'y vois pas d'inconvénients, j'essaierai de convier Catulle et Cornélius Nepos pour reconstituer la bande des quatre ! Nul doute que nous allons trouver des solutions à tous tes problèmes.

Datamon, l'intendant, l'introduit aussitôt dans le *triclinum* où il a la joie de retrouver Cornélius Nepos avec qui il a fait une partie de ses études et Catulle, jeune poète très en vue. Ils sont déjà installés sur les lits de repas. Atticus arrive sur ces entrefaites et le serre longuement dans ses bras. Les quatre complices se sont toujours entendus comme de vrais larrons mais jamais pour des coups tordus. Leur plaisir privilégié est de discuter poésie ou littérature, de lire des passages des plus belles œuvres des auteurs en vue qu'Atticus publie aussi bien en latin qu'en grec, d'en discuter la qualité et d'égratigner ceux qui leur paraissent prétentieux ou insuffisants.

— Titus, quel bonheur ! Tu dois m'aider à y voir clair. Je ne sais plus comment reprendre les choses en main. J'ai l'impression que tout m'échappe et d'être manipulé de tous côtés.

— Tu t'es attaqué à forte partie, Marcus. Il ne faut pas t'étonner de recevoir quelques coups. Moi qui débarque d'Athènes, j'ai été impressionné par le climat qui règne ici. La révolte gronde dans le peuple qui profite de la présence des Siciliens pour rappeler leurs revendications. L'aristocratie se sent menacée et ne sait plus comment supprimer les mauvaises conséquences des lois imposées par Sylla pendant sa dictature. Les chevaliers se dérobent car personne n'ignore que les publicains[1], leurs pairs, sont impliqués dans les exactions de Verrès et toi, au milieu de tout cela, tu joues les hommes innocents, candides, vertueux et tu prétends résoudre le conflit en résumant l'accusation à celle d'un homme que tu présentes comme un monstre.

— Mais c'est un monstre. Il faut qu'il paie pour ses crimes.

---

1. Les publicains sont les agents de recouvrement des impôts. Ils appartiennent à l'ordre des chevaliers.

– Sans doute Marcus, mais ne joue pas au naïf avec moi. Ton système d'accusation est surtout au service de ta carrière politique. Tu veux affaiblir le parti des Optimates en la personne de Verrès car tu prépares ta propre campagne pour le consulat dans cinq ou six ans. Tu veux rendre au peuple une partie de son pouvoir judiciaire pour attirer ses voix. Tu te sers de Verrès comme d'un bouc émissaire. Tu charges l'accusation et tu tentes de disculper les publicains, tes amis chevaliers qui sont forcément impliqués dans tous les vols commis par le gouverneur. Au mieux ils ont fermé les yeux, au pire ils ont inventé des systèmes de fraudes et touché leurs commissions. Mais tu sais bien, pour avoir été questeur à Lylibée, qu'il est impossible à un propréteur d'agir seul.

– Il y a beaucoup de vrai dans ce que tu dis, Titus. Mais je ne peux faire autrement au risque de déstabiliser la République d'un seul coup. Car nos institutions sont en piteux état. Et nous risquons alors d'avoir à subir un nouveau dictateur du genre de Sylla.

– Sylla ne fut sans doute pas pire qu'un autre en de pareilles circonstances.

Cornélius Nepos lève la main pour intervenir.

– De quoi te plains-tu exactement, Marcus ?

– J'ai surtout le sentiment d'être manipulé. Verrès et sa clique vont essayer de faire ajourner le procès pour qu'il se déroule à partir de janvier prochain car les juges et les consuls seront beaucoup plus favorables à l'accusé. Ils ont essayé de me faire assassiner plusieurs fois. Tout cela est de bonne guerre. En revanche, j'ai reçu des lettres de menace dont j'ignore l'origine exacte mais qui ne peuvent venir que des Optimates. Je suspecte également quelque société secrète dont on connaît bien l'influence sans pour autant en connaître les modes de fonctionnement. Comment savoir quels sont, parmi nos hommes politiques, ceux qui font partie de ces groupes de réflexion et de pression ? Peut-être en êtes-vous tous les trois ? termine Cicéron en riant.

— Qui sait ? intervient Catulle. Il est assez probable que les juges sont déjà d'accord avec Crassus et Pompée, nos deux consuls élus, et avec Hortensius, l'avocat, sur la nature du verdict.

— Je suis donc un pantin dans cette affaire ! Un avocat de seconde zone à qui l'on a laissé jouer son numéro ?

— Pour le coup, tu es un peu sévère avec toi-même, ironise Atticus. Mais, selon mes sources d'informations, tu seras dépossédé de ton succès.

— Que veux-tu dire par là ?

— Tu as voulu trop en faire, Marcus. Sans doute Verrès a beaucoup de tort mais tu devrais lui reconnaître des qualités. Il n'est pas sans courage. Il a maintenu la paix dans sa province alors que depuis quarante ans une guerre servile larvée couve et renaît par épisode de ses cendres. Il a réussi à tromper Spartacus en passant un accord avec le chef des pirates, ce qui a grandement facilité la tâche de Crassus qui n'a eu qu'à finir d'écraser une rébellion à bout de souffle. J'ai appris, par Pompée lui-même qui à l'époque des faits était en Espagne pour lutter contre la trahison de Sertorius, que le fameux Gavius que Verrès fit crucifier sur le rivage de Messine était bien un espion de ce général félon et qu'il cherchait à faciliter le passage de Spartacus en Sicile. Sans doute le peuple sicilien a eu à subir des prélèvements excessifs mais la majorité des grands propriétaires ne sont pas venus se plaindre, ce qui prouve que l'ordre social a été maintenu. On peut surtout reprocher à Verrès d'avoir été trop voyant, trop provocateur. D'ailleurs, je sais que tu le reconnais toi-même, la majorité des propréteurs ont pillé leur province. Mais on ne peut piller que des richesses et, chaque fois, les villes ont retrouvé leur splendeur en très peu de temps.

– Il est vrai que le système de concussion s'est généralisé depuis le début du siècle. Alors, que dois-je faire, Atticus ?

– Il faut que tu joues ton rôle jusqu'au bout. Il est trop tard pour aborder une autre forme d'accusation qui impliquerait des centaines de personnes. Mais je pense qu'une longue plaidoirie comme tu sais si bien en développer est, pour ce procès, inutile.

– Tu veux vraiment dire que le verdict est déjà prêt.

– Je ne peux rien te révéler, mais tu dois me faire confiance. Les témoins doivent suffire. Tes grandes envolées n'apporteront rien de plus sinon de mettre en doute ta probité si tu essaies de trop charger Verrès et de trop disculper ta propre classe des chevaliers. Tu risques même d'y perdre une partie des voix de la plèbe.

– Mais que dois-je faire avec les menaces de mort ?

– Les ignorer et te faire protéger jusqu'à la fin du procès. Pour les sociétés secrètes, je connais leur existence mais très mal leur travail et leur moyen d'action. Ils refusent toutes ouvertures au monde. Je sais que l'on est surpris lorsque l'on reçoit, rarement, quelque confidence, d'apprendre qu'un citoyen que l'on connaît bien en fait partie. D'ailleurs on n'a jamais la preuve absolue d'une telle appartenance. Je crois savoir que, depuis plus de cent ans, ils ont renoncé définitivement à utiliser l'assassinat comme arme politique. Enfin je te livrerai ma dernière information pour t'inciter à réfléchir sur ce procès hors du commun : Verrès ferait partie d'une des plus importantes de ces sociétés. Il est donc vraisemblable que tout sera réglé dans ce cadre très secret.

– C'est terrible. La justice serait donc devenue une coque vide ! Comment peut-on espérer que des tractations secrètes puissent remplacer la rigueur et la probité de ces tribunaux que nous avons mis des siècles à améliorer ?

– Je t'avais prévenu, intervient Catulle, seule la poésie est digne de l'activité humaine. Tu as tort, mon cher Cicéron, de t'obstiner à vouloir arriver au Consulat. La carrière des honneurs ne devrait plus porter ce nom depuis très longtemps. Déjà Caton l'ancien stigmatisait la perte des valeurs traditionnelles. La brigue n'a plus de sens aujourd'hui que pour les scélérats.

– Je te trouve un peu réducteur, s'écrie Cornélius Nepos. Je crois que les historiens comme moi font aussi œuvre très utile. Mais j'approuve ton mépris pour les honneurs. Nous savons cependant que Cicéron est un idéaliste, un pur qui veut promouvoir l'ordre des chevaliers. Parfois, il est donc contraint à de petites concessions.

– Je vais écrire mes plaidoiries, Titus. Je vais les rédiger pour en faire des livres publics et tu seras mon éditeur. Je veux laisser une trace de ce procès et de l'histoire de cet homme. Je veux que cela serve d'exemple aux futurs jeunes nobles qui commenceront leur carrière dans une province. Ainsi ce déploiement autour de la justice n'aura pas été complètement inutile même si le verdict appartient à des instances secrètes.

– C'est une sage décision, Marcus. Mais ne parle à personne de ce projet car il pourrait t'attirer les foudres des partisans de Verrès. Ce serait même un excellent motif pour t'assassiner. Tu connais l'adage célèbre : les paroles s'envolent, les écrits restent. Certains ont beaucoup à perdre de la publication des minutes de ce procès.

Tractations

Pendant ce temps, Verrès intrigue. Il a des ambitions politiques et n'a pas manqué de s'en vanter, persuadé que son procès ne serait, en fin de compte, qu'une formalité.

Il brigue le consulat auquel il a droit dans le processus normal de la carrière des honneurs. Avant l'ouverture de son procès, il projette d'offrir chez lui un grand festin où l'aristocratie la plus pure sera conviée. Pour le plaisir de parader et de narguer ses accusateurs.

Aujourd'hui il doit parler sérieusement de son avenir avec les quelques personnalités sûres qui peuvent le promouvoir ou le lâcher.

Il a demandé à son avocat et ami Hortensius de convoquer discrètement chez lui ceux qu'il a choisis, Pompée et Crassus, les deux consuls de l'année et, tous deux, membre de la *Cella* 1, comme lui, César devenu incontournable tant son audace, son ambition habilement dissimulée, son sens de la diplomatie et sa chance insolente suscitent la crainte et le respect, et Varron ancien consul dont la culture et l'œuvre d'écrivain attirent les louanges de sa classe.

On a rapporté à Verrès que ces personnalités hautement influentes émettent, dans les comités restreints où ils sont amenés à prendre la parole, des réserves suite à son comportement excessif en Sicile. Il a donc décidé de s'en expliquer directement. Dès que les six hommes sont réunis dans le bureau de travail de l'avocat Verrès choisit d'attaquer.

– Je vous considère comme des amis de la noblesse. Je sais que je n'ai pas bonne réputation dans les rangs mêmes de ceux qui devraient me défendre mais je crois que beaucoup n'ont pas bien compris le sens de mon combat. Car c'est d'un combat de classes dont il s'agit. Il suffit d'analyser chacun des griefs qui me sont reprochés pour constater, dans une cruelle évidence, que je défends ce qui est essentiel pour l'aristocratie.

César l'interrompt.

– Nous avons bien compris cela, Verrès, mais nous comprenons moins bien pourquoi tu t'obstines à nous mettre en porte à faux vis-à-vis de la loi, pourquoi tu te permets des actes que tu ne peux couvrir que par ton autorité discrétionnaire de préteur. Peut-être te trompes-tu d'époque, Verrès ! La plèbe n'accepte plus de telles exactions comme aux débuts de la République. Les temps ont changé. Il faut être ferme, certes, mais avec les apparences de la douceur. Il faut diriger en faisant croire au peuple qu'il tient les rênes du pouvoir.

— Tu as raison, César, les temps ont changé et c'est bien ce que je regrette. Les temps ont changé depuis que la plèbe a eu l'autorisation de s'unir à l'aristocratie. C'était il y a presque quatre cents ans. Les magistrats égarés de l'époque ont appelé cela l'égalité civile. Nos ancêtres, inconscients des risques qu'ils prenaient, ont autorisé les mariages entre nobles et plébéiens ! Le peuple a cru ainsi s'ennoblir. Mais c'est l'aristocratie qui s'est abâtardie et qui s'est amollie. Du sang impur a commencé à circuler entre nous et cela s'est vu très vite dans les comportements de nos enfants. Les familles qui ont accepté ses alliances contre nature ont vu se multiplier les déboires. Leurs fils perdaient le sens de la patrie, s'adonnaient à la débauche, oubliaient d'accomplir leurs devoirs. Leurs filles ne se comportaient plus en matrones exemplaires mais on les surprenait à frayer avec des hommes sans conditions, parfois avec leurs esclaves dont elles pouvaient se trouver enceintes à l'insu de leur père. Notre race de nobles, de chefs, de guides de la patrie a commencé à dégénérer. Je suis un des derniers à m'insurger contre cette tendance infamante.

Varron a levé la main. Il croit bon d'intervenir pour donner son point de vue de naturaliste.

— Je trouve ta position très excessive, Verrès. Tu te laisses aveugler par une forme de haine du peuple. J'ai beaucoup observé les animaux dans la nature et je crois pouvoir affirmer qu'il vaut mieux mélanger les races que

les laisser se reproduire entre elles. On obtient des spé-
cimens plus solides, plus aptes au travail, meilleures lai-
tières pour les vaches ou les brebis. Même chez les abeilles,
ces petits insectes si laborieux, le mélange des essaims
venus de régions éloignées l'une de l'autre permet d'obtenir de meilleurs miels. Sans doute l'humanité se distingue-
t-elle du monde animal. Mais moins que tu ne crois.
Comment peux-tu affirmer qu'un couple mixte, un noble
avec une plébéienne, donnera des enfants dégénérés ?

— Mais les dieux ont sélectionné les nobles pour
leurs qualités et leurs aptitudes à être les maîtres et, à
l'opposé, le peuple a été mis sur terre pour obéir et travailler sous notre direction.

Le visage de Varron prend une expression ironique.

— Sans doute, sans doute, mais les dieux ne se sont
pas engagés de façon formelle dans cet ordre du monde.
Nous n'avons de connaissance que leurs statues qui sont
impressionnantes, certes, mais figées. Elles sont œuvres
d'homme et nous parlent rarement.

Verrès ne semble pas convaincu par cet appel au bon
sens de l'observation et à la tolérance.

— Sans doute les dieux sont-ils muets. Ce serait facile
de revenir au statut de nos ancêtres. Il suffirait d'éliminer
tous les faux nobles. Cela ferait beaucoup moins de victimes que la dernière répression de Sylla, deux ou trois
cents tout au plus, et les effets bénéfiques s'en feraient
beaucoup plus vite sentir. Quelle que soit votre opinion
sur cette proposition, je vous demande de réfléchir et de
me soutenir dans ce combat et ce procès où je défends,
avec ardeur et conviction, notre cause. Je vais vous laisser
délibérer.

Une fois Verrès sorti, César invite ses amis à se rapprocher de lui. Une expression de profonde jubilation
illumine son visage émacié. D'un repli de sa toge, il sort

un rouleau de parchemin qu'il déroule lentement comme pour ménager ses effets. Sur le cuir, l'écriture est fine, régulière et très serrée.

– Devinez ce que je vous apporte !

– La condamnation de Verrès que tu as préparée pour ses juges, lance Pompée.

– Ta nomination à la préture que tu as écrite de ta main en imitant celle du consul, propose Crassus spécialiste en faux documents de tous ordres.

– Un poème à la gloire de Verrès, plaisante Varron.

– Vous avez tort de vous moquer. Je vous apporte la solution de notre problème. C'est la liste complète, reconstituée depuis les premières annales de l'État romain, des membres de la *gens* de Verrès.

– Comment t'es-tu procuré cela ?

– J'ai soudoyé un certain Héloris, scribe de la région d'Achaïe, qui est esclave au service de notre ami.

Varron saisit le document et commence à le lire à haute voix. Il y a dix-sept générations. Toutes les femmes sont issues de *gens* nobles. La plupart des hommes sont généraux très valeureux qui se sont illustrés dans des exploits guerriers cruciaux pour la survie de Rome et la conquête de ses territoires.

– C'est une famille très respectable, assure Hortensius.

César les regarde, toujours ironique.

– Celle qui est décrite sur ce parchemin est très respectable. Mais ce document est un faux. Voilà la liste authentique.

Avec l'art d'un magicien, César fait disparaître le premier rouleau et lui en substitue un autre issu de sa toge, quasiment identique.

– Celui-ci est moins probant. Lorsque Héloris s'est aperçu que certains ascendants de Verrès étaient plébéiens, il a tout de suite compris, connaissant son maître, que lui révéler la vérité signerait son arrêt de mort. Verrès n'accepterait jamais de reconnaître publiquement qu'il y avait, notamment, un mime de théâtre parmi ses ancêtres. Il n'accepterait pas non plus de garder près de lui un témoin de ce qu'il considérait comme une tare. Héloris a donc inventé une ascendance reconstituée qui correspondait exactement aux désirs de Verrès. Mais nous possédons désormais le parchemin authentique.

— Tu es le plus malin de nous tous, Julius. Comment proposes-tu que nous utilisions cette pièce à conviction ?

— Je crois qu'il faut attendre. Je propose que nous révélions la vérité la veille du début du procès, c'est-à-dire la veille des Nones du mois d'août. Qui se charge de cette pénible confrontation entre un prévenu attaché à la pureté du sang des nobles et la réalité de sa parenté plébéienne ?

Crassus et Pompée ont échangé un regard complice. Le général fait un petit signe de la main droite pour demander d'intervenir.

— En tant que consuls, nous pouvons nous charger de cette délicate mission.

César sourit et ajoute aussitôt pour dissiper tous les doutes.

— Ce sera bien ainsi. Je crois savoir que vous avez des lieux discrets pour que de telles révélations ne puissent jamais être divulguées. Je vous laisse le soin de la procédure.

Pompée qui manque de finesse dans ces situations ambiguës croit utile de s'expliquer.

— Je ne vois pas à quoi tu fais allusion. Rien ne transpire de ce qui se passe dans nos villas.

— Sans doute... sans doute. Mais la tombe d'Appius Claudius est encore plus discrète, comme toutes les tombes !

Crassus comprend qu'il faut faire diversion. César bluffe comme toujours. Il n'appartient pas à la *Cella* 1 de Rome. Il se considère au-dessus de ces petites combinaisons arrangées dans des lieux choisis pour impressionner par des personnes qui jouent à s'investir de pouvoir qu'elles n'ont pas réellement. Il rêve trop de pouvoir absolu pour se plier à de petits jeux rituels. Mais il en a forcément entendu parler car une de ses marottes est le renseignement militaire et politique. Crassus, d'ailleurs, travaille en collaboration avec lui grâce au très dense réseau de ses comptoirs commerciaux répartis dans l'ensemble du monde romain. En provoquant, il essaie d'obtenir de l'information.

— Que devons-nous exiger de lui une fois que la révélation de ses origines l'aura abattu ?

César est à son aise. Il a l'habitude de commander, de dicter des ordres, de trancher en cas de litiges. Il apprécie que ce petit groupe de responsables politiques lui demande de prendre une décision.

— Verrès ne doit plus avancer dans la carrière des honneurs. Il a déjà trop laissé son empreinte sur l'aristocratie. De plus, il ne doit pas gagner son procès. Cicéron va se charger de l'accabler comme il a commencé à le faire, lors de la première audience, en janvier, pour la désignation de l'accusateur. Mais cela pourrait ne pas suffire. Le meilleur moyen est de suggérer aux juges de prononcer un verdict d'exil pour une durée longue. Je sais qu'il les a sûrement déjà achetés. Mais nous pouvons surenchérir. Non pas avec des sesterces, mais en leur parlant et leur montrant que nous en savons long sur le prévenu. Des confidences à demi-mot sont parfois très convaincantes. Les juges sauront voir où est leur intérêt d'autant qu'un homme en exil n'est pas très dangereux.

Un silence, dans la grande villa. Même les esclaves, attentifs au moindre désir des hôtes, ne disent plus un mot.

– Eh bien ! ce sera une drôle de justice, tout de même, commente Hortensius. Je ne vais pas être très motivé pour construire ma défense. Il faut pourtant lui reconnaître le courage d'avoir évité le pire en empêchant Spartacus de mettre les pieds en Sicile où il aurait pu se refaire une santé militaire.

– Sans doute, mais pour une fois, il n'a fait que son devoir. Ce verdict reste assez clément si l'on considère la façon dont il a administré sa province. Même si les Siciliens ont eu tendance à charger l'accusation, je sais que le plus grand nombre des faits qui lui sont reprochés sont véridiques.

– Il faut dire à Héloris de fuir, ajoute Hortensius. Il peut nous être utile pour l'avenir.

– Héloris n'est qu'un esclave et Verrès ne pensera pas forcément à lui comme responsable de la divulgation de l'information. Il sait que nous avons le pouvoir de faire de telles enquêtes en peu de temps. Et il n'est pas certain qu'il emmène tous ses esclaves avec lui dans le pays qu'il aura choisi, commente Crassus.

César se lève.

– Je n'ai plus rien à ajouter. Je souhaite à nos deux consuls une soirée attrayante en compagnie de notre ami. Pensez à lui remonter le moral.

Un festin chez Verrès

En cette soirée du 1er août 70 tous ceux qui comptent dans la noblesse romaine se pressent chez Verrès qui fête, par avance, son acquittement. Le temps est d'une douceur suspecte, un temps à craindre le pire, l'orage dévastateur qui pourrait fondre sur la ville en quelques instants avec son cortège d'éclairs de si mauvais augure. Pourtant, aucun nuage à l'horizon. Le ciel peu à peu s'enrobe d'un bleu sombre vers les montagnes de l'est.

Le maître de maison a trié avec soin ses invités.

Un de ses esclaves, un fin lettré grec, Héloris, qui a eu la malchance de se battre dans une cité prise d'assaut par les légions et s'est donc retrouvé prisonnier à Rome dans cette vile condition, lui a reconstitué les arbres des ascendances de toutes les grandes familles en utilisant les archives de l'État. Cela lui a permis d'éliminer impitoyablement toutes les *gens* où un doute apparaissait. Cette idée lui procure une jouissance extrême : il n'a réuni que des nobles de lignée pure. Du moins le croit-il. Car c'est ce même Héloris qui, soudoyé par César, a avoué avoir truqué son rapport pour complaire à son maître. Verrès ne sait pas que sa réputation ne tient plus qu'à une délation.

Le *triclinum* occupé habituellement par neuf personnes ne peut contenir tous les invités. On a installé des lits de repas dehors, dans les trois péristyles. Des torches à huile projettent une clarté douce sur les belles statues installées au pied de chaque colonne. Une partie de la collection de Verrès est, pour la première fois, présentée en public. La majorité de ces œuvres provient de Sicile.

Plus de cinquante notables sont venus soutenir l'un des leurs.

Hortensius le premier avocat de Rome, son défenseur, est là sur le lit d'honneur. À demi allongé sur le coude gauche il grignote des olives vertes. C'est la vedette de la soirée. Il pérore, mais sans vanité. Sa notoriété dépasse le bassin méditerranéen. Il sait que de riches habitants des provinces lointaines, de Grèce et même d'Égypte se sont fait héberger par des amis à Rome pour assister à l'affrontement du maître et du disciple. Car Cicéron son élève, le seul digne de lui succéder, lui donnera certainement une réplique implacable.

En fait, Hortensius est sur la réserve. S'il ne partage pas l'enthousiasme de son client, c'est qu'il connaît le dessous des cartes dont il ne peut rien dévoiler.

Verrès circule de table en table, en quête des moindres désirs de chacun et attentif à réprimander les manquements de ses esclaves. L'un des participants, ancien consul de l'année 78, Quintus Lutatius Catulus, qui se promène autour du péristyle avec son épouse Tuliola, l'interpelle alors qu'il fait le tour du jardin en compagnie de Tullia.

— Je tiens à te féliciter. Ta fête est du meilleur goût. Mais je voudrai que tu me confirmes ce que je viens d'entendre. J'ai bavardé avec l'un de mes successeurs au consulat, Claudius Scribonius Curio. Il me dit qu'Hortensius va faire repousser ton procès à l'année 69. Mais celui-ci me refuse toute information sur ce sujet brûlant.

Tout en répondant, Verrès, d'un geste machinal, fait tourner le superbe anneau d'or qu'il porte au majeur de la main gauche.

— Oui. Les conditions seront beaucoup plus favorables. L'un des consuls récemment nommé nous est tout acquis ainsi que plusieurs juges. Et puis, laisser passer quelques mois d'automne et d'hiver affaiblira les ardeurs des Siciliens dont beaucoup devront rentrer chez eux pour les nécessités des cultures.

— Nous fêtons donc un acquittement anticipé.

— Je n'irai pas jusqu'à le proclamer, mais, en confidence, je n'envisage pas d'autre issue.

— Pourtant, j'ai rencontré Julius César, récemment, au sénat, et je l'ai trouvé bien mystérieux concernant ton avenir. Je lui ai parlé de ton éventuelle candidature au consulat et il m'a fait comprendre qu'il était très prématuré de l'évoquer.

— Ah ! César est dangereux. Beaucoup plus que moi car il est capable de tout dissimuler : ses sentiments, ses avis, ses ambitions, ses raisons... ce que je n'ai jamais su faire. C'est un fin diplomate. Gageons qu'il adopte cette attitude pour se mettre en valeur lorsque je serai élu. Il me fera alors savoir que je devrai lui être reconnaissant de cette promotion.

– Tu peux compter sur mon appui inconditionnel.

– Merci à toi, Lutatius. Je ne l'oublierai pas.

Verrès continue de déambuler parmi ses invités mais il a perdu son allégresse.

Révélation

Les Socii de Prométhée sont réunis, presque au complet, en cette veille des Nones du mois d'août. Pas moins de vingt-deux membres ont répondu présents à la convocation de leur Suprême Pontife Intronisé. Il s'agit d'une soirée exceptionnelle motivée par une révélation exceptionnelle dit le parchemin. Les plus récalcitrants à quitter le confort de leur luxueuse demeure se retrouvent donc dans leur toge bordée de jaune d'or, avec leur deux médailles sur la poitrine, assis sous la majestueuse statue de Prométhée en proie à l'agression de son aigle.

Verrès est là, un peu pâle, préoccupé.

Un incident, en soi insignifiant, l'a mis sur ses gardes. Alors qu'il traversait Subure pour gagner la porte Capène dans sa litière, dans un rétrécissement de la chaussée une femme avait surgi d'une petite venelle transverse et avait réussi à s'approcher, à écarter le rideau et à lui dire quelques mots.

– Verrès, c'est fini. La chance a tourné. Tu vas commencer à payer. Ce soir tu vas connaître ton destin. Tu vas bientôt regretter tes trahisons et tes crimes.

Des voyantes, des diseuses de bonne aventure, des prêtresses de tous les cultes de la terre, il y en avait à foison dans Rome. Elles cherchaient quelques pièces pour survivre et pour cela racontaient n'importe quoi en essayant d'impressionner les gogos. Mais celle-ci était différente. Elle lui transmettait un message. Il l'avait très peu vue mais il y avait une intonation désagréable dans sa voix. Elle exprimait la vengeance.

Après la cérémonie d'ouverture des travaux sur les phrases traditionnelles du rituel, le Suprême Pontife Intronisé se tourne vers le banc de pierre noire où se tient Verrès et, de façon très inhabituelle, lui demande de venir se placer devant la statue de Prométhée, au centre de la pièce.

Il se lève et reste debout sous le regard intrigué des autres Socii lorsque le responsable de la *Cella* 1 prend la parole.

— Membres de très noble *gens* et Socii de Prométhée, nous n'avons ce soir qu'un seul *Opus* et il concerne notre Socius Verrès. Ce n'est pas un hasard si j'ai convoqué cette séance exceptionnelle la veille de l'ouverture de son procès. Des faits nouveaux et graves sont intervenus et il va devoir s'en expliquer.

Verrès est atterré. Avant de savoir ce qui lui est reproché, il a compris au ton du Suprême Pontife Intronisé que l'heure n'était pas à la gaudriole. Il jette un regard vers Pompée et Crassus assis côte à côte sur sa droite. Mais ils détournent le regard.

Angoissé, il entend la suite.

— Socius Verrès, lorsque tu as été recruté chez nous tu as toujours affirmé être de la plus noble lignée qui soit. Tu as assuré que tu pouvais donner la liste de tes ancêtres jusqu'aux premières Annales de Rome. Et dans le même temps tu n'as cessé d'afficher ton mépris pour les mariages entre aristocrates et gens de la plèbe, tu n'as cessé de vouer aux Gémonies ces bâtards qui selon toi ont rendu notre classe si molle et si lâche. As-tu dit cela ?

– Suprême Pontife Intronisé et vous Membres de très noble *gens*, j'ai bien dit cela.

Verrès sentait la couleur lui revenir au visage. S'il ne s'agissait que de prouver ses degrés de noblesse, il se sentait à l'abri du danger. Il connaissait presque par cœur la liste des dix-sept générations qui l'avaient précédé et que Héloris avait patiemment été rechercher dans les archives de Rome et compilée sur un parchemin.

– Socius Verrès, sais-tu que tu mens ou que, pour le moins, tu fais preuve d'une grande naïveté. Car la nouvelle exceptionnelle que je dois tristement vous faire partager, c'est que tu es un descendant de bâtard.

Verrès n'en croit pas ses oreilles. C'est un malentendu qu'il va éclaircir sans difficulté. Il est tellement surpris qu'il ne pense pas à lever la main pour demander la parole. Il entend le Suprême Pontife Intronisé continuer.

– Cette révélation ne serait pas en elle-même d'un grand intérêt, mais elle prend toute sa dimension dans les circonstances du procès qui t'est intenté. Pour un homme qui se veut le défenseur de la pureté de la noblesse et qui manifeste un mépris renouvelé pour la plèbe, avoir caché ou ne pas savoir que plusieurs de ses ascendants sont d'extraction populaire est impardonnable. Qu'as-tu à dire pour ta défense ?

– Suprême Pontife Intronisé et vous, Membres de très noble *gens*, il s'agit d'un épouvantable malentendu. Comme vous le savez sans doute, je m'intéresse tellement à ces questions, que j'ai, parmi mes esclaves, un lettré grec, Héloris, qui depuis deux ans a consulté tous les registres et toutes les annales pour réaliser l'arbre de mes ancêtres. Je puis vous le jurer, toute ma lignée est pure.

– Et pourtant, nous avons vérifié. Nous avons fait ce que tu n'as pas eu la sagesse de faire, par peur de la réalité peut-être ? Tu as préféré accorder tout ton crédit à un esclave alors que tu les traites généralement comme des chiens. Il est bien probable que cet Héloris t'ait dissimulé la vérité par peur des représailles. Ta réputation de violence et d'injustice t'a desservi. Car chacun peut lire les Registres et les Annales. Et c'est bien de ta famille dont il s'agit lorsque nous trouvons un mime de théâtre en 412 surnommé Verrès. C'est bien de ta famille dont il s'agit lorsque nous lisons qu'une fille nommée Tertulia a épousé un négociant en vins. Et c'est encore chez les Verrès que nous voyons entrer un gladiateur en 232. Un gladiateur, Verrès !

Verrès est alors pris d'un de ces accès de fureur dont il est coutumier. Son visage est rouge violacé. Ses yeux noirs sont comme des dards. Il hurle.

– C'est un coup monté. Une véritable embuscade. Un complot. Qui veut la mort des Verrès ? Ce ne sont que mensonges. Vous avez inventé ces ancêtres. Héloris ne m'a pas menti. Ce n'est pas possible. Vous cherchez à m'abattre parce que je suis fragilisé par ce procès infâme, mais j'aurai ma revanche. Vous qui prétendez être mes Socii, qui devez voler à mon secours en toutes circonstances, que faites-vous aujourd'hui ? Vous ne valez pas mieux que la piétaille de la plèbe. À qui vendez-vous vos services ? À qui...

– Verrès, tu t'égares. Le silence serait préférable. Tu dois encore entendre...

– Je peux vivre sans vous, sans les Socii de Prométhée. D'ailleurs vous êtes bien à son image, à vous laisser bouffer le foie par le premier rapace venu. Je vais continuer ma lutte pour les vrais aristocrates. Je vais créer ma propre société secrète. Je...

– Pour le moment écoute.

Verrès se tait. Il est animé de mouvements convulsifs incontrôlables. Il regarde l'assistance, incrédule.

– Verrès, c'est de ton proche avenir dont il est question. Demain les témoins seront accablants mais, grâce à notre intervention, tu éviteras la peine de mort. Tu seras exilé. Je te conseille de partir avant le verdict pour éviter la colère populaire.

2.

Justice

Le procès s'ouvre le 5 août à treize heures. Le soleil est presque à son zénith. La chaleur est accablante.

Le Forum, bondé, ne peut contenir tous les citoyens qui ont convergé vers le centre de Rome. Des bruits plus ou moins alarmants traversent toute la ville. On imagine un coup de force de Verrès.

Dans un angle de la place, le long de la Basilique Aemilius, Arcanoë se tient derrière un pilier, attentive et angoissée. Son périple avec Cicéron l'a convaincue que l'accusation a un bon avocat, un homme sincère et talentueux. Mais, après les trois tentatives d'assassinat sur mer et sur terre, elle redoute la fin de ce procès. Elle a hâte que tout soit terminé et que Verrès paie pour son ignominie.

Cicéron aussi est pressé.

Depuis son retour de Sicile, il a compris qu'Hortensius, en fin stratège, a décidé de faire traîner la procédure pour repousser l'ouverture des débats à janvier 69, date à laquelle les consuls et les magistrats leur seront plus favorables. Il doit éviter ce piège et profiter des premiers points marqués lors de sa nomination comme accusateur. Avec les nombreux Siciliens qui déambulent dans Rome depuis des semaines en clamant leurs malheurs à tous les vents, la ville entière bourdonne de rumeurs qui vont chaque jour en s'amplifiant. Ce climat lui est propice. Mais le peuple est versatile et la partie adverse ne manque pas d'habileté. Il doit donc gagner en quelques jours en inondant les juges sous des centaines de preuves et de témoignages accablants. Devant un public qui sera de plus en plus hostile au prévenu il doit jouer la pression de la plèbe à qui les deux consuls viennent de restituer les pouvoirs que Sylla leur a retirés. La loi Aurélius Cotta vient d'être promulguée. Les tribunaux compteront désormais des représentants du peuple.

Marcus Acilius Glabrio est président du tribunal. Cicéron le connaît bien. Il n'est ni méchant ni malhonnête. Mais sa nature molle, voire apathique le rend difficile à influencer. Il demande le silence et s'adresse à la foule et à Cicéron.

– Le procès en concussion concernant la propréture de Verrès en Sicile de 73 à 70 est ouvert. La parole est à l'accusation. Je précise que les débats seront levés après le prononcé de cette accusation qui n'est qu'un préliminaire. Ils reprendront demain matin.

Cicéron est majestueux dans sa toge immaculée. Chacun retient son souffle pour saisir les moindres inflexions de sa parole. Son éloquence, sa prestance et son charme ont une telle réputation que même ses ennemis et les avocats de la défense sont impatients de l'écouter.

– C'est à vous juges que je m'adresse, mais à vous aussi peuple de Rome et à vous amis Siciliens tant éprouvés durant trois ans par la scélératesse d'un seul homme. Si je suis présent devant vous en ce jour des Nones d'août, c'est que les dieux sont avec moi. Je ne m'étendrai pas sur les pièges qui m'ont été tendus, sur terre comme sur mer durant mon enquête. Par ma propre vigilance ou grâce à mes amis, j'ai pu éviter tous les coups les plus pervers. Mais aujourd'hui, dans cette action judiciaire, j'affronte un danger bien plus terrible. J'affronte le scélérat le plus impie et le plus audacieux que Rome ait jamais connu. J'affronte celui qui a passé sa vie à semer des embûches contre le peuple romain, contre ses alliés, contre les nations étrangères, contre l'ordre sénatorial et même contre le nom même de sénateur. Car l'homme que je traduis devant vous a commis tous les crimes. Il a pillé le trésor public, dans sa jeunesse il a accablé de vexations et d'actes odieux l'Asie et la Pamphylie, il a utilisé ses fonctions de préteur urbain à Rome pour rendre une justice dévoyée pour son enrichissement, et depuis trois ans il a causé la perte et la ruine de notre plus belle province, la Sicile. Je reviendrai en détail sur tous ces chefs d'accusation et la longue cohorte de mes témoins assortie de preuves matérielles incontournables vous convaincra, sans doute. Pour l'heure je dois définitivement éliminer deux possibilités dont Verrès et ses sbires répandent le bruit depuis plus de deux mois.

Cicéron s'arrête un instant. Il faut laisser l'assistance et les juges intrigués imaginer une réponse. Il boit une grande coupe d'eau à petites gorgées. La foule s'est mise à bavarder. Un léger brouhaha monte jusqu'à la tribune.

Verrès assisté de ses avocats est assis dans la partie du tribunal réservée aux prévenus. Il apparaît étrangement calme, distant, presque absent. Contrairement à son habitude il n'agresse plus Cicéron. Pas un mot. Il donne l'impression de ne pas être attentif aux propos de son accusateur. Il est ailleurs. Il se vit déjà en exil.

Cicéron n'est pas au courant des tractations souterraines qui ont réglé le sort de Verrès. Il ne sait donc pas que cette journée sera la seule pendant laquelle il aura réellement à plaider. Il reprend.

– La première possibilité est une machination que tout Rome colporte depuis bientôt six mois. Verrès serait tellement corrompu, notre société sénatoriale serait tellement complice et les intrigues seraient tellement présentes que, dans ce procès, tout serait acheté. Par les dieux immortels je ne veux pas le croire. On dit que, sur l'immense fortune rapportée de Sicile, le tiers aurait été utilisé pour vous acheter, vous, juges élus du peuple romain, un autre tiers viendrait en rétribution à Hortensius, le reste assurant à Verrès lui-même des jours paisibles. Une telle pratique dévoilerait l'inacceptable indignité de l'élite romaine et j'implore les juges de prouver, par leur attitude responsable, que cette rumeur est infondée. La deuxième possibilité est tout aussi pernicieuse. La défense aurait organisé les débats pour que le procès traîne en longueur et dure plusieurs mois en raison des nombreuses fêtes qui interviendront successivement à partir du 18e jour des Calendes de septembre[1]. Ainsi, de report en report nous arriverions à janvier 69 avec deux nouveaux consuls nommés, Hortensius et Caecilius Metellus, tout acquis à la cause de l'accusé, de même que les nouveaux juges élus. Cette fois, ce ne serait pas l'argent qui sauverait Verrès, mais un réseau amical rallié à sa cause. J'en appelle donc à la sévérité des juges, d'une part pour châtier de façon exemplaire les crimes commis mais aussi pour punir ces tentatives de corruption de la justice. Car c'est toujours le peuple romain qui est bafoué dans

---

1. Le 15 août.

de telles entreprises. Pour conclure, sachez, juges, que je suis un accusateur haineux, assidu et violent. Haineux car je ne trouve pas d'autre comportement possible en face d'un accusé aussi dépravé qui ne présente aucun repentir. Assidu car seule la mort pourrait me faire renoncer à aller jusqu'au bout de mon engagement. Violent parce que devant Verrès tout relâchement, toute modération font perdre la bataille. Enfin, je vous informe que, pour faire obstacle à toutes ces menaces, j'ai prévu une stratégie que je ne dévoilerai que demain si le juge Glabrio m'y autorise.

— Ta requête est accordée, Cicéron. Après cette introduction de l'accusation, les vrais débats débuteront demain à la troisième heure.

Les témoins

Ce matin, Cicéron a décidé d'innover et d'imposer un autre rythme à la procédure. Il interpelle le préteur.

— Acilius Glabrio, j'ai une demande à formuler dans l'intérêt de tous. Je vais renoncer à plaider maintenant et je demande l'autorisation de faire défiler les témoins qui attendent depuis si longtemps et dont la majorité se sont déplacés de leur Sicile natale. Tous ces hommes sont impatients de pouvoir exprimer leurs griefs et ils sont si nombreux que je souhaite vous présenter d'emblée ceux qui apportent les charges les plus sérieuses et les mieux documentées.

— Ta demande est acceptée, Cicéron. Faites venir les témoins.

Grâce au journal quotidien qu'il a tenu pendant son enquête en Sicile, l'avocat de l'accusation a organisé une présentation des témoins dans une progression de plus en plus dramatique. Il va dépeindre un Verrès qui ne

cesse de s'embourber dans les exactions et les comportements infamants, les vols, les tricheries de tous ordres
pour terminer par les mises à mort injustifiables avec, en
apothéose, la crucifixion de Gavius à Messine.

Le défilé commence donc. Verrès prostré sur sa
chaise, ne mesure pas ce qu'il va devoir subir pendant
cette première journée. Cicéron assisté de ses aides a mis
en scène une minutieuse dramatisation de ses preuves. Il
accorde peu de temps à chacun des plaignants mais ils
sont préparés à dire l'essentiel. Il est auprès d'eux pour
leur faite préciser des points obscurs ou pour leur rappeler quelque oubli. Le plus souvent, il doit assurer la tra-
duction du grec au latin et sa parfaite maîtrise des deux
langues fait une grosse impression. À la fin de chaque
déposition, un huissier apporte aux juges plusieurs rou-
leaux de parchemins où sont résumés les faits et rassemblés les documents authentifiés.

Durant six heures, quarante-deux Siciliens parmi les
personnages les plus éminents de l'île viennent à tour de
rôle plaider leur cause.

La défection de Verrès

Lors du matin du troisième jour, à l'ouverture de la
séance, Verrès est absent. Hortensius s'adresse au préteur.

– Salut à toi, Glabrio, préteur en exercice. Mon
client, Verrès, vient de me faire savoir qu'il regrette de
ne pas assister aux débats de ce jour pour cause de maladie. Une forte fièvre le retient à son domicile et les
médecins sont déjà à son chevet.

– J'en prends acte, Hortensius. Le défilé des témoins
peut se poursuivre.

Ce troisième jour est à l'image du précédent.
Accablant. Un peu ennuyeux à la longue. L'assistance

commence à faire défection. Glabrio, perché sur son estrade, bâille souvent. Après avoir auditionné trente-cinq témoins, il ajourne la séance.

Fuite vers l'exil

Dans la nuit, vers deux heures du matin, le convoi s'ébranle. Trente-deux énormes chariots tirés par des bœufs, surchargés et bâchés pour dissimuler la marchandise, partent vers la voie Flaminia par la porte Ratumena au nord de Rome. Une troupe de trente gladiateurs bien armés escortent cet étrange équipage.

Verrès a tiré les leçons de la séance du tribunal qui s'est achevée quelques heures auparavant. Chacun des quarante-deux témoins a été un clou enfoncé dans sa réputation. Et la litanie va continuer pendant plusieurs jours. En même temps, les paroles du Suprême Pontife Intronisé trottent dans sa tête. Tout va dans le même sens. Il est condamné d'avance. Sa carrière politique est brisée.

Malgré les services qu'il a rendus à la République, il sait qu'il ne peut plus retourner la situation en sa faveur. Il sait que les juges, même ceux qui lui sont favorables, n'oseront ni braver le peuple en prononçant un non-lieu ni surtout s'opposer aux décisions des puissants Socii de la *Cella* 1. Il sera condamné.

Cicéron a gagné.

Mais lui aussi a été manipulé. Il ne triomphe qu'en apparence. Et il n'est sûrement pas dupe.

Le cynique Verrès a trouvé pire que lui. Tous ces aristocrates, ses pairs, qu'il a toujours défendus, aujourd'hui le trahissent parce que leurs intérêts immédiats sont menacés par le peuple.

Inutile d'en rajouter et de faire semblant d'argumenter pour retarder seulement de deux ou trois jours la sentence. D'après un de ses amis, membre du jury, l'exil est confirmé. Seule sa durée reste en suspens. Ce ne peut être moins de vingt ans !

Heureusement, il avait prévu cette éventualité. Timarchide, son sbire préféré, tout dévoué à sa cause et grassement rémunéré, lui a trouvé une grande villa dans la région de Massalia[1] qu'il a déjà visitée dans sa jeunesse sur un navire de son père. Le climat y est ensoleillé, presque aussi chaud que celui de Rome. La région est riche. Le vin y est bon. Et la capitale n'est pas trop éloignée. Il pourra garder contact avec les Optimates en attendant de pouvoir rentrer. Sans doute ne sera-t-il pas tout jeune, mais le climat sec de Massilia conserve, dit-on. Enfin, il peut toujours espérer une amnistie. Pour l'heure, il faut régler les questions bassement matérielles.

Dès son retour du forum il a demandé à Tullia de le rejoindre dans le *triclinum*. Il doit lui dire toute la vérité. Dès son entrée dans la superbe salle décorée de vastes panneaux représentant les scènes de la mythologie, elle a compris que le pire venait de se produire.

– Je devine que les choses tournent mal. Mais tu peux tout me dire. Je ne t'abandonnerai pas dans l'épreuve. Je suis prête à vivre auprès de toi les conséquences de tes actes.

– Mes actes ne sont pas seuls en cause, Tullia. Je suis trahi, lâché par les miens. Ma condamnation à l'exil est un morceau de choix donné en pâture au peuple. Il n'est pas sûr que Cicéron aurait emporté la conviction des juges sans les pressions exercées en coulisse par Pompée, César ou Crassus.

– Peut-être, mais en conscience, tu dois reconnaître que tu as commis de nombreuses injustices et que l'accu-

---

1. Marseille en Gaule Narbonnaise

sation de concussion est prouvée. Tu as même exercé ton pouvoir de mort sur des innocents en les faisant battre. Tu as fait crucifier des citoyens romains.

– Ne m'accable pas, Tullia. Depuis un peu plus d'un an que je te connais, je réfléchis. Je vois bien que ma fougue et mes passions m'ont entraîné vers le pire. Mais j'ai des justifications : la raison d'État, la protection de Rome et le maintien d'une hiérarchie entre les aristocrates et la plèbe. Tu me reproches la mise en croix de Gavius mais sais-tu que j'avais raison de l'accuser d'être un espion à la solde de Spartacus ? Qu'aurions-nous fait si cette horde de cent mille vauriens avait déferlé sur la Sicile en réveillant la guerre servile du siècle dernier ?

– Sans doute, mais il y eut aussi l'affaire Sopater, l'affaire Épicrate ou ton affrontement avec Sthénius. Il y eut le candélabre d'or d'Antiochus...

– Je les reconnais comme des fautes. J'aime l'argent, le luxe et les objets d'art. Et j'ai certainement eu la main lourde lors de mes prélèvements en Sicile. Mais ce pays est florissant et j'ai pris surtout aux riches. Cicéron a beau jeu d'essayer de faire croire que j'ai laissé une population au bord de la faillite. Il fait son métier d'accusateur. Mais, dans un ou deux ans, tout sera comme avant. Quant à Antiochus, ce Syrien prétentieux, je lui ai fait rentrer sa morgue dans la gorge pour la gloire de Rome.

– Allons, Verrès. Je suis sûr que tu sauras, à Massilia, loin de Rome, nous faire mener une vie intense. Avec ta fortune, nous ne manquerons de rien et tu continueras à collectionner les statues, les peintures et les plats ciselés. Enfin, je serai ton ambassadrice vis-à-vis de l'aristocratie car je ne suis pas exilée.

– Sans doute, mais je serai loin de ma famille, de mes amis et de l'ambiance trépidante de Rome.

– As-tu vraiment beaucoup d'amis, Verrès ?

Il ne répond pas. Avant de partir, il lui reste une chose à faire. Une dernière provocation. Pour lui tout seul. Sans témoin.

Au bout du grand péristyle qui donne sur son parc, à l'arrière de sa villa, sur l'Aventin, il a fait installer une centaine de Flores Ignis et a relié les uns aux autres les cordons d'allumage. Il a tout préparé pour faire la fête après son acquittement. Beau joueur, il fêtera sa condamnation.

Il s'approche, une torche à la main. Seule, Tullia, derrière lui, se remémore la fête de Syracuse où elle l'a rencontré. Il met le feu au cordon et, soudain, le ciel s'embrase de centaines de fleurs multicolores. La magie se répète. Il rit sous cape en pensant que, demain, les augures interpréteront cela comme une manifestation des dieux annonçant quelque calamité. Il a trouvé une alternative au vol des oies dans le ciel de Rome ou au comportement des poulets picorant le grain.

Il prend la main de Tullia et l'embrasse.

– Allons. L'anneau d'or de la déesse Déméter m'a peut-être évité la mort. Une nouvelle vie commence durant laquelle elle me protégera.

Le verdict

Le défilé des témoins a duré six jours. Les juges sont abasourdis par cette accumulation de forfaits prouvés par des documents accablants. Ils ont décidé d'en finir et de donner la parole à la défense.

C'est alors que se produit le coup de théâtre final. Hortensius se lève et se vient se placer devant le président du tribunal.

– Acilius Glabrio, je renonce à ma plaidoirie. Mon client est en fuite. L'accusation a marqué trop de points. Je demande au tribunal d'en finir.

La foule n'en croit pas ses oreilles. De mémoire d'homme cela ne s'est jamais produit pour un procès de cette importance. Un murmure intrigué parcourt l'assistance.

Les juges reviennent après seulement quelques instants de délibéré et reprennent leur place. Puis, Marcus Acilius Glabrio, président du tribunal, se lève avec difficulté. Sa forte corpulence lui interdit tout déplacement rapide. Mais, malgré l'obésité qui le fige dans l'aspect d'une statue trop grasse, des yeux noirs très vifs brillent dans son visage bouffi. Il essaie de donner un peu de solennité à son attitude en levant ses deux avant-bras et en agitant ses petites mains.

La foule, massée sur le forum, comprend brusquement que l'heure est grave. La journée a été longue car il fallait auditionner tous les derniers témoins. Le soir tombe. Tous les Siciliens sont là. Certains voudraient encore influencer les juges. Des cris fusent.

Les licteurs se sont avancés, menaçants, les verges à la main. Le silence retombe.

– Au nom de la République de Rome, et après en avoir délibéré avec les juges élus du peuple, en tant que préteur urbain, je condamne Verrès à une amende de trente millions de sesterces et au bannissement pour vingt-cinq ans. L'argent récupéré servira en partie à indemniser les Siciliens spoliés durant les trois années du mandat de Verrès.

Aussitôt, des hurlements de joie retentissent. Ils n'ont pas obtenu la mort, mais Verrès est hors jeu jusqu'à la fin de ses jours. Il a quarante-cinq ans. Il ne peut espérer rentrer avant la vieillesse. Et surtout, il devra dédommager les Siciliens. Tous ses biens seront confisqués, sa maison de Rome rasée. Il est déchu de ses droits de citoyen.

Arcanoë, avec quelques amis, savoure sa joie. Au fond de son cœur, elle est reconnaissante à Cicéron d'avoir par sa détermination et son intransigeance forcé la classe dominante, l'aristocratie, à lâcher l'un des siens. C'est une compensation pour la mort de Spartacus. Elle a bien compris, en parlant avec Marcus, que d'autres forces plus puissantes et très maléfiques étaient en cause. Mais que faire contre ces perversions du pouvoir ?

Soudain, l'envie la saisit d'aller faire un petit signe à celui qui fut son amant pour quelques jours. Elle se faufile dans la foule en liesse jusqu'à la monumentale estrade où Cicéron rassemble quelques documents en commentant la sentence avec Tiron. C'est lui qui la reconnaît lorsqu'elle n'est plus qu'à quelques pas.

— Je crois que tu as la visite d'une de tes ferventes admiratrices, Marcus.

Cicéron s'est vivement retourné.

— Lucia. As-tu suivi le procès ?

— Oui, Marcus, chaque jour.

— Es-tu satisfaite ?

— Oui et je te remercie pour ton courage.

— Et maintenant, je devrais appeler les licteurs pour te faire arrêter. Tu es toujours recherchée comme complice de Spartacus.

— Fais-le si tu crois cela juste. Mais tu sais bien que nous défendons la même cause.

Cicéron la contemple, plus ému qu'il ne l'aurait cru de la revoir, si belle, si flamboyante, si déterminée.

— Sans doute, mais je ne peux renier toutes mes valeurs et ma classe sans être immédiatement éliminé.

— Et moi je ne peux constater l'esclavage et la domination d'une oligarchie méprisante sans avoir honte pour les Romains. Dans la religion de Dionysos, nous aimons d'abord et tous les êtres humains sont égaux. Je te l'ai expliqué.

– Sauve-toi. Pour l'heure, tu as peut-être tort d'avoir raison. Cela, aussi, peut valoir la peine de mort. Je vais faire comme si je ne t'avais pas remarquée mais avant que tu ne disparaisses de ma vue, sache qu'en Sicile tu fus une embellie dans ma vie.

Arcanoë, entraînée par ses amis, est déjà loin.

3.

Les jeux continuent

Titus Pomponius Atticus attend ses hôtes à Tamphilane, sa maison du Quirinal. Deux hôtes de marque, deux amis, les deux ténors du barreau de Rome, Marcus Tullius Ciceron et Quintus Hortensius Hortalus.

C'est le 1er septembre.

Le procès de Verrès est clos. La classe populaire apaisée, satisfaite du verdict sans clémence : vingt-cinq ans d'exil. Elle a cependant été un peu frustrée, privée des assauts oratoires dont elle est friande. L'empoignade attendue depuis six mois entre Hortensius et Cicéron n'a pas eu lieu. Verrès s'est sauvé comme un pleutre. Bien que les Siciliens aient déroulé le long ruban de leurs lamentations, le procès avait perdu de son intérêt. Les derniers jours, le forum était presque vide.

Atticus a donc eu l'idée de solliciter les deux avocats pour un repas amical, avec la certitude que la soirée sera à la hauteur de ses espérances. Car si habituellement il aime jouer le rôle de conciliateur ou d'intermédiaire dans une négociation ou une confrontation, il s'agit surtout, pour ce jour, d'avoir le plaisir de participer à nouveau à la vie romaine après un long temps d'absence. À Athènes, les nouvelles lui sont parvenues régulièrement mais il ne pouvait prêter l'oreille à tous les potins, à tous les commérages, à tous les racontars qui déforment souvent les déclarations officielles.

Il s'est placé entre les deux hommes, sur le lit central. Pour rompre le silence, il attaque dans la futilité.

— Vous devez être déçus de n'avoir pu vous pourfendre par la grâce des mots, comme à l'accoutumée. ? C'est bien la première fois qu'un tel procès a lieu qui se déroule dans les règles et se termine en l'absence du prévenu et en l'absence de vrai réquisitoire et de plaidoiries.

— C'est aussi la première fois que le verdict est connu, même du prévenu, avant l'ouverture du procès, dit Cicéron d'un ton ironique. Malgré mon jeune âge j'ai connu de nombreux procès et je n'avais pas encore observé que des personnages puissants et organisés pouvaient interférer avec les juges au point d'annuler leur rôle.

— Comment peux-tu dire cela ? Tout s'est déroulé dans les règles, rétorque Hortensius. Verrès, accablé par les témoins dont tu avais savamment organisé le défilé, s'est enfui. Je n'ai rien pu faire pour le retenir. Quant au verdict, il est d'une grande sévérité et ne tient aucun compte des mérites de mon client que je n'ai pas pu exposer.

— Je parie qu'il ne t'a même pas prévenu !

— De qui parles-tu, Marcus ?

— De celui qui s'est joué de nous comme de pantins.

— Ton imagination est trop exubérante. Je t'assure qu'il n'y eut aucune conspiration, ni manœuvre d'aucune sorte.

– Tu dis peut-être cela parce que tu fais partie de
ceux qui décident dans le froid silence des tombeaux ?

– Je ne comprends pas ce que tu insinues.

– Je n'insinue pas, j'affirme que la morgue de l'aristocratie dépasse les limites du supportable. Quant aux
sociétés secrètes qui en sont l'émanation muette mais si
active, elles gouvernent la République beaucoup plus
sûrement que les Consuls et sans doute avec leur complicité, voire leur soumission.

– N'es-tu pas satisfait par un verdict de vingt-cinq
ans d'exil ? Je serai beaucoup plus fondé de me plaindre
et, de plus, je peux te faire remarquer que les soupçons
concernant des tentatives de corruption des juges sont
injustifiés.

Atticus, amusé, intervient.

– Notre ami Marcus est amer. Je comprends ses res-
sentiments. Bien que le verdict soit sévère, il n'a pas pu
briller comme à l'ordinaire.

– Tu veux dire qu'il n'a pas réussi à me voler la
première place ? Pas encore !

Atticus rit ouvertement.

– Vous êtes irremplaçables, le maître et l'élève.
L'élève qui tente de dépasser le maître tout en le respec-
tant et le maître qui maintient ses prérogatives tout en
ménageant son élève dont il admire la progression. La
République n'a jamais connu pareils duettistes. Vous for-
mez une paire indispensable pour l'équilibre de nos institutions, d'autant plus que malgré les apparences,
Hortensius, tu es un élu de la plèbe et que toi Cicéron,
qui défends la classe des chevaliers, tu sollicites également
les voix de la plèbe pour être élu.

– C'est toi qui manque à la vie politique, Titus, lance
Cicéron qui se détend peu à peu. Tu en comprends et
résumes si bien les enjeux, les subtilités et les mesqui-
neries.

– Tu me flattes mais je t'ai dit cent fois que je ne briguerais jamais aucun mandat officiel dans la carrière des honneurs. Et ce faisant, je vous rends service, car je puis être votre oreille, votre arbitre et parfois votre conscience. Sans aucune ambition politique, j'exerce mes talents de diplomate pour tenter de trouver des compromis dans vos querelles de préséance.

– Il reste que certains d'entre nous doivent s'intéresser aux affaires publiques, intervient Quintus.

– Oui, mais le respect des grands principes de la République et de ses lois, doit être au centre des motivations de chaque candidat. Ce sera mon programme pour être élu consul, affirme Cicéron.

Le repas vient d'être servi par cinq jeunes esclaves grecques qu'Atticus a ramenées d'Athènes. Des poissons rôtis, soles, turbots et bars accompagnés de pois chiches grillés. Le vin rouge vient de Sicile, de la région de Lilybée si chère à Cicéron. C'est un grand cru qui présente un fort degré alcoolique et a donc la vertu de délier les langues. Les trois hommes boivent peu habituellement, mais apprécient cette boisson capiteuse servie coupée d'eau.

Atticus se sent en verve pour relancer le débat.

– Qu'allez-vous faire maintenant ?

– Je vais me préparer à exercer mes fonctions de consul avec Quintus Caecilius Metellus Créticus dès le mois de janvier prochain, annonce Hortensius.

– Pour ma part, je dois continuer à faire campagne sans relâche, dit Cicéron dont l'humeur est moins agressive. Je ne suis que questeur et j'espère atteindre le même rang que mon maître dans six ou sept ans. J'ai aussi beaucoup à écrire sur la politique et ses enjeux. Je prévois de sombres années avec les montées des coteries et des coups d'État. Verrès aura marqué d'une pierre angulaire la République romaine. Nous entrons dans une période où les ambitions personnelles prendront le pas sur le bien public. Les temps sont loin où la patrie, la famille et le travail de la terre symbolisaient les vertus cardinales du citoyen.

Quintus écoutait son jeune confrère avec attention.

— J'approuve ton analyse de la situation, Marcus. J'ai tenté de défendre Verrès par amitié pour sa famille mais je n'étais pas dupe de ses fautes. Au lieu de choisir la voie de la conciliation avec la plèbe qui seule pourra améliorer la vie politique, il a opté pour un extrémisme violent qui renvoie une image détestable de l'aristocratie. Malgré l'adoption de la loi Aurélius Cotta qui va contenter le peuple pour un certain temps en lui restituant une partie du pouvoir judiciaire, la contestation ne peut qu'augmenter tant les disparités grandissent entre riches et pauvres. Nous devons apprendre à partager, au risque, dans le cas contraire, de voir notre système politique basculer dans la dictature permanente. Celle-ci pourra échoir à un nouveau Sylla si l'aristocratie s'impose ou à un nouveau Spartacus si les esclaves s'en mêlent.

Cicéron approuve en hochant de la tête.

— Ce sera ma fierté, Quintus, de me battre pour éviter ces deux fléaux. Et toi, Pomponius, quand reviens-tu vivre à Rome pour nous soutenir de ton bon sens et de ta fortune ? Voilà dix-huit ans que tu es à Athènes. Tu nous manques et l'abondante correspondance que nous échangeons ne peut compenser ton absence.

— J'y songe, Marcus, j'y songe. Je prépare mon retour mais je dois vendre mes biens et réimplanter mes affaires à Rome. Cela ne peut se faire en quelques mois. Accorde-moi deux ou trois ans. Je te promets d'être là pour ton consulat.

– J'en prends acte, Pomponius. J'aurai besoin de tes conseils éclairés.

Les trois hommes se quittent sur cet engagement. Mais chacun repart avec de sombres pressentiments.

La République vit ses dernières années.

Spectacles

Celer, le *scriptor* [1], préfère accomplir son travail au clair de lune pendant que la foule, grouillante durant la journée, tente de trouver un peu de repos dans la première partie de la nuit, avant que les premiers chariots de ravitaillement ne rentrent dans Rome pour préparer les marchés qui chaque jour, dès le petit matin, approvisionnent l'immense métropole. Il travaille donc pendant six heures environ, délivré des badauds. Et la peinture peut ainsi sécher avant que les enfants des rues, livrés à eux-mêmes, ne viennent y coller leurs mains.

Il n'a que quatre nuits pour couvrir d'annonces officielles une vingtaine de grands panneaux en bois répartis dans le centre de la ville. La municipalité de Rome les met à la disposition des organisateurs de jeux, à charge pour eux de payer les artisans responsables de ce travail. Après avoir badigeonné le support d'un fond blanc, à l'aide de peinture rouge et noire, Celer indique le programme des réjouissances tout en consacrant une place importante pour signaler le nom et les mérites de celui qui finance. Car les jeux ont, avant tout, un but publicitaire. En cette période très troublée de la République, la lutte pour les honneurs est devenue impitoyable. Il faut s'attirer les bonnes grâces des électeurs par tous les moyens.

---

1. Le *scriptor* est le peintre qui inscrit sur les tableaux d'affichage les annonces concernant les jeux du cirque.

Les conuls de cette année, L. Crassus et C. Pompée, les deux vainqueurs de la horde de Spartacus, sont immensément riches. Ils n'ont pas lésiné sur la dépense et Celer est fier qu'ils aient fait appel à lui. Sur la place de Rome et dans tout le Latium, il est considéré comme le plus cher mais aussi comme le meilleur des *scriptores*.

Celer est secondé par deux aides, deux jeunes qu'il a recrutés dans la rue alors que, désœuvrés et en quête de quelques rapines, ils cherchaient à lui dérober son matériel. Quelques coups de gourdin sur l'échine avaient découragé leur entreprise. Pendant qu'ils se frottaient le bas du dos en s'éloignant, Celer avait tenté de leur faire la morale en leur rappelant les grands principes de Rome.

– Bandes de vauriens, vous feriez mieux de travailler. Tout citoyen doit gagner sa vie et servir la patrie. Vous n'en prenez pas le chemin. Je vous embauche si vous voulez.

Contre toute attente, Polybe et Magus, les deux délinquants en herbe, avaient accepté son offre et depuis, il tentait de leur apprendre le métier.

Pour l'heure, tout en traçant habilement ses lettres, il les surveille d'un œil car il vient de leur donner un nouvel outil qu'il a mis au point pour gagner du temps. Des gabarits de lettres et de mots qu'il a découpés dans des planchettes de bois bien planes. Il leur suffit de les appliquer sur les panneaux et de remplir de peinture les espaces vides. Celer est très fier de ce procédé qu'il a mis au point et qu'il est le seul à utiliser. Cela évite aussi à ses apprentis qui ne savent pas lire de faire des fautes trop grossières.

Malgré ce système ingénieux, ils doivent se hâter pour finir dans les délais impartis, c'est-à-dire quinze jours avant le début des jeux.

10 octobre 70 : ces jeux célèbrent la fin des dernières récoltes et annoncent les mois de dormance de la nature

et de repos pour les hommes. Même les opérations de guerre sont suspendues d'un commun accord entre belligérants.

Dès huit heures du matin, la foule s'est amassée dans le grand amphithéâtre en bois de vingt mille places qui a été assemblé pour les fêtes de fin d'année. Ils ont pris place pour assister à la grande parade qui précède toujours le début des jeux. Les cent gladiateurs qui vont s'entre-tuer dans quelques heures sont là dans un habit rutilant mais sans leurs armes. Les femmes sont particulièrement attentives à les observer et certains d'entre eux sont l'objet de convoitises qui pourront s'exprimer, en cas de victoire, après le combat dans l'intimité de la cellule réservée à chacun dans la maison des gladiateurs. Les animaux exotiques soulèvent des exclamations de surprise. Les crocodiles dont les mâchoires sont solidement liées, les hippopotames dans leurs énormes cages, les buffles entravés, les lions et les panthères muselés, tous visibles à portée de main excitent la curiosité de cette population de Rome qui n'a pu les voir en Égypte ou en Afrique dans leur habitat naturel. Les jeux du cirque sont aussi de très enrichissantes leçons de sciences naturelles.

Posturius et Philématius défilent en tête. Ils sont prévus pour clore la journée. Le clou du spectacle. Selon la rumeur le vainqueur doit obtenir le *rudis*, le fameux sabre de bois qui lui rend sa liberté et ses droits de citoyen.

Crassus et Pompée se sont éclipsés avant les mises à mort des condamnés de droit commun qui ont lieu entre midi et deux heures de l'après-midi. Ils détestent assister à ces pratiques dont ils sont cependant les commanditaires. La cruauté de ces exécutions est en effet insoutenable. Certains sont livrés aux bêtes pour être dévorés vivants, d'autres sont exécutés par des gladiateurs spécialisés qui simulent un combat mais la plupart sont brûlés vifs sur des treillis métalliques portés au rouge. Malgré les parfums de prix dont sont aspergés les spectateurs, l'épouvantable odeur de chair grillée ne peut être dissipée et les hurlements des malheureux ajoutent à la bestialité de la manifestation.

De retour dans leur loge consulaire en début d'après-midi pour les combats des gladiateurs, ils ont dû arbitrer, pour les infléchir vers la clémence, les demandes populaires qui vont souvent dans le sens de la mise à mort. Le peuple aime voir un homme à terre, vaincu, se faire égorger et, bien que peu enclins, à autoriser cet acte de cruauté gratuite, Crassus et Pompée, de temps en temps, ont donné satisfaction à la foule qui hurlait.

Ils observent maintenant l'affrontement tant attendu entre Posturius et Philématius. Les deux hommes se battent depuis une bonne demi-heure. Ils ont utilisé toutes les ficelles de leur métier pour faire durer le combat et donner un spectacle de qualité. Ils sont fatigués, tous les deux blessés aux bras et aux cuisses, mais ils continuent car ils ont reçu la consigne d'aller jusqu'au bout de leurs forces, jusqu'à une blessure grave ou la mort de l'un d'eux.

Crassus fait un signe à Pompée qui, en général d'expérience, observe avec admiration les deux combattants.

— C'est absurde de désigner un vaincu alors qu'aucun n'a démérité. À l'évidence, ils sont de même valeur. Nous pourrions leur accorder l'égalité et remettre deux *rudis*. Qu'en penses-tu, Pompée ?

— Je suis de ton avis, Crassus. Aucun des deux ne doit mourir. Je vais donner l'ordre d'arrêter le combat.

Il se lève et croise ses deux avant-bras. L'arbitre, attentif au moindre mouvement de la loge consulaire, a aussitôt repéré le signal. Il interpose sa baguette de bois entre les deux gladiateurs, se place entre eux et prononce le match nul.

L'assistance tout entière s'est dressée et clame son approbation en agitant des foulards colorés à bout de bras.

Les deux hommes font un tour d'honneur en chancelant. Ils sont épuisés mais heureux.

– Je n'aurai pas cru que nous soyons si populaires en épargnant une vie. Notre consulat se poursuit sous de bons auspices. Retirons-nous, Marcus, avant que le peuple si versatile ne change d'avis.

Épilogue

Nous sommes en 42 av J-C. Vingt-huit ans se sont écoulés depuis le procès et la fuite honteuse en exil. Le proscrit est rentré depuis trois ans. Il s'est installé à Rome dans la maison héritée de son père et, malgré son tempérament bouillant, est resté à l'écart de l'agitation mondaine. Il a voulu se faire oublier. Il y est presque parvenu. L'anneau d'or n'a pas provoqué de miracles. Ce qui confirme à ses yeux que le pouvoir de ce mystérieux objet ne peut être que matériel. C'est la découverte du deuxième, puis du troisième anneau qui va lui donner l'immense richesse qu'il a toujours désirée. Et il pourra, enfin, réaliser son rêve de réunir dans une vaste demeure ses œuvres célèbres et admirées. Les plus belles femmes viendront à lui pour mettre en œuvre ses fantaisies érotiques. Il saura en payer le prix.

À soixante-dix ans, Verrès n'est pas devenu le sage qu'avait espéré Tullia. Il demeure un esthète prêt à tout pour satisfaire sa passion, un jouisseur et il a toujours la même avidité, la même absence de scrupules. Tullia est morte à Massilia et il est resté veuf. Après les femmes d'exception qu'il a connues, il préfère se contenter de jolies esclaves.

Un mince rayon de soleil levant se glisse dans la chambre où il repose en compagnie de Colintha, la jeune égyptienne qui partage ses ébats amoureux depuis quelques semaines. La lumière s'est infiltrée par un interstice étroit entre les deux lourds rideaux jaune d'or qui masquent l'immense baie vitrée exposée au sud-est. La jeune femme est nue, étendue sur le ventre, légèrement dans la diagonale du vaste lit. Le visage tourné vers les fenêtres laisse voir un profil tout en rondeur, nez court, pommettes saillantes, moue un peu boudeuse, lourdes paupières encore maquillées de bleu, menton bien dessiné dans l'alignement du front. Elle respire avec un très léger bruit. Le rai de lumière s'est posé au travers des fesses brunes. Colintha dort encore, les bras repliés au-dessus de ses cheveux discrètement crépus. Malgré le relâchement provoqué par le sommeil, son corps superbe est ferme comme une de ces statues de Praxitèle qui ornent le parc de son maître.

Verrès appuyé sur son coude gauche, à demi redressé, la contemple depuis quelques instants. Il avance la main et l'effleure, éveille un gémissement. Elle écarte légèrement les cuisses dans un réflexe de soumission.

Verrès aime éprouver ce pouvoir. Il ne s'en lasse pas. Avec l'émotion esthétique, la pulsion érotique aura été sa deuxième passion. Cette très jeune esclave récemment acquise, l'étonne et le comble. Elle lui redonne une véritable vigueur et lui fait oublier la blessure de l'âge.

Sa caresse se fait plus précise lorsqu'un vacarme imprévu et insolite à cette heure matinale envahit la demeure. Les chiens aboient furieusement et des voix qu'il ne reconnaît pas vocifèrent du côté de la rue. Assis dans son lit, il entend courir au rez-de-chaussée. Un esclave grimpe les escaliers quatre à quatre et vient tambouriner à sa porte. C'est le gardien de la demeure, Bricus, celui qui couche dans l'*atrium*, un Africain, un colosse aux muscles saillants. Il est effrayé :

– Maître, des soldats en armes te demandent. Ils disent qu'ils vont entrer de force. Ils sont menaçants. Je peux lâcher les chiens pour les intimider.

– Non. Dis-leur que je descends.

Il enfile une tunique brune qui lui arrive à mi-mollet et se hâte vers l'*atrium*. Il n'a pas peur. Verrès est un grand scélérat. Il a pu paraître précieux, voire efféminé parfois. Mais il est courageux et comme beaucoup de Romains de la classe aristocratique il a été élevé à la dure et ne redoute pas l'affrontement physique.

Le lourd portail est ouvert mais Bricus n'a pas levé la grille, ultime protection contre les intrusions mal intentionnées.

Un centurion, la main droite sur la poignée du glaive, apostrophe Verrès.

– Je suis envoyé par mon général, Marc-Antoine. Je viens prendre livraison de deux vases de Corinthe que tu lui as récemment donnés. Ouvre cette grille. C'est un ordre !

Le maître des lieux vient de comprendre.

Après son retour d'exil, durant trois ans, il a sondé l'atmosphère pour retrouver ses marques, il a écouté les potins et les calomnies pour tenter de louvoyer habilement, pour se refaire une santé politique. Il y a un mois, pour la première fois depuis son retour d'exil, Verrès a voulu se mêler de plus près à la vie de la cité. Il a offert un festin à l'élite politique de Rome qui s'épuise, depuis l'assassinat de César, en affrontements de clans pour la prise du pouvoir. La République est moribonde. La mort de l'illustre imperator n'a pas arrêté le processus qui conduira à l'empire. Des représentants des plus grandes familles étaient là et la fête fut un plein succès. Mais il a commis une erreur, une erreur de taille, une erreur qu'il regrette amèrement ce matin.

Bien qu'il en ait dissimulé une partie dans la grande remise du fond du parc, il n'a pu se résoudre à ne pas mettre en évidence les plus belles pièces de ses collections de vases, de sculptures, de tableaux, le noyau dur de son musée personnel d'une exceptionnelle richesse. Certains, flatteurs, ont loué son goût raffiné mais d'autres, excités par la convoitise, ont reçu cette exhibition comme une provocation. Le sinistre procès de l'année 70 et le cynisme avec lequel il a nié ses exactions concernant la Sicile sont encore dans toutes les mémoires.

Marc-Antoine qui n'en a pas fini de disputer le pouvoir à Octave[1] est de la fête, superbe, athlétique, courtisan et courtisé, grand buveur, guerrier de haute lignée aux mœurs de soudard quand il a trop bu. Et il boit toujours trop, Marc-Antoine. Ce soir-là, il n'a pas échappé au rituel de Bacchus dont il se réclame dans toutes les occasions où ses beuveries le mettent dans un état d'ivresse qui le rend encore plus dangereux dans l'utilisation de son pouvoir. Car ses caprices prennent alors le dessus et gare à qui veut se mettre en travers de sa route.

En déambulant dans la maison en compagnie de son hôte, une coupe de vin à la main, la démarche mal assurée, il s'arrête devant deux superbes vases de Corinthe exposés sur un piédestal en bois précieux. Verrès a un faible pour ces deux objets qu'il contemple chaque jour depuis trente ans. Deux petites merveilles. Il les a volés à Syracuse en 72 et, pour rien au monde, il n'accepterait de s'en dessaisir.

---

1. Cet affrontement finira à l'avantage d'Octave qui sera nommé empereur treize ans plus tard en 29 avant J-C.

Avec une voix pâteuse d'ivrogne, Marc-Antoine s'esclaffe :

– Mon cher Verrès, tu as un goût vraiment exquis. Tes victimes auraient dû te pardonner toutes tes rapines car tu leur faisais honneur en les volant. Mais il faut savoir partager. Je pense que ces deux vases orneront à merveille ma salle à manger. Tu les as eus pendant trente ans. Je te les emprunte pour trente ans. C'est régulier. Tu me les gardes au chaud. J'enverrai mes soldats les chercher bientôt.

Verrès ne répond rien. Pas un mot. Il espère que les vapeurs de l'alcool contribueront à effacer le souvenir de cette idée saugrenue. Durant le reste de la soirée, il affecte une de ses plus jolies esclaves, une Gauloise très blonde qui fait le service seins nus, pour se préoccuper à chaque instant de tous les besoins d'Antoine et remplir sa coupe dès qu'elle est vide. Il compte beaucoup sur l'alcool conjugué au talent amoureux de la jeune femme.

Maintenant, il faut se rendre à l'évidence. Antoine, même ivre mort, même comblé d'amour, a de la mémoire !

Il faut gagner du temps. Tout est négociable.

– Dis à ton général que je viendrai le voir dans la journée.

Mais le centurion ne s'en laisse pas conter.

– J'ai ordre d'exécuter ma mission par la force s'il le faut. Ouvre cette grille ou je lance mes hommes à l'assaut.

Groupés derrière le centurion, disciplinés, les légionnaires n'attendent qu'un signe.

Verrès en a vu d'autres. Il n'a pas l'habitude de se laisser intimider dans sa propre demeure. Il héberge, dans les locaux réservés aux esclaves, une petite garnison de gladiateurs qui forment sa garde rapprochée. La grille devrait tenir le temps de les rameuter.

– Briscus, réveille les hommes. Qu'ils viennent en armes.

Mais un javelot transperce l'esclave avant qu'il n'ait pu sortir de l'*atrium*. Déjà, deux soldats cisaillent à l'aide d'une énorme pince les chaînes latérales qui retiennent la grille. La voie est libre.

Le centurion a dégainé son glaive.

– Ne m'oblige pas à m'en servir.

Verrès est devant lui, les bras croisés sur la poitrine. Arrogant, il provoque le militaire qui le domine de sa haute stature :

– Tu n'oseras pas porter ton arme contre moi. Je suis un ami de Marc-Antoine. Il n'a pas pu te donner cet ordre-là.

Le centurion hésite. Il sait qu'il a en face de lui un personnage de la plus haute aristocratie. Malgré son procès, sa condamnation sans appel, son long exil, il appartient toujours à l'élite, il a des relations très puissantes. Mais il sait aussi que Marc-Antoine est brutal, cruel, orgueilleux et fantasque. S'il ne parvient pas à rapporter les deux vases, il peut le payer de sa vie avant ce soir. À choisir, le risque est moindre de tuer Verrès. En cette période troublée, chacun joue ses propres cartes au jour le jour et l'aristocratie donne le mauvais exemple.

Verrès a lu une détermination implacable dans ses yeux. Il comprend qu'il faut encore négocier. Mais vite.

– Va dire à ton général que dès ce matin je le couche sur mon héritage. Je lui ferai livrer les vases dans la semaine[1].

L'officier hésite un instant.

– Je lui dirai, mais je veux les vases maintenant.

---

1. En droit romain, il était possible de donner tous ses biens en héritage à des étrangers.

– Mais il faut que je les emballe. Ce sont des pièces très fragiles...

– Je le ferai moi-même.

Il s'avance, le glaive à l'horizontale.

Verrès est blême de fureur. En un éclair, il voit défiler dans sa tête les centaines de personnes de haut rang qu'il a tenues à sa merci, les citoyens romains qu'il a humiliés ou même mis à mort. Il ne peut accepter que ce petit centurion ose lui tenir tête. Il hurle.

– Recule et sors de chez moi...

– Tu l'auras voulu.

La courte épée entre dans la poitrine, évitant le poignet droit plaqué sur le thorax, visant le cœur. Elle transperce Verrès qui s'effondre en murmurant :

– Il n'y a pas de justice...

De sa main gauche propulsée en avant, un anneau d'or se détache, tombe et roule doucement sur le sol pour disparaître dans l'interstice de deux grandes dalles.

Repères

Dates

312. Appius Claudius Caecus fut censeur en l'an 312 avant J-C. Il fit construire la voie Appia, première grande route de l'Italie qui allait de Rome à Capoue, et le premier aqueduc de Rome.

82 à 80. Sylla a exercé le pouvoir en tant que dictateur de l'an 82 à l'an 80. Il fit régner la terreur et supprima le droit de juger aux représentants de la plèbe. L'aristocratie est donc devenue toute-puissante en matière de justice.

Il a mené une répression sanglante en 82 et 81 av. J-C, au cours de laquelle des milliers de Romains ont été assassinés et tous leurs biens confisqués et attribués aux partisans du dictateur.

74. En 74, Lucullus vient de rentrer d'une longue campagne en Asie Mineure contre le roi Mithridate qu'il a vaincu.

70. En 70, Cicéron a trente-six ans et Caton vingt-quatre.

64. Cicéron sera élu Consul en juillet 64 grâce aux voix de la plèbe. Il exercera le consulat durant l'année 63.

Vie quotidienne

Amphithéâtre. Rome n'a pas eu d'amphithéâtre en pierre avant l'an 52 avant J-C. Avant cette date, les amphithéâtres étaient donc des structures éphémères en bois et démontables.

Basiliques. Les basiliques sont des édifices publics qui servent pour le marché, la justice et les affaires en général. Elles se trouvent près du forum.

Cardo. Le cardo, orienté nord-sud, est l'une des deux grandes rues d'une cité romaine. L'autre qui lui est perpendiculaire s'appelle le décumanus orienté est-ouest.

Cella. La cella est la pièce centrale du temple abritant la statue du dieu.

Cena. La cena est le repas du soir.

Femmes (liberté des). Les femmes riches avaient acquis une grande autonomie à la fin de la République et elles faisaient parfois jeu égal avec les hommes même en politique. Cependant, elles ne pouvaient être élues.

Femmes (éducation). Très peu de femmes apprenaient à lire à cette époque. Seules quelques aristocrates avaient ce privilège.

Gladiteurs (nom). Les gladiateurs s'affublaient souvent de surnom prestigieux. Ici, « Léomagnus » qui veut dire « Le Grand Lion ».

Glaive. Le glaive romain mesurait à peu près 50 centimètres.

Jeux. Les osselets sont un des jeux préférés du peuple romain.

Jour du mois. Les Romains décomptaient les jours à partir de trois points fixes dans le mois : les calendes, les nones, les ides. La numérotation se faisait à rebours (Ex : le 3e jour avant les calendes, le 2e jour avant les nones...) et le « 1er jour avant » n'existe pas dans ce décompte.

Mer. « mare clausum » (la mer est fermée) disaient les Romains pour désigner la période d'hiver durant laquelle la navigation n'était pas recommandée.

Montreurs d'animaux. Il y avait des montreurs d'animaux de toutes sortes dans les rues de Rome et notamment des montreurs de crocodiles bien qu'il fût impossible de dresser cet animal.

Parchemins. Les parchemins étaient fabriqués à partir de peaux animales traitées.

Phalères. Les phalères étaient des décorations réservées aux militaires non gradés. Elles se présentaient sous forme de grande médaille et se portaient sur la poitrine. Elles avaient la forme de plaques rondes d'or, d'argent ou d'autre métal, incrustées de pierres précieuses ou d'ivoire, qui servaient à décorer la poitrine des militaires ou les harnais des chevaux.

Pompa. La pompa est la grande parade qui voit défiler la majorité des acteurs et attractions des jeux. C'est, encore aujourd'hui, la parade des cirques.

Sculpteurs. Praxitèle, Myron et Polyclète sont de célèbres sculpteurs de l'Antiquité grecque.

Thermes. Quelques aristocrates possédaient des thermes privés mais c'était un privilège rare à cette époque à Rome.

Janus. Fils d'Apollon est un des grands dieux romains, tutélaire des portes et des chemins.

Trépanation. On trouve dans toute l'antiquité des preuves de tentatives de trépanation auxquelles les patients ont survécu. Ainsi le grand médecin Hippocrate en a pratiqué.

Trirème. Navire de guerre romain, construit sur un modèle grec, mû par des rameurs sur trois rangées, d'où son nom.

Urbs. Urbs, qui signifie « la Ville » en latin, est le nom qui était donné à Rome car elle était considérée comme la plus grande ville du monde donc la seule à mériter ce nom de « Ville ».

Voies romaines. De grandes voies parfaitement entretenues partaient de Rome pour conduire dans toutes les directions de l'Italie. La voie Appia est la première construite et la plus célèbre. La voie Flaminia est une grande voie allant vers le nord de l'Italie, construite en 221 av. J-C par Caïus Flaminius Nepos.

Mesures

Pied. Un pied vaut un peu moins de 30 cm.

Livre. La livre romaine vaut 327 grammes. Elle suffit aux besoins des Romains qui ne savent pas peser de gros chargements. Aucun multiple de la livre ni aucune unité supérieure ne sont connus.

Amphora. Mesure de tonnage pour les navires. Les bateaux utilisés pour le commerce à travers les différentes mers qui entouraient l'Italie faisaient trois mille amphorae soit environ 60 tonnes. Une amphora vaut 26,36 litres.

As. L'as est une menue monnaie romaine. À cette époque elle vaut un quart de sesterce soit environ cinq centimes d'euro.

Stade. Le stade est une unité de longueur grecque qui vaut entre 175 et 200 mètres. Le navire peut donc faire entre 140 et 180 kilomètres par 24 heures (75 à 108 miles marins)

Mille. Un mille romain fait 1472 mètres.

Sesterce. Un sesterce vaut quatre as. 100 000 sesterces égalent environ 22 000 euros.

Repères géographiques

Asclépéion. L'Asclépéion était le sanctuaire du dieu de la médecine Esculape. On y soignait les malades.

Bidis. Bidis, non loin de Syracuse, était à l'emplacement de San Giovanni de Bidi, hameau introuvable aujourd'hui.

Bithynie. La Bithynie est l'un des pays d'Asie Mineure situé dans l'actuelle Turquie.

Chrysas et Cyamosorus. Le Cyamosorus et le Chrysas sont aujourd'hui les rivières Simeto et Dittaino qui arrosent la Sicile orientale.

Cibyre. Cibyre, ville de Phrygie en Asie Mineure où Verrès fut questeur.

Cilicie. La Cilicie est un pays situé dans la moitié orientale du sud de la Turquie actuelle.

Circus Maximus. Le Circus Maximus est le plus grand cirque de Rome situé dans la plaine entre deux monts : le Palatin et l'Aventin.

Cnide. Cnide, ancienne ville du royaume de Carie en Asie Mineure, dans la Turquie actuelle.

Dacie. La Dacie est l'actuelle Roumanie.

Délos. L'île de Délos était la plaque tournante du commerce des esclaves. Selon les auteurs latins, il pouvait s'y vendre 10 000 esclaves en une journée.

Drépanum. Drépanum est aujourd'hui la ville de Trapani en Sicile.

Enguium. Enguium est probablement la ville actuelle de Nicosia en Sicile.

Épidaure. Épidaure est une cité grecque de l'Antiquité située dans l'Argolide, péninsule du nord-ouest du Péloponnèse.

Épire. L'Épire est une province du nord de la Grèce actuelle.

Gela. Gela est une ville portuaire du sud de la Sicile sur la mer Méditerranée.

Halicye. Halicye, en Sicile, est aujourd'hui la ville de Salemi.

Haluntium. Haluntium ou Aluntium est une ville de la côte nord de la Sicile située près de la ville actuelle de Caronia.

Illyrie. L'Illyrie correspond à l'ouest de la Slovénie et de la Croatie actuelles. Les descendants des Illyriens de l'Antiquité sont les Albanais.

Lilybée. Lilybée est la ville actuelle de Marsala en Sicile.

Laconie. La Laconie est une région du Péloponnèse (Grèce) située à l'extrême sud-est. Sa capitale était Sparte.

Lucanie. La Lucanie est la région située au nord-est du Brutium en Italie du Sud.

Lugdunum. Lugdunum est le nom gaulois de la ville de Lyon. Le commerce avec l'Italie se faisait par le Rhône.

Mazzara. Mazzara, en Sicile, s'appelle aujourd'hui Velo di Mazara.

Messine. Messine situé à la pointe Nord-Est de la Sicile est le seul port totalement acquis à la cause de Verrès.

Nemausus. Nemausus est l'actuelle ville de Nîmes, en France.

Panorme. Panorme est, aujourd'hui, la ville de Palerme, capitale de la Sicile.

Pintia. Pintia, en Sicile romaine, est une ville voisine de Mazzara. Elle n'existe plus aujourd'hui.

Pont Euxin. Le Pont Euxin est l'actuelle Mer noire.

Quirinal. Le Quirinal est une des sept collines de Rome située au nord-est de la ville.

Thermae Selinuntiae. Thermae Selinuntiae, en Sicile, est la ville actuelle de Siaccia.

Thrace. La Thrace est l'actuelle Bulgarie.

Tibre. Le Tibre est le fleuve qui arrose Rome et se jette dans la mer Tyrrhénienne à la hauteur du port d'Ostie qui ne deviendra un vrai port que sous le règne de l'empereur Claude, cent quinze ans plus tard.

Le Tibre est un fleuve sale. Il charrie chaque jour plusieurs centaines de milliers de livres de limon qu'il arrache au sol, sans compter les détritus de Rome car tous les égouts de la ville s'y déversaient par un canal central, le Cloaca maxima.

Vienna Allobrogum. Vienna Allobrogum est l'actuelle ville de Vienne en France. Elle était la capitale d'une région peuplée par les Allobroges.

Xiphonia. Xiphonia est la ville actuelle d'Augusta en Sicile.

Repères historiques

Anthiocus. Le futur Anthiocus XIII Asiaticus, fils d'Antiochus X Eusèbes.

Atticus. Atticus est un des rares aristocrates de Rome qui ne se mêlera jamais directement à la politique. Grand ami de Cicéron, il échangera des centaines de lettres avec celui-ci. Il possédait une immense fortune.

Caton. Caton avait vingt-trois ans lorsqu'il s'est engagé comme volontaire pour combattre aux côtés de Crassus contre Spartacus en 71. Il soutiendra Cicéron en 63 lorsque, nommé Consul, celui-ci aura à lutter contre Catilina.

Chélidon. La maîtresse en titre de Verrès s'appelait « Chélido », ce qui signifie « hirondelle » en grec.

Cicéron. Cicéron sera élu Consul en 63 av. J-C. Il a passé plus de deux ans à Athènes au cours de ses études. Il parle grec couramment.

Cléopatra Séléné. Cléopatra Séléné était la fille de Ptolémée VII, Évergète II d'Égypte.

Gracchus. Tiberius Gracchus fut un des premiers aristocrates romains à exiger une représentation du peuple au sénat. Il fut assassiné pour cela.

Hiéron. Rois de Syracuse de 269 à 216 av. J-C.

Marius. Tribun de la plèbe et grand général qui essaya d'accorder plus de droit aux villes de province et au peuple. Il fut vaincu par Sylla qui fit prévaloir les privilèges de la noblesse.

Nepos (Cornélius). Cornélius Nepos vécut de 100 à 29 av. J-C. Il fut historien. Il a écrit une vie de T. Pompéius Atticus.

Plaute. Premier auteur latin connu pour ses pièces de théâtre, Plaute écrivit des farces et des comédies très appréciées.

Pompée. Pompée est né en 107 av. J-C, un an avant Cicéron, six ans avant César.

Sylla. Sylla fut dictateur une dizaine années avant l'affaire Verrès. Il a modifié les lois pour donner tout pouvoir de justice aux aristocrates regroupés dans le parti des Optimates.

Verrès. En latin, le nom de Verrès permet de faire un jeu de mots avec le mot porc, verrat.

Vie politique

Aristocrates. Les aristocrates qui siégeaient au sénat s'appelaient les « Pères Conscrits ».

Censeur. Le censeur était en charge du recensement de la population et devait donc apprécier les fortunes et situations de chacun. Ce rôle n'était accordé qu'à d'anciens consuls.

César. César a été assassiné aux Ides de mars 44.

Consul. Chaque année durant la République romaine, deux consuls étaient élus. Ils étaient en charge alternativement, un mois sur deux.

Édile. L'édile est un magistrat élu pour un an qui a en charge l'entretien des temples, des bâtiments publics, des marchés et l'organisation des jeux. Ils s'occupaient aussi de l'approvisionnement en blé de Rome.

Imperium. L'« Imperium » est un pouvoir presque absolu qui était conféré aux préteurs sous la République romaine. Mais Verrès ne pouvait pas, sans le sénat, changer profondément les accords passés entre Rome et la Sicile.

Licteurs. Les licteurs forment la garde rapprochée du gouverneur. Ils sont les exécuteurs des sentences de mort.

Questeur. Le questeur est un magistrat élu pour un an. Il s'occupait du trésor et des finances de l'État et des Provinces.

Socius. Socius (pluriel : Socii) veut dire « allié ».

TABLE

Première partie L'enquête Déc. 71 – Mai 70 9
  1. Après la fuite 11
  2. L'affrontement 41
  3. Le péril en chemin 51
  4. Vers Messine 61
  5. Premiers jours 83
  6. La menace 109
  7. Le profanateur 129
  8. Le bonheur et les jours 143

Deuxième partie Verrès tel qu'en lui-même
           Janv. 73 – Déc. 71 161
  1. La loi de Verrès 163
  2. L'épaule de Tullia 209
  3. Comme un vautour 237
  4. Là-bas 251
  5. Démon et merveilles 259
  6. De l'autre côté de lui-même 309

Troisième partie Le procès 317
  1. Préliminaires 319
  2. Justice 343
  3. Les jeux continuent 357

Épilogue 367

Repères 375

Imprimé en France
FROC031115100620
24226FR00027B/445

9 782709 627443